Nicole Locke

Wie ein Schwert mitten ins Herz

D1019204

IMPRESSUM

HISTORICAL erscheint alle sechs Wochen in der HarperCollins Germany GmbH

Redaktion und Verlag:
Postfach 301161, 20304 Hamburg
Tel.: +49 (0) 40 / 6 36 64 20-0
Fax: +49 (0) 711 / 72 52-3 99
E-Mail: kundenservice@cora.de

Geschäftsführung:	Thomas Beckmann
Redaktionsleitung:	Claudia Wuttke (v. i. S. d. P.)
Lektorat/Textredaktion:	Iris Paepke
Produktion:	Christel Borges
Grafik:	Deborah Kuschel (Art Director), Birgit Tonn, Marina Grothues (Foto)
Vertrieb:	DPV Vertriebsservice GmbH, Am Sandtorkai 74, 20457 Hamburg, Telefon: +49 (040) 78 45-32 38

© 2015 by Nicole Locke
Originaltitel: „The Knight's Broken Promise"
erschienen bei: Mills & Boon Ltd., London
Published by arrangement with HARLEQUIN ENTERPRISES II. B.V./S.àr.l.
Übersetzung: Carolin Gehrmann

Deutsche Erstausgabe in der Reihe: HISTORICAL,
Band 334 (6) 2017 bei HarperCollins Germany GmbH, Hamburg

Abbildungen: The Killion Group / Hot Damn Designs, Creatas Images / Thinkstock,
alle Rechte vorbehalten

Alle Rechte, einschließlich das des vollständigen oder auszugsweisen Nachdrucks in jeglicher Form, sind
vorbehalten.

HISTORICAL-Romane dürfen nicht verliehen oder zum gewerbsmäßigen Umtausch verwendet werden.
Führung in Lesezirkeln nur mit ausdrücklicher Genehmigung des Verlages. Für unaufgefordert eingesandte
Manuskripte übernimmt der Verlag keine Haftung. Sämtliche Personen dieser Ausgabe sind frei erfunden.
Ähnlichkeiten mit lebenden oder verstorbenen Personen sind rein zufällig.

MIX
Papier
FSC FSC® C014496

Satz und Druck: GGP Media GmbH, Pößneck
Printed in Germany

Aus Liebe zur Umwelt: Dieses Romanheft wurde ausschließlich auf FSC®-zertifiziertem Papier gedruckt.
Der Verkaufspreis dieses Bandes versteht sich einschließlich der gesetzlichen Mehrwertsteuer.

Im CORA Verlag erscheinen u. a. noch folgende Romanreihen:
JULIA, BACCARA, ROMANA, BIANCA, TIFFANY
Weitere siehe auch www.cora.de

CORA Verlag Leser- und Nachbestellservice

Haben Sie Fragen? Rufen Sie uns an! Sie erreichen den CORA Verlag Leserservice
montags bis freitags von 8.00 bis 18.00 Uhr:

CORA Verlag Leserservice	Telefon:	+49 (0) 40 / 6 36 64 20-0
Postfach 810580	Fax:	+49 (0) 711 / 72 52-3 99
70522 Stuttgart	E-Mail:	kundenservice@cora.de

www.cora.de

1. Kapitel

„Schneller, du krummbeiniges Klappergestell!" Gaira vom Clan der Colquhoun beugte sich tief über den Hals ihres gestohlenen Pferdes.

Wie viel Zeit blieb ihr noch, bis der Mann, dem sie versprochen war, ihr auf die Spur kommen und ihr folgen würde? Es wurde immer knapper, noch rechtzeitig zu ihrer Schwester zu gelangen.

Sosehr sie das Pferd auch antrieb, es konnte einfach nicht schneller laufen. Seine Flanken waren schon schweißnass, und bei jedem Schritt keuchte es rasselnd. Auch Gaira atmete schwer.

Zum Glück mussten sie nur noch über den nächsten Hügel gelangen, und dann waren sie endlich in Sicherheit. Sie würden etwas zu essen bekommen und konnten sich ausruhen. *Und ich kann mich ganz der Fürsorge und dem Trost meiner geliebten Schwester hingeben*, dachte Gaira voller Vorfreude.

Sie drehte sich um. Es sah nicht so aus, als ob ihr jemand gefolgt wäre. Die Angst, die ihr Herz mit eisigem Griff umklammert hatte, ließ nach, und sie lockerte die Zügel.

„Wir haben es geschafft. Nur noch ein kleines Stück, und du kannst so viel Hafer fressen, wie du willst."

Gestank schlug ihr entgegen, noch ehe sie die Hügelkuppe erreichten. Der Geruch von Rauch, verbranntem Gras und verwesendem Vieh stieg ihr scharf in die Nase. Das Pferd scheute und warf den Kopf hoch, doch Gaira trieb es energisch weiter, bis sie schließlich oben ankamen.

Von der Anhöhe aus bot sich ihr ein schreckliches Bild. Völlig benommen vor Angst, ließ sie sich vom Sattel fallen. Ihr linker Knöchel knickte unter ihrem Gewicht ein, als sie auf dem Boden aufkam, doch sie spürte den Schmerz nicht. Sie krümmte sich, ging auf die Knie und erbrach das Haferbrot und das Wasser, aus dem ihr spärliches Frühstück bestanden hatte.

Eine Weile kauerte sie auf dem Boden, ehe sie merkte, dass ihr Pferd war nicht mehr da. Schnell stand sie auf und atmete tief ein. Sofort wurde sie von heftigem Husten geschüttelt. Und mit einem Mal wurde ihr klar, dass der Gestank nicht von verwesendem Vieh stammte, wie sie zuerst gedacht hatte, sondern von verbranntem menschlichem Fleisch.

Nichts außer diesem beißenden Gestank war vom Dorf ihrer Schwester übrig geblieben. Die Hütten sahen aus wie schwarze Gerippe, Dächer und Seitenwände hatten sich in Rauch aufgelöst. Nur die verbrannten Balken standen noch und glühten rötlich.

Das Tal sah aus, als wäre ein riesiger Felsblock hindurchgerollt und hätte alles verwüstet. Große schwarze Rauchsäulen stiegen in den Morgenhimmel.

Es herrschte absolute Stille. Kein Vogelzwitschern war zu hören, keine Blätter raschelten im Wind, kein Insekt summte.

Plötzlich kam ihr ein Gedanke. Vielleicht war ihre Schwester gar nicht dort unten. Vielleicht war es Irvette gelungen, dem Grauen zu entkommen. Sie zwang sich dazu, weiterzugehen, doch sie stolperte, weil ihr verletzter Knöchel nachgab. Unmöglich, den steilen Abhang hinunterzuklettern.

Sie blickte sich um. Ihr Pferd rannte panisch am Fuße des Hügels entlang. Der Gestank und die sengende Hitze hatten ihm Angst eingejagt. Sie rief nach ihm, doch es kam nicht zurück.

Gaira ging auf die Knie und kletterte rückwärts auf allen vieren in Richtung Tal. Der Rauch stieg ihr in die Nase, und sie musste husten. Als sie unten angekommen war, richtete sie sich auf und bedeckte ihren Mund mit ihrem Hut.

Sie ließ ihren Blick durch das Dorf schweifen und versuchte zu begreifen, was sie dort sah. Verkohltes Stroh, versengte Holzbalken und Möbelreste lagen verstreut auf dem Boden und den Wegen herum, genau wie die Dorfbewohner, Männer, Frauen und Kinder.

Niemand bewegte sich mehr.

Sie betrachtete verbrannte Körper. Vor nicht allzu langer Zeit waren diese Menschen ermordet worden. Auf der lehmigen Dorfstraße entdeckte sie Hufspuren, doch es war kein einziges Pferd mehr da und auch keine Schweine oder Hühner.

Gaira humpelte durch das brennende Dorf. Schließlich erreichte sie das äußerste Ende der Zerstörung und hielt vor der letzten Hütte an. Auch sie hatte man angezündet, aber das Feuer schwelte nur noch, und sie war nicht vollkommen zerstört.

In der Nähe der Eingangstür entdeckte sie die leblosen Körper eines Mannes und einer Frau. Der Mann war vollkommen verkohlt. Sein abgetrennter Kopf lag neben ihm auf dem Boden.

Dann betrachtete sie die Frau und erkannte sie sofort: Ihr flammenrotes Haar war nur leicht versengt, das graue Kleid war dreckverschmiert und voller Blut. Dann sah sie die zwei Schwerthiebe im Bauch.

Irvette!

Ihr wurde übel, alles drehte sich um sie. Auf einmal hörte sie einen schrillen, hohen Ton, der immer lauter wurde, bis sie schließlich merkte, dass sie selbst vor lauter Schmerz schrie.

Sie hielt inne, atmete ein paarmal ein und aus, um sich zu beruhigen, und dann hörte sie es: ein leises, verzweifeltes Weinen. Schnell humpelte sie zu der Hütte hinüber und sah sich hektisch um.

„Bei allen Wildschweinen und Nattern des Waldes!", flüsterte sie. „Ein Glück – du lebst!"

2. Kapitel

Schottland, an der Grenze zu England

Der Regen prasselte in einem nicht enden wollenden Schwall auf das Schlachtfeld hinab und verwandelte den Boden in eine Schlammlache.

Robert of Dent kämpfte verbissen. Sein Waffenrock war vollkommen durchnässt, sodass er ihm keinen Schutz vor dem Kettenhemd bot, das sich schmerzhaft in seine Haut bohrte. Dass ihm die Haare tropfnass über den Augen hingen und ihm die Sicht nahmen, machte nichts, da er in dem strömenden Regen ohnehin nicht viel erkennen konnte. Er sah seine Männer nicht mehr, wusste nicht, ob sie noch standen oder gefallen waren. Unermüdlich schwang er sein Schwert und schlug Angreifer nieder.

Blut spritzte durch die Luft. Es war überall: auf seinen Kleidern, in seinen Haaren, es rann ihm über Mund und Bart, lief ihm an den Armen hinab und über die Hände. Auch sein Schwert war blutverschmiert.

Den nächsten Angreifer sah er erst, als der schon mit seiner Axt nach ihm ausholte. Blitzschnell stieß er selbst zu und bohrte dem anderen die Klinge tief durch den Hals. Sie steckte fest, und er musste sie mit aller Kraft wieder herausziehen.

Kurz verlor er durch den Ruck das Gleichgewicht, doch er fing sich gerade rechtzeitig, um einen Axthieb eines neuen Angreifers abzuwehren. Die Wucht des Angriffs brachte ihn aus dem Gleichgewicht, er fiel auf die Knie. Schnell rollte er zur Seite, um dem Todesschlag seines Feindes auszuweichen. Die Axt des Schotten grub sich tief in den Schlamm. Noch in der Bewegung schlitzte Robert dem Mann über die Schienbeine, sodass dieser zu Boden ging. Robert stand auf und bohrte ihm die Klinge in die Brust.

Er spuckte den Schlamm und das Blut aus und bewegte sich weiter voran. Seine Stiefel rutschten auf dem glitschigen Boden, doch er wehrte seine Angreifer sicher ab.

Er dachte an nichts anderes als ans Kämpfen. Weder an Ruhm noch ans Überleben. Sein Kopf war vollkommen leer. Ohne nachzudenken, setzte er sein Schwert gegen die Feinde ein.

Wenn die Schlacht vorüber war, würde man die Verwundeten und die Toten wegtragen. Danach würden er und seine Soldaten essen, ein wenig schlafen, und dann ging es in den nächsten Kampf. Er kannte es nicht anders, das war sein Leben. Nie dachte er an sein früheres Leben zurück.

Robert schritt über das schlammige Schlachtfeld. Er hörte die Schmerzensschreie seiner verwundeten Männer. Doch noch schlimmer war es, wenn er nichts mehr von ihnen hörte.

Er schluckte seine Wut hinunter. Sie waren zu voreilig gewesen und hatten teuer dafür bezahlen müssen. Er war erschöpft, aber seine Männer waren viel schlimmer dran. Seit König Edward mehr Soldaten rekrutiert hatte, waren die blutigen Auseinandersetzungen mit den Schotten häufiger und hitziger geworden. Die Männer hatten kaum genug Zeit, um sich zwischen den Kämpfen richtig auszuruhen, und so musste er unerfahrene junge Burschen, die gar nicht auf ein Schlachtfeld gehörten, sterben sehen.

Er blickte auf. Hugh of Shoebury kam langsam auf ihn zu und führte ein Pferd am Zügel, das davongelaufen war. Hugh war kein erfahrener Anführer, er war noch zu jung. Er war blond und hatte blaue Augen, und seine Haut war so weiß, dass sie in der Sonne sofort rot wurde.

„Wie viele?", fragte Robert, als Hugh bei ihm war.

„Zu viele, um sie zu zählen", antwortete dieser und legte dem verängstigten Pferd beruhigend eine Hand auf die Flanke. „Was sind die nächsten Anweisungen?"

„Wir schlagen unser Lager auf und warten ab, welche Befehle König Edward schickt."

„Wenigstens können wir uns ausruhen."

Robert wandte seinen Blick vom Schlachtfeld ab und ging auf das Lager zu. „Hoffen wir, dass die Ruhepause eine Weile andauert. Wir haben mit zu vielen Problemen zu kämpfen in diesem Krieg."

„Man kann nicht wirklich von Krieg sprechen", wandte Hugh ein. „Balliol hat nicht genügend Männer, um sich gegen Edwards Truppen zu verteidigen."

„Ich hielt es für sinnvoll, nach Balliols Krönung zum König von Schottland unsere nördlichen Grenzen zu sichern. Aber ich frage mich wirklich, warum eine bewaffnete Truppe in den Norden geschickt wurde."

Hugh zuckte mit den Achseln. „Ich weiß es auch nicht. Wir haben nur unsere Befehle ausgeführt. Der König kann ‚Black Robert' also nichts vorwerfen."

Er überhörte absichtlich, dass Hugh ihn mit diesem Namen ansprach, denn er mochte es überhaupt nicht, so genannt zu werden, nicht einmal an guten Tagen. Und heute war ganz bestimmt kein guter Tag. Zu hoch waren die Verluste, die der Sieg sie gekostet hatte. „Wir werden mehrere Wochen brauchen, um uns von diesem Kampf zu erholen."

„Ja, aber der König wird sehr zufrieden mit dem Ausgang des heutigen Tages sein. Sogar die Geschehnisse im Norden konnten ihn nicht bremsen."

„Welche Geschehnisse im Norden?"

„Hast du nichts gehört? Hinter der Grenze, in einem Tal nordwestlich von Dumfries, liegt Doonhill, ein kleines Dorf. Sir Howe ist mit einer Hundertschaft von Männern dorthin geritten, als es so aussah, dass wir die Schlacht verlieren würden."

„Howe hat seine Truppen wissentlich abgezogen, während noch gekämpft wurde?" Robert beschleunigte seinen Schritt. „Das hätte uns den Sieg kosten können!"

„Ja, aber Sir Howe hat gesagt, dass sie sonst alle gestorben wären."

Die Geschichte kam Robert bekannt vor. „Howe? Hatte er nicht auch das Kommando in Lockerbie und ist ebenfalls vorzeitig vom Schlachtfeld geflohen?"

„Genau der." Hugh hustete.

„Der Bastard hat es also erneut getan?" Robert presste die Kiefer wütend aufeinander. „Was ist in Doonhill passiert?"

„Es war nur eine kleine Ortschaft. Aber anscheinend lebten dort viele Frauen."

Hugh brauchte nichts weiter zu sagen. Robert wusste, dass es im Krieg trauriger Alltag war, zu plündern und Frauen zu schänden. Viele Männer waren sogar der Meinung, es stünde ihnen zu.

„Und wie hat der König darauf reagiert?"

„Er sagte, dass er Balliol eine Nachricht schickt, um die eventuellen Folgen zu besprechen."

„Warum sollte er Konsequenzen befürchten? Alles, was er tun muss, ist, die Männer von Doonhill zu entschädigen, so wie immer."

„Es gibt keine Männer mehr, Robert, und auch keine Frauen oder Kinder, denen er Geld geben könnte." Hugh sprach jetzt langsam und eindringlich. „Unsere Männer haben das gesamte Dorf in Schutt und Asche gelegt."

Robert wurde von glühendem Zorn gepackt. Er konnte nicht glauben, was er da hörte. „Wie ist das möglich?"

„Das bringt so ein Krieg wohl mit sich." Hughs Schlachtross zerrte ungeduldig am Zügel. „Aber jetzt musst du mich entschuldigen, denn ich muss dieses Pferd zum Lager bringen."

Robert hatte schon lange damit aufgehört, die Vergangenheit ändern zu wollen. Das Dorf war zerstört, seine Bewohner waren tot, und das konnte durch nichts rückgängig gemacht werden. Also schob er die unangenehmen Gedanken beiseite und klopfte Hugh freundschaftlich auf den Rücken. „Ich komme gleich nach. Ich merke erst jetzt, wie hungrig und müde ich bin."

Robert ritt den Hügel hinauf. Hugh war nicht damit einverstanden gewesen, dass er allein in feindliches Gebiet reiten wollte. Doch als er die Kuppe erreichte und auf das Tal blickte, wurde das alles vollkommen bedeutungslos.

Der Tag neigte sich bereits dem Ende zu, aber selbst die aufkommende Dunkelheit konnte das Ausmaß der Zerstörung nicht verbergen. Es war weit schlimmer, als er befürchtet hatte. Howe musste für diese Gräueltat bezahlen, dafür würde er sorgen.

Er stieg ab, band die Zügel seines Pferds an einen Ast und lief den steilen Abhang ins Tal hinunter. Leichengeruch und beißender Rauch stiegen ihm scharf in die Nase. Er atmete durch den Mund und sah sich um. Er konnte keinen einzigen Toten sehen, obwohl er sie riechen konnte. Immer schneller rannte er durch das zerstörte Dorf.

In der Nähe eines kleinen Sees sah er ein Stück frisch umgegrabener Erde. Dort mussten die Gemüsebeete sein. Der Gestank war jetzt so durchdringend, dass er am liebsten die Luft angehalten hätte.

Er sah frisch ausgehobene, flache Gräber neben Reihen von verbrannten Beeten. Und dann entdeckte er die Leichen, die dicht beieinander auf dem Boden lagen. Auf der Erde zwischen den Toten und dem Garten sah man eine lange Schleifspur. Jemand hatte sie also zu ihrer letzten Ruhestätte gezogen.

Und das bedeutete, dass es Überlebende geben musste. Er entdeckte auch Fußspuren. Sie schienen alle von derselben Person zu stammen, und es sah so aus, als würde diese Person einen Fuß hinterherziehen. Er horchte, doch alles war vollkommen still.

War es nur einer, der versuchte, die Toten zu begraben?

Da er nun wusste, dass er nicht allein war, legte er die Hand auf den Griff seines Schwertes, bereit, es blitzschnell zu ziehen. Und dann hörte er es: ein kurzes lautes Kratzen, das aus einer der niedergebrannten Hütten kam.

Er wollte sichergehen, dass der andere ihn auch hörte, also ging er näher an das Haus heran. „Ich komme in Frieden!", rief er zunächst auf Englisch und dann noch einmal auf Gälisch. „Ich tue Euch nichts."

Wieder hörte er das Kratzen. Es war definitiv jemand in der Hütte.

„Ich möchte Euch helfen." Er versuchte, so überzeugend wie möglich zu klingen. Die Person in dem Haus hatte sicher keinen Funken Gastfreundschaft für einen Engländer übrig.

Er ging auf die geöffnete Tür zu. Er hätte es vorgezogen, wenn der Mensch in der Hütte herauskäme, doch vielleicht war er verletzt und brauchte Hilfe.

Vorsichtig betrat er die Hütte. Ein paar spärliche Strahlen Mondlicht fielen durch das zerfallene Dach. Der Innenraum war quadratisch und klein. Dennoch konnte er kaum etwas erkennen. Und so schaffte er es nicht mehr rechtzeitig, dem Eisenkessel auszuweichen, der fest gegen seinen Kopf geschwungen wurde. Dann wurde es schwarz um ihn herum.

3. Kapitel

Katzenschwanz und Mäusezahn! Ich habe ihn umgebracht!"

Gaira hielt den Kessel noch immer in der Hand, als sie sich neben den Mann kniete. Ganz langsam führte sie ihm eine Hand vor den Mund. Sie fühlte seinen warmen Atem auf dem Handrücken. Gott sei Dank! Er lebte.

Erleichtert atmete sie aus. Ihr war schwindlig, und sie schloss die Augen. Als sie sich besser fühlte, sah sie sich den Mann genauer an.

Er war groß, nicht größer als ein Schotte, aber kräftiger. Seine Kleidung wies darauf hin, dass er Engländer war. Und er hatte Englisch gesprochen. Im Mondlicht konnte sie seine Gesichtszüge nicht erkennen, doch sie sah, dass sein Haar lang und zerzaust war, ebenso wie sein Bart, was sie verwunderte, denn die meisten Engländer waren glatt rasiert.

Dieser Mann trug einen Bart wie ein armer Leibeigener, der nicht einmal einen Kamm besaß.

Sie strich ihm über die Brust, um zu erkunden, ob er dort verletzt war. Sein Körper unter der Tunika war fest und unnachgiebig. Unnachgiebig? Ein seltsames Wort, um einen Körper zu beschreiben.

Nun ließ sie die Hände tiefer gleiten. Plötzlich wurden sie feucht und begannen zu prickeln, und sie hielt rasch inne. Sie wollte ihn weiter untersuchen, doch mit einem Mal wurde ihr klar, dass sie ihn nicht länger nach Verletzungen untersuchte.

Was war nur mit ihr los? Sie hatte drei ältere Brüder. Und dieser Mann unterschied sich kein bisschen von ihnen. Dennoch fühlte er sich anders an! Sie schob den Gedanken ärgerlich beiseite. *Sei nicht so dumm!* Ihre Hände prickelten gewiss nur, weil sie Angst hatte, dass er aufwachte. Ja. Das musste es sein!

Sie zwang ihre Hände dazu, ihr zu gehorchen, und tastete seinen Kopf ab. Hatte sich sein Atem verändert? Nein. Seine Augen waren noch immer geschlossen. Sie atmete tief ein, um sich zu beruhigen. Anscheinend war der Engländer nicht verletzt – aber möglicherweise bewaffnet? Oft trugen Männer einen Dolch im Stiefel. Während sie langsam an seinen muskulösen Beinen hinabfuhr, hielt sie den Atem an. Als sie an einem seiner Stiefel ankam, fühlte sie tatsächlich den harten Griff eines Dolches. Sie zog ihn heraus. Er lag schwer in ihrer Hand, und sie fühlte die kunstvollen Ornamente auf seinem Griff.

Ein Bauer ist er wohl nicht. Sie legte den Dolch beiseite und setzte ihre Erkundungen fort. Diesmal glitt sie an seinen kräftigen Armen hinab und zu seiner Hüfte. Sie zuckte zurück, als sie den kühlen Stahl eines Schwertes unter ihrer Hand spürte.

Du Lügner! In Frieden! Dass ich nicht lache! Doch nicht mit blankem Schwert!

Mit zitternden Fingern löste sie seine Hand von Griff der Waffe. Das Breitschwert war so schwer, dass sie es kaum halten konnte. Sie lehnte es gegen die Wand. Dann griff sie nach dem Strick, den sie um ihre Hüften gebunden hatte. Er war nicht lang genug, um sowohl seine Hände als auch seine Füße zu fesseln. Doch sie machte sich vor allem Sorgen um die Gefahr, die von seinen Händen ausgehen konnte.

Ihr Herz klopfte schnell und heftig. Sowohl sein muskulöser Körper als auch die Tatsache, dass er Englisch und Gälisch sprach, waren Anzeichen dafür, dass er Soldat war. Es würde nicht einfach sein, ihn außer Gefecht zu setzen.

Er würde zweifellos nicht sehr gut gelaunt sein, wenn er erwachte. Doch sie hatte keine andere Wahl. Sie hatte ihn schließlich nicht in die Hütte gebeten. Es war nicht ihre Schuld, dass der verdammte Kerl hereingekommen war. Sie hatte ihm den Eisenkessel auf den Kopf schlagen müssen, um sich zu schützen.

Aber was sollte sie jetzt tun? Er würde bald aufwachen. Zwar war er Engländer, doch sie wusste nicht, ob er einer der Männer war, die das Dorf niedergebrannt hatten. Sie konnte kein Risiko eingehen. Schließlich stand nicht nur ihr eigenes Leben auf dem Spiel.

Denk nach, Gaira, denk! Wenigstens hatte sie seine Waffen. Damit hatte sie ihn unter Kontrolle. Schnell zog sie den letzten Knoten zu und kroch dann zurück in die Dunkelheit.

„Was meinst du damit, sie ist nicht bei ihrem Bruder?" Busby of Ayrshire spuckte aus. Der Speichel landete direkt auf der Schuhspitze seines Boten.

„Sie … ist nicht auf den Ländereien des Colquhoun Clans, mein Laird", stieß der Bote stotternd hervor. „Ihre Brüder waren äußerst überrascht über meine Ankunft."

Busby wischte seine dicken Finger an seiner braunen Tunika ab. Das Einzige, was ihn an dieser Nachricht erfreute, war, dass der Bote vor Angst zitterte. Es gefiel ihm, wenn die Leute ihn fürchteten.

„Hast du diesem Hurensohn Bram erklärt, dass unser Handel platzt, wenn er seine Schwester nicht innerhalb einer Woche wieder bei mir abliefert?"

„Ja. Wir haben sogar die Burg durchsucht."

Busby trat einen Schritt vor. „Hast du ihm gesagt, dass ich für diese Unannehmlichkeiten noch einmal fünf Schafe verlange? Und dass ich die Frau gar nicht erst genommen hätte, wenn ich gewusst hätte, dass sie mir so viel Ärger bereitet? Und dass sie gerne Krieg zwischen unseren Clans haben können, wenn sie es so wollen?"

„Aye, mein Laird. Ich habe es ihnen genau so gesagt. Aber es gab tatsächlich kein Anzeichen von der Frau."

Das Weib war nun schon seit mehreren Tagen verschwunden. Zunächst hatte er gewartet, dass sein Bote zurückkehrte, und gehofft, dass er entweder sie oder wenigstens eine brauchbare Nachricht dabeihatte. Da das nicht der Fall war, stieg Zorn in ihm auf.

„Berichte mir genau, was sie geantwortet haben", befahl Busby.

Der Bote trat von einem Fuß auf den anderen und machte dabei kaum merklich einen Schritt nach hinten. „Sie waren nicht sehr erfreut."

„Was soll das heißen?", knurrte Busby.

Der Bote wich jetzt einen weiteren Schritt zurück.

„Sie waren sehr verärgert. Ich … äh … ich hatte Angst um mein Leben. Sie sagten, dass es Eure Schuld wäre, wenn ihrer Schwester etwas passiert."

„Was?", brüllte Busby und packte den Boten an der Kehle.

Der Mann brachte nur einen heiseren Ton hervor, sodass Busby den Griff lockerte. „Sie haben gesagt, sie würden das Gebiet bis zum Land der Campbells absuchen, und dass Ihr in Richtung Süden gehen sollt."

Er ließ den Mann los, der nach hinten stolperte. „Richtung Süden? Warum?"

„Ihre Schwester lebt dort, in Doonhill", keuchte der Bote.

„Das liegt viele Tagesritte südlich von hier! Sattle ein Pferd. Ich will nicht noch mehr Zeit verlieren."

Busby zitterte vor Wut. Und die würde diese undankbare Weibsperson zu spüren bekommen, sobald er sie aufgespürt hatte!

Robert wachte auf und spürte einen stechenden Schmerz an der Schläfe. Er öffnete die Augen und versuchte, sich aufzusetzen.

„Eine falsche Bewegung, Engländer, und dieser Dolch landet in deinen Weichteilen."

Er hielt inne. Die Stimme kam aus der anderen Ecke der Hütte. Eine Frau trat auf ihn zu.

Im Mondlicht sah er, dass sie eine Tunika und Beinlinge trug, die ihr viel zu groß waren, obwohl sie hochgewachsen und schlank war. Ihr geflochtenes Haar fiel ihr in mehreren Zöpfen über die Brust. Sie stand breitbeinig da und hielt drohend einen Dolch auf ihn gerichtet. Er sah ihn sich genauer an. Es war sein Dolch!

„Ihr habt einen Kessel nach mir geworfen", sagte er in anklagendem Ton auf Gälisch.

„Ich würde eher sagen, ich habe ihn Euch übergezogen. Schließlich hättet Ihr die Absicht haben können, mich zu töten. Immerhin habe ich ein Schwert und einen Dolch bei Euch gefunden."

Er bewegte vorsichtig die Arme und spürte, dass seine Hände gefesselt waren. Doch seine Beine waren frei, sodass er sich hinsetzen konnte. Die Frau umklammerte den Dolch fester, und er verlangsamte seine Bewegungen. In all den Schlachten, die er bestritten hatte, hatte er die Erfahrung gemacht, dass panische Menschen mindestens ebenso gefährlich waren wie wütende. Und die schmerzende Stelle an seinem Kopf, wo ihn der Eisenkessel getroffen hatte, verriet ihm, dass sie beides war.

„Es war dunkel im Haus. Es wäre nicht sehr klug gewesen, unbewaffnet hineinzugehen."

„Und das soll ich glauben?", fragte sie spöttisch.

Das Gespräch verlief nicht besonders gut.

Sie war eine wütende schottische Frau. Und er war ein Engländer in einem schottischen Dorf, das von seinen Landsleuten in Schutt und Asche gelegt worden war. Sie bedrohte ihn mit einem Dolch, und er war gefesselt. Es sah nicht sehr gut für ihn aus.

Soweit er es abschätzen konnte, war niemand außer ihr und ihm da, und sie konnte ihn nicht ewig hier auf dem Boden festhalten. Er fragte sich, wie sie überlebt hatte.

„Ich möchte Euch keinen Schaden zufügen", sprach er auf Gälisch weiter. „Warum seid Ihr hier?"

„Diese Frage sollte ich Euch stellen!"

„Ich bin nur ein Reisender."

„Und ein Engländer, obwohl Ihr so stümperhaft versucht, unsere Sprache zu sprechen." Dann sprach sie auf Englisch weiter: „Wie lautet Euer Name?"

Sie sprach absolut akzentfrei, so wie die Leute am Hof. Sie war definitiv keine einfache Dorfbewohnerin. „Man nennt mich Robert of Dent. Und ich glaube nicht, dass es ein Verbrechen ist, Engländer zu sein."

„Doch, das ist es, denn meine Verwandten wurden hier in diesem Dorf von Engländern ermordet."

Sie hielt den Dolch weiter auf ihn gerichtet. Seine Hände waren noch immer gefesselt, aber er hatte schon begonnen, den Strick zu lösen. „Ich bin erst heute hergekommen. Ich habe nichts damit zu tun. Wer seid Ihr? Wie heißt Ihr?"

Sie reagierte nicht auf seine Frage. „Woher soll ich wissen, dass Ihr keine Schuld an ihrem Tod tragt?"

„Ihr seid also nicht aus diesem Dorf?"

Sogar in dem spärlichen Licht konnte er erkennen, wie sie erst vollkommen blass und dann rot vor Wut wurde. „Natürlich nicht, du dreckiger Pottwal! Wie kann ich ein Dorfbewohner sein? Ich bin schließlich noch am Leben!" Sie hielt inne. Als sie weitersprach, liefen ihr die Tränen über die Wangen. „Ihr müsst doch gesehen haben, was mit den Menschen hier passiert ist."

Er verstand nicht. „Ihr seid also entkommen?"

„Nein, ich war auch auf der Reise."

Seine Hände waren jetzt frei. „Ihr seid aber nicht einfach nur eine Durchreisende. Ihr sagtet, Ihr hättet Verwandte hier. Sind sie tot?"

Sie erschauerte bei seiner Frage. „Ihr seid also zufällig hier vorbeigeritten?", fragte sie.

Sie hatte ihm nicht geantwortet. Aber angesichts der Umstände war es verständlich, dass sie ihm misstraute.

„Ja", log er sie an.

„Hah! Mit blankem Schwert und einem so feinen Dolch! Soll ich Euch das wirklich glauben?"

Er wusste, dass er nicht so einfach aus der Sache herauskommen würde. „Bitte …"

Plötzlich waren Schritte zu hören.

„Tante Gaira, oben auf dem Hügel steht ein Pferd. Tante Gaira, ist alles in Ordnung? Ich wollte dich warnen."

Die Frau blickte zur Tür. Auf diesen Moment hatte er gewartet. Er ließ den Strick zu Boden fallen, sprang auf die Füße und schnappte sich den Jungen, der in die Hütte hineingelaufen kam.

„Lasst ihn sofort los!", schrie sie. „Er hat Euch nichts getan! Hört Ihr?"

Der Junge fing an, wild um sich zu treten und sich heftig zu wehren. Robert stöhnte vor Schmerz auf, als er mit seinen kleinen Zähnen zubiss. Er schob den Knaben mit einem Ruck weg und hielt ihn mit ausgestreckten Armen vor sich. „Ich habe hier etwas, das Euch gehört."

„Er ist unschuldig!"

„Vielleicht. Aber wir dürften jetzt quitt sein. Ihr habt meinen Dolch, ich hingegen habe Euren Jungen. Ich denke, Ihr werft den Dolch jetzt besser auf den Boden."

Die Frau sah ihn herausfordernd an. Er machte sich bereit, sofort zur Seite zu springen, wenn sie den Dolch nach ihm warf. Er wollte auf keinen Fall, dass der Junge verletzt wurde.

Sie warf ihm den Dolch vor die Füße. „Ihr könnt mit mir tun, was Ihr wollt. Aber ich flehe Euch an, lasst den Jungen in Frieden! Er hat schon genug durchgemacht."

Er hob den Dolch auf. Der Junge rannte zu der Frau und warf sich ihr in die Arme. Er hörte, wie sie erleichtert aufatmete.

„Kann der Junge gehen, bevor wir anfangen?", fragte sie.

In ihrer Stimme schwang Unbehagen mit. Sie klang so anders als noch zuvor, und zunächst verstand er nicht, was sie meinte. Doch mit einem Mal dämmerte es ihm. Sie dachte, dass er ihr Gewalt antun wollte! Welche abscheulichen Dinge hatte sie wohl mit ansehen müssen?

Zwei Tage waren seit dem Angriff auf das Dorf vergangen. Der faulige Geruch, der in der Luft hing, verriet ihm, dass viele der Leute an Schwertwunden gestorben war. Doch die meisten von ihnen waren verbrannt. Sie war schon länger hier als er und hatte den ganzen Schrecken gesehen.

„Ich werde weder Euch noch dem Jungen etwas antun. Ich mag zwar Engländer sein, aber als ich rief, dass ich in Frieden komme, habe ich die Wahrheit gesagt."

„Euer Frieden kann uns auch nicht mehr helfen."

Mit einem Mal fühlte er sich schuldig. Er mochte dieses Gefühl ganz und gar nicht, ebenso wenig wie den plötzlichen Drang, sie zu beschützen. Sie wirkte so verletzlich, wie sie da stand, die Arme um das Kind geschlungen. Und doch hatte sie ihn herausgefordert. Sie war mutig, aber im Mondlicht konnte er erkennen, wie erschöpft sie war, und er hörte die tiefe Trauer in ihrer Stimme, wenn sie sprach.

Er senkte den Blick. Sie trug einen Verband am Knöchel. Es waren also ihre Fußspuren gewesen, die er bei den Gräbern entdeckt hatte. Nur ihre!

„Ich bin an Eurem … Garten vorbeigekommen. Richtet Ihr die Beete für das Frühjahr her?"

Sie ging in die Hocke und versuchte, den Jungen umzudrehen, damit er sie ansah. „Alec, geh bitte hoch zum Lager."

Der Junge wandte sich ihm ruckartig zu und warf ihm einen misstrauischen Blick zu. „Ich will nicht."

„Alec, du hörst mir jetzt zu. Du weißt, dass ich dir verboten habe, ins Tal herunterzukommen. Du hast mir nicht gehorcht. Aber ich werde dich nicht bestrafen, wenn du jetzt gehst."

Der Junge bewegte sich nicht von der Stelle.

Sie versuchte es in sanfterem Ton. „Alec, wenn du jetzt gehst, dann gebe ich dir später meine letzte Honigwabe."

Der Junge sah sie an und verzog missmutig das Gesicht. Sie nickte ihm auffordernd zu, und er drehte sich um und rannte hinaus.

Als der Knabe draußen war, richtete die Frau sich langsam auf. „Süßes funktioniert immer. Ach, wie gern wäre ich auch noch mal fünf!", sagte sie leicht wehmütig. Dann lächelte sie und faltete die Hände. „Ich fürchte, dass es ein Missverständnis zwischen uns gegeben hat. Ich bin Gaira vom Clan der Colquhoun."

Er fragte sich, wo ihre Wut und ihre Kampfbereitschaft geblieben waren. Sie wirkte mit einem Mal völlig verändert, und er wurde misstrauisch. „Warum verhaltet Ihr Euch mit einem Mal so?"

„Ihr mögt zwar Engländer sein, aber Ihr seid nicht wie die Männer, die Doonhill niedergebrannt haben."

Diese Frau war ihm ein Rätsel. „Das stimmt. Doch woher wisst Ihr das plötzlich?"

„Garten?", sagte sie und sah ihn erwartungsvoll an.

Nun war er völlig verwirrt. Wollte sie mit ihm über Pflanzen sprechen?

„Ihr habt nicht gefragt, ob ich die Toten begraben habe, sondern Ihr habt gefragt, ob ich den Garten herrichte. Und ein Mann, der bemüht ist, die Gefühle eines Kindes nicht zu verletzen, kann keine von diesen Bestien sein, die dieses Dorf zerstört und seine Bewohner getötet haben."

Sie drehte sich um und bückte sich. Die weite Tunika rutschte nach oben, und er sah ihre Rückseite in den engen Beinlingen. Welch verführerischer Anblick!

Plötzlich konnte er keinen klaren Gedanken mehr fassen. Er wusste, dass das Mondlicht ihm einen Streich spielte und seine Fantasie anfachte. Sofort stellte er sich lebhaft vor, wie diese Kurven wohl nackt ... Am liebsten hätte er ... *Schluss!*

Er war so lange mit keiner Frau zusammen gewesen und kein einziges Mal in Versuchung gekommen, obwohl zahlreiche Frauen ihn zu verführen versucht hatten, indem sie ihm ihre Brüste gezeigt oder sich verführerisch über die Lippen geleckt hatten. Es hatte nie etwas anderes in ihm ausgelöst als Ärger. Doch beim Anblick dieser Rundungen fuhr ihm mit einem Mal die Hitze in die Lenden. Ihm wurde ganz heiß, und er zwang sich dazu, seine Aufmerksamkeit dem Gegenstand zuzuwenden, den sie in der Hand hielt.

Es war ein Schwert, und seine Spitze zeigte auf ihn.

„Ich danke Euch", sagte sie nun in höflichem Ton. „Ich habe versucht, Alec vor der grausamen Wahrheit zu bewahren."

Sie räusperte sich und schwieg. Offensichtlich erwartete sie eine Antwort.

Es war nicht irgendein Schwert. Es war sein Schwert. Die Lust, die er gerade noch gespürt hatte, ließ nach, und plötzlich kam er sich lächerlich vor. Das Schwert wackelte leicht. Es wäre so einfach, es ihr abzunehmen. Sie konnte kaum das Gleichgewicht halten, es war viel zu schwer für sie. Sie stellte keine Bedrohung für ihn dar.

Er hingegen war eine echte Bedrohung für sie. „Was tut Ihr da?"

„Ich halte eine Waffe auf Euch, das tue ich."

„Ich dachte, Ihr hattet gesagt, dass ich keine Bestie bin."

„Aye. Ich habe gesagt, Ihr seid keiner von den Bestien, die das Dorf niedergebrannt haben. Aber Ihr seid trotzdem Engländer, und deswegen kann ich Euch nicht trauen." Sie nickte ihm zu. „Schiebt den Strick und den Dolch mit dem Fuß zu mir."

Er konzentrierte sich ganz auf seine Bewegungen und nicht auf seine Gedanken über ihr Aussehen. Ganz langsam schob er die Gegenstände zu ihr hinüber.

„Aber dieses Mal bin ich wach, und Ihr seid ganz allein", sagte er. „Warum sollte ich stillhalten, damit Ihr mich wieder fesseln könnt?"

Sie sah ihm fest in die Augen. „Um mir zu beweisen, dass Ihr keine dieser Bestien seid."

Er dachte nach. Er wusste, dass eine Frau und ein Junge hier waren. Er wusste nicht, ob es noch weitere Überlebende gab.

„Und mein Schwert?"

„Das behalte ich. Genau wie Euren Dolch."

Er schluckte seine Bemerkung herunter. Sie war zwar eine feindliche Schottin, aber sie war eine Frau, und sie hatte Alec, den sie beschützen musste. Sie war ohnehin schon in einer schwierigen Lage, auch ohne dass er ihr noch mehr Angst einjagte. Doch er brauchte Antworten von ihr, und sie würde nicht mit ihm reden, solange er eine Bedrohung für sie darstellte. Er hielt ihr die Hände hin.

Sie schüttelte den Kopf. „Hinter den Rücken. Und dann dreht Euch um."

„Ich muss mich irgendwann auch erleichtern."

Er merkte, wie sie seine Worte innerlich abwog. Dann nickte sie und ließ das Schwert zu Boden sinken.

„Ihr seid zwar Engländer, aber Ihr habt recht." Langsam kam sie auf ihn zu.

Er hielt still und ließ sich von ihr die Hände zusammenbinden. „Recht? Womit?"

Sie schlang ihm den Strick um die Handgelenke, diesmal machte sie mehr Schlaufen als beim ersten Mal und knotete ihn auch fester zusammen. Er hatte allerdings ein wenig Platz zwischen seinen Händen gelassen, sodass er sich später befreien konnte. Das hatte sie im schwachen Licht nicht bemerkt.

„Ich habe die Toten begraben", sagte sie und trat zurück. „Aber nur nachts. Mit meinem Knöchel komme ich auch nicht sehr schnell voran."

Er drehte sich um und sah, wie sie sein Schwert und seinen Dolch aufhob. Auch diesmal hatte er eine gute Sicht auf ihre gerundete Kehrseite und die langen, wohlgeformten Beine.

„Warum nachts?" Er räusperte sich, denn seine Stimme klang mit einem Mal ganz heiser.

„Damit keiner merkt, was ich tue", antwortete sie.

Er dachte daran, dass der Junge doch bestimmt an den Gräbern vorbeigekommen war. Er war zwar noch klein, dennoch musste ihm klar sein, was sie dort tat. „Da liegen noch viele Tote, die begraben werden müssen."

„Aye. Der Gestank ist mittlerweile so stark, dass ich es kaum noch aushalten kann." Ihre Augen füllten sich mit Tränen. „Aber ich werde Doonhill erst verlassen, wenn ich fertig bin."

Er versuchte, ihre Worte nicht an sich herankommen zu lassen. Er war hierhergeritten, um sich ein Bild über das Massaker zu machen und König Edward Bericht zu erstatten. Nicht um dieser Frau dabei zu helfen, ihre Verwandten zu beerdigen.

Sie zeigte auf die Tür, und er trat aus der Hütte hinaus. Sie folgte ihm in einigem Abstand mit seinem Schwert. Sie hatte es sich auf die Schulter gelegt, damit sie das Gewicht stemmen konnte. Es war so scharf geschliffen, dass es ihren Hals leicht durchschneiden konnte, und mit ihrem verletzten Knöchel war sie etwas unsicher auf den Beinen.

„Bitte, steckt es in die Schwertscheide an meinem Gürtel", bot er an.

„Er passt nicht um meine Hüften."

Er blieb stehen. „Ihr müsst es nicht an der Hüfte tragen. Aber bitte steckt es weg; sonst verletzt Ihr Euch womöglich noch!"

Sie sah ihn verwundert ab, doch sie tat, was er gesagt hatte. Nachdem sie das Schwert in dem Futteral wieder auf die Schulter gelegt hatte, liefen sie weiter.

Er verstand selbst nicht, warum er ihren Hals hatte retten wollen. „Euer Name ist also Gaira?"

Sie erstarrte. „Warum fragt Ihr?"

„Ich dachte, Gaira bedeutet …"

„Klein", unterbrach sie ihn. Ihre Anspannung ließ nach. „Das stimmt. Ich glaube, meine Mutter hatte die Hoffnung, dass ich vielleicht nicht so hoch gewachsen wie meine Brüder werden würde."

Sie hatte also Brüder. Hatte sie sie hier beerdigt, oder waren sie in der Nähe? Er hatte keinerlei Absichten, von ein paar Schotten aufgeknüpft zu werden.

„Ist der Junge jetzt in Sicherheit?", wechselte er das Thema.

„Aye. Unser Lager liegt auf dem Hügel in einem Wäldchen. Er wartet dort, bis ich zurückkomme. Er wird sich nicht trauen, noch einmal ungehorsam zu sein." Sie hielt an und zuckte mit den Schultern. „Oder er ist zu sehr damit beschäftigt, Honig zu naschen. Habt Ihr auch ein Lager hier?"

„Nein, ich bin gerade erst eingetroffen."

„Kommen noch mehr Engländer?"

„Hättet Ihr das nicht besser fragen sollen, bevor Ihr mich gefesselt in Euer Lager bringt?"

Sie lachte, aber es klang ein wenig panisch.

Er fragte sich erneut, warum er bisher so ruhig mitgespielt hatte. Doch nun stieg leichte Besorgnis in ihm auf.

Sie hatte nicht erwähnt, ob außer ihr noch andere Leute in dem Lager waren. Er war sich ziemlich sicher, dass sie allein war.

Außer ihren Fußspuren hatte er keine weiteren gesehen, doch das musste nichts bedeuten.

Gegen eine einzelne Schottin konnte er sich verteidigen. Aber er wusste nicht, was passieren würde, wenn sich dort weitere Menschen aufhielten. Er wollte nicht noch mehr Blut vergießen. Sie hatte ihn zwar gefesselt und ihm sein Schwert abgenommen, das bedeutete jedoch nicht, dass er sich nicht zur Wehr setzen konnte. Es sei denn, die Übermacht wäre zu groß. „Verzeiht bitte, aber ich fürchte …"

„Ihr braucht Euch nicht zu fürchten. Ich werde Euch schon nicht beißen. Dafür seid Ihr viel zu haarig."

Er kniff verwundert die Augen zusammen, denn er verstand zunächst nicht, was sie meinte. Doch dann fiel ihm wieder ein, dass sein Bart und seine Haare wild wucherten.

Haarig. Der Ausdruck reizte ihn zum Lachen.

4. Kapitel

Gaira blickte nach hinten und sah, dass der Fremde ihr ruhig folgte. Nein, ruhig war er nicht. Er wirkte nachdenklich und düster. So tief und dunkel wie der Grund eines wilden Flusses. Ja, dieser Mann hatte ebenso viel Kraft wie ein schottischer Gebirgsfluss. Und dieser Gedanke machte sie unruhig.

Er hatte kein Wort gesagt, seit er sein Pferd zurückgeholt hatte. Mit dem riesigen Tier am Zügel lief er hinter ihr her. Sie hatte zwar seinen Dolch und das Schwert, doch am Sattelknauf war ein noch größeres Schwert befestigt. Außerdem führte er einige Decken und zwei Beutel mit sich. Einer davon schien voller Münzen zu sein. Jedenfalls hatte sie das aus dem klimpernden Geräusch geschlossen. Er schwieg, doch sie konnte seine Gedanken beinahe fühlen, und sie versuchte, sich ihre Angst nicht anmerken zu lassen.

Sie hatte einen Fremden in ihr Lager geholt. Einen englischen Soldaten, der ein blankes Schwert bei sich getragen hatte und der noch haufenweise andere Waffen dabeihatte. Doch ihr blieb keine andere Wahl, als ihn mitzunehmen.

Wenn er ihr wirklich etwas antun wollte, dann musste er ihr lediglich zum Lager folgen und warten, bis sie einen Moment unaufmerksam war. Daher würde es das Beste sein, ihn nicht aus den Augen zu lassen und ihm die Fesseln nicht abzunehmen. Doch sie war nicht dumm. Zunächst musste sie etwas klarstellen.

Sie wirbelte herum und blickte ihm direkt ins Gesicht. Er hielt abrupt an und schaute sie erwartungsvoll an.

Robert sah, wie die Frau ihn wütend anstarrte. In kürzester Zeit hatte er bereits die unterschiedlichsten Gefühle in ihrem Gesicht gelesen: Mut, Angst, Freundlichkeit, Zuneigung, Humor. Jetzt schienen unzählige Gefühle auf einmal auf sie einzustürmen. Doch ihre Miene verriet vor allem Entschlossenheit. Sie wollte ihm eindeutig etwas sagen und suchte nach den richtigen Worten. Gespannt fragte er sich, was es wohl sein mochte. Schon lange hatte es niemand mehr geschafft, seine Neugier zu wecken.

Dann sah er sie.

Hinter ihr erblickte er ein provisorisches Lager. Unter einem dampfenden Kessel brannte ein helles Feuer. Außerdem war Vollmond, sodass es ausreichend Licht gab, um alles deutlich zu erkennen.

„Wer sind sie?"

Ihre Augen, die eben noch so lebhaft und voller Gefühle gewesen waren, wurden plötzlich leer. Sie machte keine Bewegung, spannte dann aber kaum merklich die Schultern an und hob den Kopf. „Ihr werdet ihnen nichts tun, verstanden?" Sie sprach ganz leise. „Wenn ihr es versucht, dann werde ich Euch noch viel mehr abnehmen als nur Euer Schwert."

„Wer sind sie?", wiederholte er.

Sie antwortete nicht, sondern blickte ihm unverwandt in die Augen.

Er ging an Gaira vorbei, direkt auf die vier Kinder zu, die von den Bäumen geklettert waren. Sie postierten sich in einer Reihe wie Soldaten. Gaira lief zu ihnen und stellte sich hinter das größte Mädchen und flüsterte etwas. Dabei beobachtete sie ihn ununterbrochen.

„Kinder, das ist Robert of Dent, er ist Engländer." Sie straffte sich und sprach lauter. „Ich glaube nicht, dass er eine Gefahr für uns ist, also habe ich ihn für diese Nacht zu uns ins Lager eingeladen."

Er spürte, wie ihr Misstrauen zu Angst wurde. Doch sie sagten noch immer keinen einzigen Ton und blieben einfach stehen.

Sie legte dem Mädchen eine Hand auf die Schulter und zeigte dabei kurz auf den Jungen, der links neben ihr stand und genauso groß wie das Mädchen war.

„Das sind Flora und Creighton. Sie sind neun und Zwillinge."

Flora und Creighton hatten das gleiche braune Haar, und ihre Augen waren hellblau. Doch sosehr sie sich auch ähnelten, ihr Verhalten ihm gegenüber konnte unterschiedlicher gar nicht sein.

Flora hielt den Blick starr nach unten gerichtet, ihre Lippen bebten. Creighton starrte ihn voller Wut an und hatte beide Hände zu Fäusten geballt.

Gaira trat zur Seite und streichelte kurz über das störrische, zerzauste Haar des kleineren Jungen. „Alec habt Ihr bereits kennengelernt." Alec lächelte, offenbar freute er sich darüber, ihm vorgestellt zu werden.

„Das ist Maisie." Gaira zeigte auf das kleine Mädchen an Alecs Hand. „Sie ist noch keine zwei Jahre alt, aber sie spricht schon ein wenig."

Maisies Haar war hellblond, sie hatte runde tiefgrüne Augen und blickte ihn neugierig an. Er konnte sonst nicht viel von ihrem Gesicht erkennen, da sie ihre freie Hand im Mund hatte.

Er zwang sich dazu zu sprechen. „Sind das Eure?"

„Aye." Sie schob ihr Kinn vor.

Die Kinder sahen sich in keiner Weise ähnlich. Und sie ähnelten auch nicht der Frau, die da vor ihm stand. Er ließ den Blick durch das Lager wandern. Es bestand nur aus zwei Decken, die an Bäumen festgebunden waren. Das notdürftige Zelt bot kaum Schutz, sie würden niemals alle hineinpassen. Sie hatten auch nur ein einziges Pferd und lediglich eine Satteltasche.

Die Frau war ganz sicher nicht die Mutter dieser Kinder. Vielleicht war sie nicht einmal mit ihnen verwandt. Er wusste nicht, wer sie war oder ob sie überhaupt dem Clan der Colquhoun angehörte. Aber sie kümmerte sich um vier Kinder, die das Massaker überlebt hatten. Allein.

Und in der Nacht begrub sie die verwesenden Leichen ihrer Eltern. Allein.

Es sah so aus, als gäbe es niemanden, der sie beschützte, während in der Nähe einer der blutigsten Kriege tobte, den er je erlebt hatte.

Sie sah ihn mit herausforderndem Blick an. Ihr Haar löste sich an einigen Stellen aus der Flechtfrisur mit den vielen Zöpfen. Im Licht des Lagerfeuers konnte er sehen, wie groß ihre Tunika war. Das war kein Kleidungsstück einer Frau, sondern das eines Mannes. Warum trug sie Männerkleidung? Hatte sie sie bereits getragen, als sie hier ankam? Es gab zu viele offene Fragen.

Er hatte nicht gewusst, was ihn erwartete, als er in das kleine Bauerndorf aufgebrochen war. Er hatte bloß überprüfen wollen, ob die Gerüchte von den Gräueltaten stimmten, ob seine Landsleute tatsächlich zu solcher Grausamkeit fähig waren. Er hatte nicht mit Überlebenden gerechnet. Doch hier standen sie, direkt vor ihm: vier Kinder und eine Frau.

Und er hatte keine Ahnung, was er mit ihnen tun sollte.

5. Kapitel

Was wird er tun?, fragte sich Gaira. Einen Moment spürte sie Angst in sich aufsteigen, doch dann beruhigte sie sich wieder. Seine Hände waren gefesselt. Er konnte ihnen nichts antun.

Sie blickte zu den Kindern hinüber. Creighton sah so aus, als ob er Robert am liebsten umbringen wollte, und Flora würde jeden Moment vor Angst in Tränen ausbrechen. Nur Alec schien einfach froh zu sein, dass er bei ihnen war. Maisie blickte mit ihren großen Augen bang umher. Für ihr zartes Alter hatte sie schon viel zu viel mit ansehen müssen.

Die Kinder waren verunsichert, weil sie den Fremden mitgebracht hatte. Doch sie konnte nichts dagegen tun. Sie war schließlich selbst überfordert mit der Situation. Dieser Engländer war hier, in ihrem Lager, obwohl ihre Familien kaltblütig von Engländern ermordet worden waren. Genau wie ihre Schwester. Sie schluckte, denn die Trauer schnürte ihr die Kehle zu.

Sie durfte ihn nicht aus den Augen lassen. „Ihr seid sicher hungrig. Möchtet Ihr etwas essen?"

Er blickte die Kinder an, als müsste er sie um Erlaubnis bitten, doch sie sahen ihn nur schweigend an. Er nickte, und Gaira atmete erleichtert auf.

Schluchzen.

Gaira erwachte. Die ersten Strahlen der Sonne durchdrangen den feinen weißen Nebel, der über dem Hügel lag. Wann war sie eingeschlafen? Es hätte nicht passieren dürfen.

Sie bewegte sich vorsichtig, um Maisie und Alec nicht zu wecken, die sich an sie geschmiegt hatten.

Sie hörte leise Schreie. Schon wieder hatte eins der Kinder einen Albtraum!

Der Wind blies ihr kühl ins Gesicht. Sie legte ihr Schultertuch fest um die beiden Kleinen und ging dann zu Flora und Creighton, die etwas näher am Feuer schliefen.

Flora war bereits wach. Sie schluchzte und streichelte ihrem Bruder verzweifelt über den Rücken.

Creighton gab keinen Laut von sich, doch sein ganzer Körper wurde geschüttelt, als ob Tausende Dämonen in ihm wüteten. Dieser Albtraum war schlimmer als der letzte.

Sie berührte Flora sanft, und das Mädchen zuckte erschrocken zusammen. „Lass mich mal", sagte sie.

Flora machte Platz und krampfte die Hände zusammen.

Gaira begann leise zu singen und streichelte Creighton liebevoll über die Stirn, bis sich sein Atem beruhigte und sein Körper sich entspannte. Singen half. Einmal hatte ihn geweckt, und er hatte sich fürchterlich erschreckt. Das würde sie nicht noch einmal wagen.

Langsam wurde Creighton ruhiger. Schließlich wachte er auf und sah sie überrascht an.

Gaira lächelte und stand auf. Ein kalter Wind fegte um sie herum, und sie schlang sich die Arme schützend um den Körper. Dann erstarrte sie.

Robert saß auf dem Boden und starrte sie an. Zum ersten Mal nahm sie seine Gesichtszüge und die Farbe seiner tiefbraunen Augen bewusst wahr.

Sie achtete gar nicht mehr auf die Kinder und den beißenden Wind, denn sie konnte nur noch an seine Augen denken. Zuvor war es ihr so vorgekommen, als verstecke er sich, als ließe er seine Gefühle und Gedanken nicht an die Oberfläche vordringen, doch in diesem Moment schien alles, was sie über ihn und seine Welt wissen wollte, ausgebreitet vor ihr zu liegen. Er hielt seinen Blick auf sie gerichtet, aber plötzlich wurden seine Augen undurchdringlich und dunkel.

Sie hatte das Gefühl, als wäre sie zuvor in einem ruhigen, warmen Fluss geschwommen, der sich mit einem Mal in kalte, gefährliche Stromschnellen verwandelt hatte.

Verlegen sah sie zu Maisie und Alec hinüber, die noch immer schliefen. Dann blickte sie wieder ihn an.

Er war eindeutig wütend, und er sah Furcht einflößend aus.

Sein Haar schimmerte in einem warmen Braunton, es war lang und wirr und reichte ihm bis zu den Schultern. Es sah weich und wild zugleich aus. Sie zeichnete mit dem Blick jede einzelne Strähne nach. Plötzlich spürte sie ein seltsames Kribbeln in den Händen. Bekam sie wieder Angst?

Sie versuchte, sich zu beruhigen, und schüttelte die Arme. Dann reckte sie das Kinn und sah dem Engländer ins Gesicht. Ohne den Schutz ihrer Arme fegte der kalte Wind direkt über sie hinweg und drückte die Tunika und die Hose dicht an ihren Körper. Es war nicht sehr schicklich, doch es ließ sich nicht ändern. Sie würde nicht zeigen, dass sie Angst hatte.

Er blickte unruhig und zog die Stirn in Falten. Ja, er war furchterregend. Sie verstand selbst nicht, warum sie ihn mitgenommen hatte.

Seine ganze Erscheinung verriet, dass ihm sein Äußeres nicht wichtig war. Er trug einen Bart wie die Schotten, jedoch war seiner nicht schön säuberlich geflochten, sondern lang und zerzaust.

„Wir brauchen Nahrung", sagte er.

Er sprach kurz und abgehackt, doch sein Tonfall war freundlich.

„Ich habe mehrere Fallen aufgestellt." Sie deutete in Richtung der Bäume. „Wir hatten aber nicht sehr viel Glück."

Er unterbrach sie und hielt seine gefesselten Hände hoch. „Ich kann uns Nahrung besorgen, wenn Ihr mich losmacht."

Arroganter Kerl! Sie blickte auf seine Hände. Sie hatte sie ihm vor dem Körper zusammengebunden hatte, damit er sich erleichtern konnte. Doch er sollte nicht denken, dass sie schwach war, bloß weil sie ihm diese Freundlichkeit erwiesen hatte.

„Ihr müsst bald etwas essen", fuhr er fort.

Sie ging auf ihn zu. Da er noch immer am Boden saß, musste er zu ihr aufblicken. Eigentlich sollte er eingeschüchtert sein. Aber er schaute sie ruhig und selbstbewusst an.

Wer war er? Ein einfacher englischer Soldat? Nein, wahrscheinlich ein Adliger, vermutete sie.

Seine Kleidung war aus gutem Stoff gefertigt und ganz in Schwarz gehalten, ohne jede Verzierung oder Farbe. Sie war schlicht und zweckmäßig. Doch er hatte einen juwelenbesetzten

Dolch bei sich, zwei Schwerter und einen Beutel voller Münzen. Das waren wertvolle Dinge, also musste er vermögend sein.

„Haltet Ihr mich tatsächlich für so gefräßig, dass ich unser Leben aufs Spiel setze und Euch losmache?", gab sie zurück.

„Mir meine Waffen abzunehmen und meine Hände zu fesseln, reicht nicht aus, um mich außer Gefecht zu setzen", entgegnete er. „Es hätte mich nicht davon abgehalten, Euch oder den Kindern etwas anzutun, wenn ich gewollt hätte."

„Ich habe Euch auch nicht die Gelegenheit dazu gegeben, Engländer." Sie strich ihre Haare hinter die Ohren. „Und das werde ich auch nicht. Niemals."

„Ach nein?", gab er mit sanfter Stimme zurück. „Und als Euch gestern Nacht die Augen zugefallen sind? War das keine Gelegenheit für mich?"

Oh ja, er war arrogant und Furcht einflößend. Er saß auf dem Boden und war gefesselt und schaffte es dennoch, sie einzuschüchtern. Schlimmer noch, sie befürchtete, dass er die Wahrheit sagte. Sie war tatsächlich letzte Nacht ein oder zwei Mal eingeschlafen.

Sie war der einzige Schutz, den die Kinder hatten, und sie war sich nur allzu deutlich bewusst, wie wenig Sicherheit sie ihnen bieten konnte. Vor allem jetzt, da sie diesen Mann ins Lager gebracht hatte. Es mochte sein, dass er ihre Verwandten nicht ermordet hatte, doch sie wusste, dass er andere Menschen getötet hatte. Im Krieg. Es war zu gefährlich, ihn loszubinden.

„Ihr müsst etwas essen, Gaira", fuhr er fort. „Und die Kinder sind gewiss auch hungrig."

Ihr Widerstand schwand langsam dahin. Es stimmte, sie mussten sich dringend einmal richtig satt essen. Ihre Fallen gaben nichts her.

Er schien ihren Sinneswandel zu bemerken und stand auf.

„Welche Garantie gebt Ihr mir?"

„Keine", sagte er, und seine Mundwinkel zuckten leicht. „Doch auch ich muss etwas essen. Vielleicht genügt das."

Sie betrachtete sein Gesicht. Zwar lächelte er nicht richtig, aber immerhin versuchte er es. Sie löste die Knoten an seinen Händen. „Ihr dürft das Schwert oder den Dolch nicht hier im Lager benutzen. Ich lasse es nicht zu, dass die Kinder Euch mit einer Waffe in der Hand sehen."

Sie wartete nicht, bis er ging, sondern hinkte zum Feuer, um Holz nachzulegen. Als sie hörte, wie sich seine Schritte vom Lager entfernten, atmete sie tief aus.

Nun war er weg, und es gab keinen Grund für ihn, zurückzukehren und sich um sie zu kümmern. Es machte ihr Angst, dass sie ihm so viel Vertrauen schenkte, obwohl sie nicht wusste, ob er es überhaupt verdiente.

Er war ein Adliger, sah aber aus wie ein armer Mann. Er war rätselhaft und undurchdringlich, als ob er sich versteckte und jemand anderes sein wollte.

Doch unter seiner Oberfläche schimmerte etwas – wie unter dem Wasser des Sees am Dorfrand. Aber sie konnte nicht länger über diesen Mann nachdenken. Maisie musste gefüttert und gewickelt werden. Sie würde den Kindern erklären müssen, dass sie wieder allein waren. Sie wusste nicht, ob das ein Vor- oder ein Nachteil war.

Busby packte die wenigen Dinge ein, die er brauchen würde, und lief die schmale Steintreppe des Turms hinab.

Die Binsen auf dem Boden der Halle seiner Burg machten ein schmatzendes Geräusch, wenn man darüberlief, so feucht waren sie. Selbst im Dämmerlicht konnte man die Fettspritzer an den Wänden sehen und die weggeworfenen Knochen, die herumlagen. Er sog die Luft ein, es roch nach feuchtem Holz und fauligen Essensresten, und er konnte es kaum abwarten, nach draußen zu kommen. Doch dann sah er, dass seine drei Jüngsten auf dem Boden herumkrabbelten und mit Stöckern auf die Binsen einschlugen.

„Was macht ihr drei denn bei so schönem Wetter hier drin? Ihr solltet rausgehen."

Die Kinder sprangen auf und umklammerten seine Arme und Beine. Er wollte auf keinen Fall aufgehalten werden und wurde ungeduldig, doch er nahm sich zusammen und rief: „Was haben wir denn da?" Die Kinder kicherten vergnügt und umklammerten ihn noch fester.

Busby kannte dieses Spiel bereits. Er ging in die Hocke, und sofort krabbelten die Kleinen auf seinen Rücken. Er hob alle drei hoch, stand auf und ging nach draußen, wo er sie schließlich abschüttelte.

„Warum habt ihr auf die Binsen eingedroschen?"

Die Älteste der drei machte eifrig einen Schritt nach vorne. Ihm wurde ganz warm ums Herz, denn es war seine Tochter Fyfa. Sie war ein mutiges Mädchen.

„Wir haben Ungeziefer getötet, Papa, wie du es wolltest."

„Ungeziefer?"

„Ja, wir haben gehört, wie du gesagt hast, dass du das ganze Ungeziefer in Schottland vernichten willst, und wollten dir helfen."

Busby schnaubte. „Ihr macht euren Papa sehr stolz. Aber ich will nicht, dass ihr auf dem Boden herumkriecht. Das ist eurem Rang nicht angemessen. Wo ist Lioslath? Sie wird sich um euch kümmern."

Fyfa verzog das Gesicht. „Sie macht die Ställe sauber."

„Hmmm", knurrte er. Seine älteste Tochter war sehr eigensinnig und sollte sich nach dem Tod seiner zweiten Gemahlin um den Haushalt kümmern. Doch sie verbrachte immer nur Zeit mit den Pferden oder trieb sich auf dem Feld herum. So würde sie niemals einen Mann finden, obwohl sie bereits im heiratsfähigen Alter war.

Wenn er doch wieder eine Ehefrau hätte!

„Ich will nie wieder sehen, dass ihr auf dem Boden kriecht!" Er schubste sie in Richtung der Felder, und sie liefen davon. Dann ging er zu den Ställen.

Er trat mit dem Fuß ein paar Steine weg. Zum Teufel mit seiner Braut! Warum war sie davongelaufen? Doch er hatte eine Abmachung mit ihren verlogenen Brüdern, und er würde dafür sorgen, dass sie eingehalten wurde.

Als er die Einladung der Colquhoun-Brüder erhalten hatte, um ihre Schwester kennenzulernen, hatte er es zunächst für einen Scherz gehalten. Jeder in der Gegend wusste, dass seine zweite Frau schon seit Jahren tot war und dass er mit den Kindern und einer heruntergekommenen Burg ganz allein dastand. Niemals hatte ihn jemand in Erwägung für eine Ehe gezogen. Und auch er hatte seine eigenen fruchtlosen Bemühungen, eine Frau zum Heiraten zu finden, längst aufgegeben.

Er hätte von Anfang an misstrauisch sein sollen. Doch als er die gepflegte und gut geführte Burg der Colquhouns gesehen und ihre köstlichen Speisen probiert hatte und man ihm obendrein noch zwanzig Schafe angeboten hatte, wollte er den Handel unbedingt eingehen. Was für ein Dummkopf er gewesen war!

Schließlich führte man ihm seine zukünftige Braut vor. Ihr Gesicht war angeschwollen und voller roter Flecken. Dennoch war er überzeugt davon, einen guten Fang gemacht zu haben, und so packte er sie und ihre Habseligkeiten ein und nahm sie mit.

Doch sie war geflohen, noch bevor sie seine Burg betreten und seine Kinder kennengelernt hatte.

Dabei brauchte er so dringend jemanden, der ihm den Haushalt führte. Lioslath war mit der Aufgabe überfordert. Und seine Kinder brauchten unbedingt eine Mutter, die für ihre Erziehung sorgte. Für seine Älteste war es schon zu spät. Sie würde keine Dame mehr werden. Aber Fyfa war erst sieben, es bestand also noch Hoffnung.

Und sein Clan? Man erwartete von ihm, dass er mit einer wohlhabenden Braut und zwanzig Schafen zurückkam. Die Schafe hatte er, doch ohne Braut musste er sie zurückgeben.

Es gab nur zwei Orte, an die sie sich begeben haben konnte. Schließlich war sie nur eine schwache Frau. Sie würde nicht weit kommen. Sie musste entweder auf dem Weg Richtung Norden sein, und sein nichtsnutziger Bote hatte sie verpasst, oder sie war nach Süden geritten, wie ihre Brüder vermuteten.

Er wusste, dass ihre Brüder sie sofort zu ihm zurückbringen würden, wenn sie bei ihnen auftauchte. In unruhigen Zeiten wie diesen wollten sie sicher keine Fehde zwischen ihren beiden Clans heraufbeschwören.

Wenn sie in Richtung Süden unterwegs war, dann musste er sie allein finden und zurückbringen. Süße Vorfreude stieg in ihm auf, als er darüber nachdachte, wie er sich an ihr rächen würde.

Ja, er würde sie finden. Und während des Ritts nach Süden hatte er genug Zeit, um sich zu überlegen, wie er sie so bestrafen konnte, dass sie danach noch brauchbar für ihn war.

6. Kapitel

Krötenmaul und Spinnenbein!", rief Gaira. „Nicht schon wieder!"

Sie griff nach ihrem Haar. Es hatte sich gelöst, und der Wind zerzauste es. Sie hatte gerade versucht, die Strähnen ordentlich zu flechten, doch jetzt flattern sie wild durcheinander.

„Alec!", rief sie scharf. „Alec! Wo bist du?"

Sie hörte weder eine Antwort, noch nahm sie eine Bewegung wahr, als sie sich umblickte.

Sie drehte sich um und ging humpelnd auf das Wäldchen zu. Wahrscheinlich hatte er sich dort versteckt. Und wahrscheinlich hatte er wieder etwas stibitzt.

„Alec!", rief sie erneut. „Wenn du dir wieder was gestohlen hast, bekommst du eine Woche lang keinen einzigen Tropfen Wasser!"

Kichern.

Gaira wirbelte herum und sah, dass der Junge sich etwas tiefer in dem Wäldchen versteckte. Sie humpelte hinein und versuchte, ihn zu fangen. Alec rannte nun so schnell davon, wie ihn seine kleinen Beine tragen konnten. Sie schnitt ihm den Weg ab und überwältigte ihn spielerisch. Der Junge wand sich in ihren Armen, sah sie jedoch liebevoll an.

Sie lachte und nahm ihm die Beute, einen Beutel mit ein paar verhutzelten Äpfeln, ab. „Du musst aufhören zu stehlen. Ich habe schon genug damit zu tun, mich um alles im Lager zu kümmern. Und Nahrung suchen muss ich auch noch."

Der Junge riss die Augen auf. „Kommt der Mann nicht zurück, Tante Gaira?"

Sie dachte nach. Er war ein hochmütiger, grimmiger Engländer. Doch er hatte ihnen nichts getan. Sie hoffte, dass es richtig gewesen war, ihm zu vertrauen. Obwohl es bereits später Vormittag war, war er noch nicht zurück.

„Ich glaube nicht", antwortete sie. Sie wusste, dass der Junge ihre Sorge bemerken würde. Also piekte sie ihm schnell mit dem Finger in den Bauch. „Und jetzt steh auf und lass mich Essen machen, damit du dich stärkst, bevor wir von hier weggehen."

Der Junge stand auf. „Gibt es dort kein Essen? Und wohin bringst du uns?"

Da sie hier in dem provisorischen Lager verhungern würden, hatte sie lange überlegt, wohin sie gehen konnten. Außer ihren Brüdern war ihr niemand eingefallen. Zwar war es ein Risiko, dorthin zurückzukehren, denn sie wollten, dass sie den Fiesling Busby heiratete. Aber vielleicht konnte sie sie davon überzeugen, sie ihm nicht auszuliefern. Immerhin gab es in der Burg ihres ältesten Bruders reichlich zu essen. „Ja, Kind. Es gibt eine Menge Essen bei mir zu Hause. Mein Bruder ist nämlich der größte und mächtigste Laird in ganz Schottland. Und seine Speisekammer ist so voll, dass er froh sein wird, wenn du ihm dabei hilfst, alles aufzuessen."

Der Junge schmiegte sich an sie. „Sind wir dort in Sicherheit?"

Großer Gott, sie konnte es nicht sagen. Nichts war mehr sicher, seit ihr ältester Bruder sie hinter ihrem Rücken an den niederträchtigsten Laird in ganz Schottland verschachert hatte. Dennoch war das Land ihres Bruders der einzige sichere Ort, an den sie die Kinder bringen konnte.

Gaira drückte den Jungen noch fester an sich. „Ich verspreche, dass ich euch beschütze. Egal, wie schwer es ist." Dann packte sie ihn und kitzelte ihn. Alec wand sich und kicherte vergnügt. Alle Sorge war aus seinem kleinen Gesicht gewichen.

„Und nun beweg deinen kleinen, dicken Bauch zurück ins Lager und sieh zu, dass ich dich nie wieder beim Stehlen erwische!"

Lachend rannte Alec zurück, und sie folgte ihm nachdenklich.

Als sie zum Lager kam, sah sie Robert, der mehrere große Stücke Fleisch auf einen Stock spießte und sie dann über die Flammen hielt, sodass es laut zischte. Sogleich fing ihr Magen laut an zu knurren.

Doch nicht Roberts Rückkehr verwunderte sie und auch nicht die Tatsache, dass er Essen zubereitete. Nein, sie war überrascht, wie friedlich die Kinder dasaßen und Haferkekse knabberten. Ganz brav saßen sie in einem Halbkreis um das Feuer und um Robert.

Creighton jedoch ließ den Engländer nicht aus den Augen. Sie hatte das Bedürfnis, ihn zu trösten, ihm dabei zu helfen, seine Wut herauszulassen. Doch sosehr sie es sich auch wünschte, er hatte seine Sprache noch immer nicht wiedergefunden.

Als Robert zu ihnen gestoßen war, hatte sie sich am meisten um Creighton und Flora gesorgt. Sie waren die Ältesten und wussten, dass Engländer ihre Eltern umgebracht hatten.

Plötzlich sah Robert sie an, und sie stolperte.

„Das Fleisch ist gleich gar."

Es war der Klang seiner Stimme, nicht seine Worte, der durch ihre dunklen Gedanken brach. Sie atmete tief ein und straffte sich. Was war bloß los mit ihr? Sie hatte das Gefühl, dass sich durch ihn ihre ganze Welt verändert hätte, dabei machte er ihnen bloß etwas zu essen.

„Ihr seid zurück", sagte sie, ohne die Verwunderung in ihrer Stimme zu verstecken.

„Ja. Man muss die Fallen tiefer in den Wäldern legen. Hier gibt es keine Tiere."

Sie wollte ihn fragen, warum er zurückgekommen war. Warum er sich das aufbürdete. Schließlich war er nicht für sie verantwortlich. Doch sie hatte zu viel Angst vor seiner Antwort und wollte nicht, dass die Kinder mithörten.

Und nun hatte er ihnen Essen gebracht und teilte seinen eigenen Proviant mit ihnen.

„Habt Ihr noch mehr Haferkekse?", fragte sie. „Maisie wird hungrig sein, wenn sie aufwacht."

„Jede Menge." Er sah zu Flora hinüber. „Aber ich habe bereits versprochen, dass ich welche für Maisie aufhebe."

Floras Augen strahlten. Zweifellos war es die umsichtige Flora gewesen, die es gewagt hatte, Robert danach zu fragen.

Gaira biss in eins der Fleischstücke, das er ihr gereicht hatte. Es war zart und saftig. Überrascht sagte sie:

„Ich wusste nicht, dass Männer so gut kochen können."

Er zuckte mit den Schultern und stach in das Fleisch hinein. „Ich esse eben gern."

Genau wie ihre Brüder, aber trotzdem hatten sie sich nie bemüht, kochen zu lernen. Sie fragte sich, welche Fähigkeiten sich noch hinter seiner düsteren Fassade verbargen.

Aber es war noch zu früh am Tag, um so viel zu grübeln, und außerdem hatte sie genug eigene Sorgen. Sie nahm die schlafende Maisie von Floras Schoß.

„Sie braucht frische Windeln", sagte sie in die Runde.

Sie trug sie zu dem Beutel, den sie an einen Ast gehängt hatte. Darin befanden sich die Leinenreste, die sie in der Hütte gefunden hatte. Sie nahm einen Streifen heraus, legte Maisie auf den Boden und wickelte sie schnell und geschickt.

Dabei dachte sie wieder an die prekäre Lage, in der sie und die Kinder sich befanden. Nicht weit von ihnen tobte der Krieg. Das allein war schon gefährlich genug. Doch ihre Hauptsorge galt nicht dem Kampfgeschehen und dem düsteren Engländer, sondern dem wütenden Schotten, der sie für seine Braut hielt. Noch schlimmer war, dass sie nach Hause gehen und ihren Bruder um Schutz anflehen musste. Denselben Bruder, der sie zu dieser absurden Heirat gezwungen hatte und die Schuld daran trug, dass sie das Gebiet ihres Clans verlassen musste.

Sie selbst würde freiwillig nie wieder dorthin zurückgehen. Aber da sie die Verantwortung für die Kinder übernommen hatte, musste sie zurück, um sie in Sicherheit zu bringen.

Ihr Fluchtplan, im Dorf ihrer Schwester Unterschlupf zu finden, hatte sich sprichwörtlich in Rauch aufgelöst.

Ihr Entschluss, die Toten aus dem Dorf zu begraben, hatte sie viel Zeit gekostet. Wenn Busby sie einholte, dann würde sie die Kinder nicht zu ihrem Clan bringen können.

Maisie griff spielerisch nach dem Gras, auf dem sie lag. Gaira stand hastig auf. Dabei drehte sie sich etwas zu schnell um und strauchelte. Vorsichtig hob sie ihren verletzten Fuß an und versuchte, ihn langsam hin und her zu bewegen. Ihr Knöchel war immer noch so stark geschwollen, dass sie kaum in ihren Stiefel passte. Sie seufzte.

Doch dann straffte sie sich und rief sich zur Ordnung. Robert hatte ihnen Essen besorgt, und sie hatten ein kräftiges Pferd. Glücklicherweise war es nicht weit gelaufen, nachdem es in Panik geraten war. Sie war klug genug, um sie alle aus dieser misslichen Lage herauszuholen. Das Einzige, was sie nicht hatten, war Zeit. Sie hob Maisie hoch und setzte sie auf ihre Hüfte. Sie musste die Dinge in die Hand nehmen, denn es würde niemand kommen und ihr helfen.

Sie drückte Maisie fest an sich.

Und Robert? Nein. Er würde ihnen nicht helfen.

Doch plötzlich keimte Hoffnung in ihr auf. Er war nach der Jagd zu ihnen zurückgekehrt, er hatte Nahrung für sie besorgt und sie für sie zubereitet.

Vielleicht war er die Antwort auf ihre zahllosen Gebete. Zwar war er ein englischer Soldat, aber er war hier. Und das war alles, was zählte. Jetzt war sie sicher, Robert of Dent würde ihr helfen.

Sie nahm Maisie auf die andere Seite und ging los. Wenn ihr Knöchel nicht so schmerzen würde, wäre sie vor Freude gehüpft.

„Aye, du bist ein großes Mädchen, nicht wahr?" Sie drückte das Kind fest an sich.

„Groß!" Maisie griff sich einen von Gairas Zöpfen und zog daran.

„Genau, groß wirst du, stimmt's?" Gaira schwang die Kleine herum und humpelte zu den anderen.

Alec kam zu ihnen. „Kann ich mitspielen?"

Sein Gesicht war fettverschmiert und voller Krümel von den Haferkeksen. Sie tat so, als würde sie nur ungern einwilligen. „Ich glaube, ja."

Sie setzte Maisie ab und nahm nun Alec hoch, passte auf, dass sie nur ihren gesunden Fuß belastete, und schwang Alec schnell vor und zurück, so schnell, dass er vor Freude jauchzte.

Dann wurde ihr schwindlig, und sie setzte Alec lachend ab, streckte sich im Gras aus und beobachtete, wie sich der Himmel über ihr drehte.

Sie seufzte und kicherte abwechselnd. Mit einem Mal wurde es dunkel. Robert stand über ihr und warf mit seinem kräftigen Körper einen tiefen Schatten auf sie.

Gaira konnte nicht genau sagen, ob ihr so schwindlig war, weil sie mit Alec herumgewirbelt war, oder wegen der warmen braunen Augen, die nun auf sie gerichtet waren.

„Wir müssen reden", sagte Robert.

Ja, das mussten sie. Sie stand auf. Maisie war hinter einen Baum gelaufen.

Gaira lächelte Flora an. „Bitte pass auf Maisie auf. Und Alec soll Feuerholz sammeln. Wir haben fast nichts mehr. Ich bin gleich wieder da."

Sie wandte sich Robert zu. „Lasst uns ins Dorf gehen."

Seit ihrer Ankunft hatte sie nicht gewagt, bei Tageslicht ins Tal hinabzusteigen. Aber dort konnten sie ungestört miteinander reden. Und wer weiß, vielleicht würde er ihr angesichts des Grauens dort unten ja seine Hilfe anbieten.

Robert folgte ihr. Er versuchte, sich selbst davon zu überzeugen, dass er ihr bloß aus reiner Neugier dabei zusah, wie sie sich bewegte. Doch er musste sich eingestehen, dass ihn das Schwingen ihrer Hüften erregte.

Er musterte ihre Erscheinung. Das tiefgrüne Schultertuch unterstrich ihre Haarfarbe. Ihr Haar war nicht dunkelbraun, wie er zuerst gedacht hatte, sondern flammend rot. Nicht das blasse Rotblond englischer Damen, sondern ein leuchtendes Rot wie von einer Mohnblume. Er erinnerte sich, dass ihre Augen in einem warmen Braunton schimmerten – wie schottischer Whisky, und ihre Haut war übersät von unzähligen kleinen Sommersprossen. Ihre vollen Lippen hatten die Farbe von Hagebutten.

Je weiter sie liefen, desto stärker humpelte sie, und er ging langsamer.

Er hatte noch nie zuvor eine Frau wie sie gesehen. Schon allein durch ihre Haarfarbe war sie eine Erscheinung. Doch ihre hochgewachsene Figur machte sie zu einer Besonderheit. Sie war keine klassische Schönheit. Ihre Nase war sogar leicht schief und ihr Kinn ein klein wenig zu spitz, aber das unterstrich nur ihre Attraktivität.

Er spürte, wie sich Verlangen in ihm regte. Er wollte sie. Doch jetzt war nicht der richtige Zeitpunkt. Er musste seine Aufmerksamkeit auf andere Dinge lenken.

Er schloss zu ihr auf. „Als Ihr in das Dorf kamt, hattet ihr noch nicht vier Kinder dabei, oder?"

„Nein. Sie sind die einzigen Überlebenden."

„Ist der Junge stumm?"

Eine kleine Falte bildete sich zwischen ihren Augen, und sie schüttelte den Kopf. „Creighton weigert sich zu sprechen."

Das hatte er vermutet. Der Junge hatte ihn den ganzen Morgen lang schweigend und voller Hass angesehen. Zum Glück war Alec da gewesen und hatte die unangenehme Stille mit seinem Geplapper gefüllt.

Es hatte viel unangenehmes Schweigen gegeben. Er hatte nicht gewusst, wie er sich den Kindern gegenüber verhalten sollte. Deswegen war er auf die Jagd gegangen und hatte ihnen allen etwas zu essen zubereitet. Aber glücklicherweise würde er sich nicht mehr lange um sie kümmern müssen.

Der Abstieg ins Tal wurde steiler, und Gaira geriet ins Straucheln.

„Hier, ich helfe Euch." Er ging näher zu ihr und reichte ihr seine Hände.

Doch sie winkte ab. „Ich kann das sehr gut allein."

Er zeigte auf ihren Knöchel. „Ist er gebrochen?"

„Ich glaube nicht."

Mehr sagte sie nicht, aber er vermutete, dass der Knöchel noch stark geschwollen war. Er hatte noch nie eine Frau gesehen, die nicht klagte, wenn sie eine Verletzung hatte.

„Ihr sagtet, dass Ihr auf dem Weg nach Doonhill wart, als der Überfall passierte", setzte er erneut an.

„Ja, ich glaube, ich bin nur wenige Stunden später eingetroffen. Ich wollte meine Verwandten besuchen."

„Allein?"

„Ja, allein." Er merkte, dass sie vorsichtig wurde. „Aber wieso interessiert Euch das?"

Da er keine Antwort darauf wusste, stellte er eine andere Frage. „Warum reist eine Frau allein durchs Grenzgebiet und trägt Männerkleidung?"

Sie strauchelte erneut, doch er tat diesmal so, als ob er es nicht bemerkte.

„Warum reist ein englischer Soldat allein durch Schottland, um sich ein Dorf anzusehen, das von seinen Landsleuten verwüstet wurde?"

Darauf wollte er ihr keine Antwort geben. Was würde sie denken, wenn sie wüsste, dass er kein einfacher Soldat war, sondern ein Anführer im Dienste König Edwards – „Black Robert", der gefürchtetste Ritter Englands?

Irgendwann hatten die Menschen angefangen, Lieder und Geschichten über Black Robert zu dichten. Und je mehr Heldentaten er vollbrachte, desto mehr Legenden wurden um ihn gesponnen. Inzwischen konnte er kein Schlachtfeld mehr betreten, ohne dass man ehrfürchtig seinen Namen flüsterte.

Sie hatten nun das Tal erreicht und liefen zu der Stelle, wo sie angefangen hatte, Gräber auszuheben. Als sie sich den Toten näherten, räusperte sie sich.

Er wartete. Obwohl er selbst um das Gespräch gebeten hatte, wusste er genau, warum sie ihn hierhergeführt hatte. Im Tageslicht sah man das ganze Ausmaß der Grausamkeit. Kinder mit abgehackten Gliedmaßen und Männer und Frauen, die der Länge nach aufgeschlitzt worden waren, lagen in einer Reihe auf dem Boden.

„Helft Ihr mir?"

Tote waren vollkommen alltäglich für ihn, sie gehörten zum Krieg dazu. Er und seine Soldaten hatten schon viele Menschen begraben. Doch sie war kein Soldat. Gewiss hatte sie noch nie zuvor solche Gräueltaten gesehen. Warum tat sie sich selbst so etwas an?

„Warum zieht Ihr nicht einfach mit den Kindern weiter?"

„Das kann ich nicht." Sie hielt inne. „Also, werdet Ihr mir helfen? Sie müssen so schnell wie möglich begraben werden."

„Es wäre wesentlich einfacher, sie zu verbrennen", entgegnete er.

Sie schnaubte empört. „Sie haben schon genug Feuer gesehen."

Die Welle der Trauer, die nun über ihn hinwegfegte, traf ihn völlig unvorbereitet. Er war es nicht gewohnt, dass seine Gefühle sich regten. Doch diese Frau hatte ihn hierhergebracht und war dafür verantwortlich, dass die Trauer mit einem Mal wie ein spitzer Dolch auf ihn einstach und ihn quälte.

Es gab überhaupt keinen vernünftigen Grund für ihn, hier zu

sein. Das Ganze war ein Albtraum. Um sich zu beruhigen, knetete er die angespannten Muskeln in seinem Nacken. Vielleicht konnte er so das beklemmende Gefühl loswerden, das auf seinen Schultern lastete.

Doch es war kein Albtraum gewesen, der ihn an diesen Ort geführt hatte, sondern eine Erinnerung. Das wurde ihm jetzt klar. Eine, die er schon lange vergeblich zu vergessen versuchte.

Schon lange Zeit hatte er keine Trauer mehr empfunden. Und es war noch viel länger her, seit er zuletzt an jenes Feuer gedacht hatte. Aber heute war beides zurückgekommen, die Trauer und die Erinnerung.

Der Gedanke, dass ein ganzes Dorf ausgelöscht worden war, wühlte ihn auf. Und seine Landsleute waren dafür verantwortlich. Auch er war Engländer. Er konnte das Gefühl der Schuld nicht von sich abschütteln, sosehr er es auch versuchte.

„Also, werdet Ihr sie begraben? Damit sie in Frieden ruhen können?", wiederholte sie. „Und zwar bald?"

Er konnte die Verzweiflung in ihrer Stimme hören. Sie war allein und konnte jede Nacht nur ein paar Stunden arbeiten. So würde sie noch mindestens eine Woche brauchen, bis alle Toten beerdigt waren. Und das bedeutete, dass sie noch länger den Gefahren hier draußen ausgesetzt sein würde.

„Ihr seid ein hohes Risiko eingegangen, indem Ihr so lange hiergeblieben seid."

„Aber es sind ihre Familien … Nein, ich musste es tun, damit die Kinder wissen, dass ihre Verwandten in Frieden ruhen."

„Ich bin sicher, sie sind sehr dankbar für all die Mühen, die Ihr auf Euch genommen habt. Doch es wäre unvernünftig, noch länger hierzubleiben. Die Männer, die das getan haben, können jederzeit zurückkommen und Euch und die Kinder töten."

„So wie Ihr zurückgekommen seid?"

„Ich habe Euch schon gesagt, dass ich nicht zu ihnen gehöre."

Der ängstliche Ausdruck verschwand aus ihrem Blick. „Ja, aber ich bin mir nicht sicher, ob ich Euch glauben kann. Ihr seid eindeutig ein englischer Soldat und seid bestimmt nicht zufällig hier."

Er gab ihr keine Antwort. Für ihn war es ohne Bedeutung, ob sie ihm glaubte.

Sie verschränkte die Arme vor der Brust. „Doch das tut nichts zur Sache, wir müssen das nicht jetzt klären. Sie sind nicht wiedergekommen, und alles, worum ich Euch bitte, ist Eure Hilfe."

Sie gab einfach nicht auf. Sturheit war also eine weitere Eigenschaft an ihr, die er noch nicht kannte. „Aber es warten noch viel mehr Gefahren auf Euch hier draußen. Die Kinder haben mir gesagt, dass Ihr kaum noch etwas zu essen habt. Ihr könnt niemals genug Nahrung beschaffen, um fünf Menschen satt zu machen."

„Wir haben es bis jetzt auch geschafft."

„Aber wie lange noch?"

Sie wirbelte herum und sah ihn wütend an. Sie baute sich in voller Größe vor ihm auf. „Ich hatte gehofft, dass ich längst fertig sein würde. Doch mein Knöchel macht mir zu schaffen. Also, werdet Ihr mir helfen? Natürlich weiß ich sehr wohl, dass wir nicht mehr lange hier draußen überleben können. Das brauche ich mir nicht von Euch sagen zu lassen. Aber ich frage mich, was für ein Mann das ist, der einer Frau abschlagen würde, ihr dabei zu helfen, ihre Verwandten zu beerdigen?"

Zornig machte sie einen Schritt nach vorne und hob einen Spaten vom Boden auf. Das halb verkohlte Werkzeug war kaum zu gebrauchen und würde ihnen die ohnehin schon schwierige Arbeit nicht gerade erleichtern.

Ja, sie war stur. Sie reckte das Kinn nach vorne und sah ihn herausfordernd an. Aber ihre Lippen zitterten, und er sah, dass sie unter ihren Sommersprossen blass geworden war.

Robert fluchte. Doch dann ging er zu ihr hinüber und riss ihr den Spaten aus den Händen. Der Ruck war so heftig, dass sie ein wenig stolperte, und er fasste sie schnell am Arm, damit sie das Gleichgewicht wiederfand.

„Ich werde Eure Toten heute noch beerdigen", knurrte er.

Er konnte sehen, wie ihre Wut dahinschmolz. Ihr Mienenspiel verriet ihm, dass sie jetzt mit einem Ansturm der Gefühle kämpfte.

„Warum seid Ihr mit einem Mal so freundlich?" In ihrer Stimme lag Trauer und Schmerz.

Plötzlich sah er vor seinem inneren Auge das Bild eines zierlichen Körpers, der in ein weißes Tuch eingewickelt im Gras lag.

Sofort ließ er ihren Arm los, und sie drohte zu fallen. Doch diesmal half er ihr nicht.

„Ich werde Eure Toten beerdigen", wiederholte er. „Aber Ihr täuscht euch. Ich tue es nicht aus Freundlichkeit."

Er rammte den Spaten in die umgepflügte Erde. Das Schaufelblatt krümmte sich, brach jedoch nicht. Er begann zu graben.

7. Kapitel

Es war schon spät, und Gaira stand auf dem Hügel und blickte hinab ins Tal. Sie nahm das Reisig und die Zweige, die sie für die Gräber gesammelt hatte.

Von ihrem Standpunkt aus konnte sie die frisch angelegten Gräber und den See überblicken. Doch sie starrte nicht auf das Wasser, sondern auf den Mann, der dort unten unermüdlich arbeitete.

Es war ein ungewöhnlich heißer Tag, und er hatte sich die warme Kleidung ausgezogen. Er trug nichts weiter als kurze wollene Hosen wie ein Bauer. Doch dieser Mann war kein Bauer.

Er schuftete ohne Unterbrechung. Weil sie ihn darum gebeten hatte, stach er den Spaten immer wieder in den Boden. Dabei sah er nicht wie ein Feldarbeiter aus, sondern wie jemand, der normalerweise selbst die Kommandos gab. Vielleicht lag es an seiner Kopfhaltung oder der Art, wie er die breiten Schultern bewegte. Oder an seinem Schwert, das neben ihm in der Sonne glänzte. Sein Körper war sehnig, und er strotzte nur so vor Kraft.

Gaira fühlte ein merkwürdiges Ziehen tief in ihrem Inneren, und ihre Finger fingen wieder an zu kribbeln. Sie wusste noch immer nicht, was es damit auf sich hatte, doch Angst war diesmal sicher nicht die Ursache.

Schnell konzentrierte sie sich auf die Dinge an ihm, die weniger ansprechend waren: das unordentliche, lange Haar, der zottelige Bart, die vielen Narben … Doch es half nichts. Er gefiel ihr trotzdem.

Du bist eine dumme, bei Neumond geborene Gans, Gaira of Colquhoun!

Sie hatte wirklich Wichtigeres zu tun, als darüber nachzudenken, dass Robert of Dent ein gut aussehender Mann war.

Schnell wandte sie den Blick von Robert ab und sah, dass er mehrere neue Gräber ausgehoben hatte. In weniger als einem Tag würde er fertig sein.

Er war wirklich ein widersprüchlicher Mann. Sie hatte ihn angefleht, mit ihm gestritten, doch er hatte den Spaten erst in die Hand genommen, als sie bereits die Hoffnung aufgegeben hatte. Mit einem Mal hatte er eingewilligt, ihr zu helfen, und sie verstand noch immer nicht, warum.

Natürlich arbeitete er viel schneller, als sie es jemals gekonnt hätte. Aber würde sie rechtzeitig zu ihren Brüdern gelangen, bevor ihr Bräutigam sie fand? Mit etwas Glück konnte sie es noch schaffen. Doch dafür brauchte sie Roberts Hilfe.

Sie hielt die Zweige behutsam fest und begann langsam ins Tal hinabzusteigen. Aber obwohl sie sich vorsichtig bewegte, stieß sie mit dem Fuß gegen einen Stein und stolperte. Unwillkürlich ließ sie das Reisig und die Birkenzweige fallen.

Ach, du bist einfach zu nichts zu gebrauchen!

Ärgerlich begann sie, alles wieder einzusammeln.

Ja, das bist du! Ein tollpatschiger Trottel!

Sie ließ sich rückwärts den Abhang hinabrutschen, bis es flach wurde, stand auf und drehte sich um. Robert stand direkt vor ihr. Gaira erschrak und stolperte erneut, sodass die Zweige wieder durch die Luft flogen und sie selbst gegen seine Brust stieß.

Mit einem Mal bestand ihre ganze Welt nur noch aus diesem Mann, und sie konnte seine schweißüberzogene, glatte Haut an ihren Händen spüren, als sie sich an seinen Schultern festklammerte. Sie krallte ihre Finger in die kräftigen Muskeln. Sie fühlte ein seltsames Ziehen in ihren Brüsten, und ihre Beine wurden ganz schwach, sodass sie taumelte und sich noch fester an ihn drückte, um nicht den Halt zu verlieren.

Robert sog scharf den Atem ein, als ob er in eiskaltes Wasser gefallen wäre. Dann machte er sich ruckartig von ihr los.

Sie verlor das Gleichgewicht und fiel. Doch er umfasste blitzschnell mit seinen starken Armen ihre Taille und hielt sie fest.

Verschämt und verwirrt lag sie in seinen Armen. Prüfend bewegte sie ihren verletzten Fuß hin und her. „Ach, ich glaube, es ist nicht schlimmer ge…"

Doch als sie seinen Blick sah, konnte sie den Satz nicht zu Ende bringen.

Gierig betrachtete er ihr Gesicht, als wäre sie ein Festmahl und er ein Verhungernder. Plötzlich war sie sich nur zu sehr ihres hohen Wuchses, ihrer kleinen Brüste und ihrer langen Beine bewusst. Und das Kribbeln in ihren Fingern ging jetzt in Wellen auf ihren ganzen Körper über.

Die ganze Zeit hatte sie voller Verlangen seine starken Arme betrachtet, und nun hatte er sie fest um sie geschlungen und hob sie hoch.

Sie musterte sein markantes Gesicht und entdeckte einige kleine Narben. Sein Bart verdeckte die vollen Lippen nicht.

Gleich würde er sie küssen! Sie öffnete leicht den Mund und atmete hörbar aus.

Doch er ließ sie los und trat einen großen Schritt von ihr weg. Scham und der Schmerz darüber, zurückgewiesen worden zu sein, machten sich in ihr breit. Sie starrte auf die Steine auf dem Boden, um ihn nicht ansehen zu müssen. Einen Moment lang sagte keiner von ihnen ein Wort, es kam ihr wie eine Ewigkeit vor. Schließlich gab sie sich einen Ruck.

„Seid Ihr fertig?"

„Beinahe", erwiderte er einsilbig.

Verstohlen sah sie ihn an, doch er erwiderte ihren Blick nicht.

„Was wollt Ihr mit den Zweigen?"

Die Birkenruten mit frischem Laub, die anderen kleinen Äste und Farnblätter lagen in wildem Durcheinander auf dem Boden verstreut. Genauso durcheinander fühlte sie sich auch.

Sie zog die Stirn in Falten, es fiel ihr schwer, einen klaren Gedanken zu fassen. „Ich will damit die Gräber schmücken, um so die Toten zu ehren." Sie begann, die Zweige aufzusammeln. Er half ihr nicht dabei. „Ich möchte ihnen damit zeigen, dass sie mehr waren als …"

Sie konnte den Gedanken nicht zu Ende führen, denn die Trauer um ihre Schwester übermannte sie. Auch die Vorstellung, wie die Kinder ihre Familien verloren hatten, war viel zu schmerzhaft. Sie ging zu den Gräbern und legte die Birkenzweige und Farnblätter darauf. Sie war froh, dass er ihr Gesicht nicht sehen konnte, während sie sie verteilte.

Jetzt musste sie sich nur noch um eine Sache Sorgen machen, und die betraf sie selbst. Sie musste ihre Gedanken wieder unter

Kontrolle bekommen und dem lächerlichen Begehren, das sie für diesen Fremden empfand, ein Ende setzen.

Sie fuhr sich mit den Handrücken über das Gesicht und überlegte, wie sie das unerträgliche Schweigen brechen konnte.

„Ich habe etwas zu essen gemacht", sagte sie schließlich.

Da er nicht antwortete, sah sie zu ihm hinüber. Er stand da und betrachtete die geschmückten Gräber.

Zögerlich ging sie zurück zum Lager. Er folgte ihr, doch als sie auf dem Hügel erneut strauchelte, half er ihr nicht.

Trauer, Wut und Begehren, all diese Empfindungen stürmten gleichzeitig auf ihn ein, während er Gaira zum Lager folgte. Die geschmückten Gräber hatten schmerzvolle Erinnerungen in ihm aufgewühlt. Seine Gefühle konnten kaum widersprüchlicher sein. Schmerz, Trauer, Lust. Dazu kam noch seine Wut darüber, dass er überhaupt etwas fühlte.

All die Jahre der Enthaltsamkeit wurden ihm plötzlich schmerzhaft bewusst, während er hinter Gaira den Hang hinaufstieg. Er starrte auf ihr feuerrotes geflochtenes Haar. Die Zöpfe reichten bis an ihre geschwungenen Hüften. Er blickte weiter an ihr hinab, bewunderte ihre langen, geschmeidigen Beine …

Die Situation war schon schwierig genug, auch ohne sein Verlangen nach dieser Frau. Er hatte Hugh gesagt, wohin er wollte, als er aufbrach, hatte allerdings nicht vorgehabt, so lange zu bleiben. Nun würde er mit sehr viel Verzögerung zu seiner Truppe zurückkehren. Doch jetzt waren ihre Toten beerdigt, und damit endete auch seine Verpflichtung ihr gegenüber.

„Es ist schon spät", sagte er. „Wenn Ihr nichts dagegen habt, würde ich noch eine weitere Nacht an Eurem Feuer verbringen."

Sie ging ruhig weiter. „Aye."

„Ich gebe mir Mühe, die Kinder nicht zu wecken, wenn ich morgen früh aufbreche."

Sie blieb so abrupt stehen, dass sie beinahe zusammengestoßen wären. Dann fuhr sie herum, ihre langen Zöpfe wirbelten durch die Luft und schlugen gegen seine Arme.

„Was meint Ihr damit, wenn Ihr morgen früh aufbrecht?", fragte sie und zog eine Augenbraue hoch.

„Ich habe meinen Männern gesagt, dass ich nicht länger als einen Tag weg sein würde, und jetzt sind es schon fast zwei Tage. Wenn ich nicht bald zurückkomme, werden sie mich suchen."

Eine steile Falte bildete sich zwischen ihren Augen. „Morgen hatte ich vor, mit den Kindern zu meinen Brüdern ins Gebiet der Colquhoun zu reisen. Es liegt nördlich von hier, am Firth of Clyde."

Er wusste nicht, was das damit zu tun hatte, dass er am Morgen zurückreiten wollte. Doch er wusste genau, wo sich die Meeresenge, von der sie sprach, der Firth of Clyde, befand.

„Das liegt mehrere Tagesritte nördlich von hier. Mit vier Kindern und nur einem Pferd werdet Ihr es niemals schaffen."

Sie fragte ihn nicht, warum er sich als Engländer so gut in Schottland auskannte. „Doch, das werde ich."

Er drehte sich jetzt ganz zu ihr um und wartete, dass sie ihm mitteilte, dass ihre Verwandten bald hier sein und sie abholen würden und dass es das Beste war, wenn er möglichst schnell verschwand.

Doch sie sah ihn nur durchdringend an, als wartete sie darauf, dass er etwas sagen würde. Selbst ein Narr würde erkennen, dass ihr Plan lebensgefährlich war.

„Mit nur einem Pferd könnt Ihr es niemals schaffen", wiederholte er. „Flora ist zu schwach, seelisch und körperlich. Alec und Maisie sind noch zu klein, um so lange zu reiten." Er machte einen Schritt auf sie zu. „Was wollt Ihr tun, wenn Euch die Haferkekse für Maisie ausgehen? Was soll sie essen? Und Creighton spricht nicht. Was, wenn er irgendwo eine Bedrohung sieht, Euch aber nicht warnt?"

Sie öffnete empört den Mund, erwiderte dann aber nichts. Anscheinend hatte sie keine Antwort darauf.

Gaira blieb bewegungslos stehen. „Ihr seid wirklich gut darin, mir vor Augen zu halten, was ich nicht kann oder nicht tun sollte. Aber Ihr habt hier nichts zu sagen. Alec ist zwar klein, doch er ist schlau und hat einen starken Willen." Ihre Hände waren jetzt zu Fäusten geballt. „Maisie hat zwar noch nicht alle Zähne, aber schon ein paar. Wenn wir keine Haferkekse mehr haben, dann zerkleinern wir eben das Fleisch. Ich werde schon dafür sorgen, dass sie nicht hungert."

Sie funkelte ihn an. „Und was Flora und Creighton betrifft: Ich gehe nicht davon aus, dass sie schon immer schwach und stumm waren. Ich glaube, dass Eure Männer etwas damit zu tun hatten. Aber sie haben überlebt."

Hinter ihr ging die Sonne bereits unter. Im roten Abendlicht sah es aus, als ob ihr Haar in Flammen stünde. Ihre braunen Augen erstrahlten in einem warmen Goldton. Sie bestand nur aus flammender Wut und eisernem Willen, und sie raubte ihm beinahe den Verstand. Gegen seinen Willen dachte er darüber nach, wie ihr Haar wohl aussehen würde, wenn es nicht geflochten war, und welche Farbe ihre Augen hätten, wenn sie Lust statt Zorn empfand. Was für ein Narr er doch war!

„Sie werden es schaffen", sagte sie entschlossen.

Sie trat auf ihn zu, und er konnte den Duft ihres Haares wahrnehmen, eine Mischung aus frischem grünem Laub und etwas Süßem, wie eine Waldbeere.

Er zwang sich, sich auf etwas anderes zu konzentrieren. „Ihr sorgt im Moment für sie. Aber sie haben bestimmt Verwandte, die sie aufnehmen würden."

„Denkt Ihr wirklich, dass ich nicht darüber nachgedacht habe?" Sie winkte entrüstet ab. „Flora sagt, dass sie zwar Angehörige in einem anderen Dorf habe, aber sie weiß nicht, wie es heißt. Alec ist zu jung, um so etwas zu wissen."

„Und Maisie?"

„Ich weiß, wer ihre Familie ist", sagte sie. „Und dieses Gespräch wird nicht das Geringste an meinen Plänen ändern. Ich muss mit ihnen zu meinen Brüdern. Es ist der einzige Ort, den ich kenne, an dem man sich um sie kümmern wird."

Er wusste, dass er sich nicht mit ihr darüber streiten konnte, an welchem Ort die Kinder in Sicherheit waren. Und er konnte sie nicht mit zu seinem Truppenlager nehmen, selbst wenn sie oder die Kinder das gewollt hätten. Gewiss, es war sehr gefährlich, den langen Weg zu ihren Brüdern auf sich zu nehmen, doch ihm fiel ebenso wenig ein besserer Ort für sie ein.

„Ihr werdet es niemals schaffen."

Sie trat jetzt so nah an ihn heran, dass ihre Haare beinahe seine Nasenspitze berührten, und schlug ihm mit der flachen Hand auf die Brust. „Oh doch! Und Ihr werdet uns dabei helfen."

8. Kapitel

Ihr war, als würde alles um sie herum still stehen. Doch das stimmte gar nicht, denn sie konnte hören, wie eine Biene an ihnen vorbeisummte und der Wind raschelnd durch das frische Laub wehte. Nur Robert war vollkommen still.

Er hielt den Blick unverwandt auf sie gerichtet, und seine Arme hingen schlaff herunter. Hatte er gehört, was sie gesagt hatte?

„Nein …", stieß er atemlos hervor.

Gaira kämpfte gegen die glühende Wut an, die in ihr aufstieg. Er hatte sie also verstanden.

„Doch, das werdet Ihr. Warum seid Ihr überhaupt hergekommen, wenn Ihr nicht vorhattet, etwas für das Dorf zu tun, das Eure Soldaten niedergebrannt haben?"

Er antwortete nicht, und sie trat einen Schritt zur Seite. Ihm Schuldgefühle wegen der Gräueltaten seiner Landsleute zu machen, brachte anscheinend nichts. Sie musste eine andere Taktik anwenden.

„Die Kinder sind in Gefahr. Sie müssen zu meinen Brüdern. Ihr habt recht, allein werden wir es niemals schaffen. Aber mit Eurer Hilfe, Euren Vorräten und Eurem Pferd haben wir eine Chance."

Er schwieg noch immer.

Ihre anfängliche Wut verwandelte sich langsam in Panik. Was würde sie tun, wenn er ihr nicht half? Könnte er wirklich einfach gehen und sie und die Kinder sich selbst überlassen?

„Wo ist Euer Mitgefühl?", sagte sie in anklagendem Ton.

Etwas in seinem Blick veränderte sich. Ein trauriger Ausdruck trat in seine Augen, und sie fühlte einen seltsamen Schmerz in ihrer Brust. Mit einem Mal hatte sie das Bedürfnis, ihn zu trösten.

Bestimmt lag es an ihr, dass ihr plötzlich so schwer ums Herz wurde, und nicht an ihm, denn er hatte offensichtlich keine Gefühle. Wieder spürte sie rasende Wut.

„Ihr seid ein krummnasiger Rüsselkäfer! Meint Ihr wirklich, dass ich Euch um Hilfe bitten würde, wenn ich es nicht müsste? Ihr seid meine einzige Hoffnung!"

Dass er ihr keine Antwort gab, machte sie rasend.

„Tante Gaira! Ich habe dir etwas vom Kaninchen aufgehoben!"

Alec kam auf sie zugerannt, und ihr wurde ganz warm ums Herz. Die Kinder waren stark, trotz all der schrecklichen Erlebnisse. Sie wusste, dass sie es schaffen würden.

Sie ließ Robert stehen und ging mit ausgebreiteten Armen in die Knie, um Alec aufzufangen. Sie verstand sich so gut mit den Kindern. Sie mussten es schaffen. Sie *würden* es schaffen! Sie würde alles dafür tun! Sofort verstummten jegliche Zweifel in ihr. Sie fuhr Alec spielerisch durch das Haar, stand auf und nahm seine Hand.

„Oh, du hast mir also etwas Kaninchen aufgehoben, ja? Ist das hier das Kaninchen? Hmm, schön saftig sieht das aus!" Sie drückte ihm mit dem Zeigefinger in den Bauch. „Oh, ein echter Leckerbissen!"

Alec verstand ihren Scherz und quiekte vergnügt.

Sie merkte, dass Robert sie beobachtete, aber sie würdigte ihn keines Blickes. Stattdessen lief sie lachend mit Alec zurück zum Lager.

Es war ruhig an ihrer Lagerstelle. Ab und an war das Knacken der brennenden Äste und Zweige zu hören und ein Rascheln im Dickicht von einer Kreatur der Nacht.

Gaira schloss die Arme noch fester um ihren Oberkörper und starrte in die Flammen. Sie konnte nicht schlafen. Zu viele Gedanken wirbelten in ihrem Kopf umher.

Sie dachte an die Kinder, die bereits fest schliefen, und wie sie mit ihnen zu ihrem Clan gelangen sollte. Sie dachte darüber nach, was aus ihnen werden würde und was passieren würde, wenn ihr Bräutigam sie fand.

Und sie dachte an Robert, der kein Wort mehr gesprochen hatte, seit Alec sie unterbrochen hatte. Doch sie hatte bemerkt, wie er sie und die Kinder angesehen hatte. Vor allem hatte er sie angesehen.

Sie hatte versucht, sich keine Gedanken darüber zu machen, was in ihm vorging. Sie war nicht mehr wütend auf ihn und auch nicht mehr verletzt. Sie war einfach nur verwirrt. Er verhielt sich ganz anders als alle Männer, die sie kannte.

Als sie ihn um Hilfe bat, hatte sie das Gefühl gehabt, dass er zornig war. Nicht, weil er ihre Bitte unangemessen fand, sondern weil sie Schmerz und Trauer in ihm auslöste. Doch anstatt ihr zu erklären, warum, hatte er sie den ganzen Abend schweigend beobachtet.

Obwohl er sich auf der anderen Seite des Lagerfeuers niedergelassen hatte, konnte sie spüren, wie er sie ansah, was bedeutete, dass er ebenfalls wach war. Vielleicht war das der Grund, warum sie keinen Schlaf fand.

Unruhig setzte sie sich auf und begann, ihre Zöpfe zu lösen. Sie hatte sie so fest geflochten, dass es schmerzte, und sie wollte sich von diesem unangenehmen Druck befreien.

Plötzlich setzte er sich auf und sah zu ihr herüber. Seine ganze Aufmerksamkeit war auf sie gerichtet.

Gaira fühlte sich plötzlich ungeschickt, und ihre Finger gehorchten ihr nicht mehr richtig, doch sie fuhr fort, ihr Haar zu lösen, bis es ihr in langen Wellen über die Schultern fiel.

Mit bebenden Fingern massierte sie ihre Kopfhaut, die noch immer leicht prickelte. Unter Roberts interessiertem Blick über die Flammen hinweg breitete sich das Prickeln auf ihren ganzen Körper aus, bis hinunter in ihre Beine.

Zitternd griff sie nach ihrem Kamm und ließ ihn durch ihr Haar gleiten.

Robert stand auf, kam zu ihr und stellte sich hinter sie. Noch immer sagte er kein Wort, und auch sie schwieg.

Ihr wurde warm, und ihr Herz klopfte schneller und schneller. Wieder strich sie mit dem Kamm durch ihr Haar, vom Ansatz bis hinunter in die Spitzen.

Robert atmete hörbar ein.

Einen Augenblick hielt sie inne und verharrte mit dem Kamm in ihrem Haar. Dann ließ sie den Arm sinken und flüsterte: „Was wünscht Ihr?"

„Ich habe ein paar Fragen."

Seine nüchterne Antwort stand so sehr im Widerspruch zu dem, was gerade in ihr vorging. Sie wartete, doch er sagte nichts weiter und ging auch nicht zurück auf seine Seite des Feuers.

Sie wusste nicht, was sie tun sollte, also glättete sie auch noch die restlichen Haarsträhnen und entwirrte die Spitzen. Sie hob die schweren Locken an, doch es half nicht, ihre Kopfhaut spannte noch immer, und sie begann, sie zu massieren.

„Wie habt Ihr die Kinder gefunden?" Roberts Stimme klang heiser. Hatte er ihr vielleicht eine ganz andere Frage stellen wollen?

Gaira war so durcheinander, sie musste sich mit ganzer Kraft konzentrieren, um seine Frage zu verstehen. Er wollte also etwas über die Kinder wissen. Und nicht …

Über die Kinder konnte sie mit ihm reden. Das war ein unverfängliches Thema. Er hatte die Toten für sie beerdigt und hatte Essen besorgt. Ihr Atem beruhigte sich ein wenig. Er verdiente es, die Wahrheit zu erfahren.

„Ich traf nur wenige Stunden, nachdem die Engländer das Dorf niedergebrannt hatten, hier ein", antwortete sie.

Er setzte sich neben sie, berührte sie nicht und sah sie auch nicht an. Doch sie konnte ihn mit aller Deutlichkeit neben sich spüren.

„Ich kletterte hastig den Abhang hinunter, dabei habe ich mir den Knöchel verletzt. Dann bin ich ins Dorf gelaufen." Sie wollte nicht beschreiben, was sie dort gesehen hatte. Er war selbst unten gewesen, er hatte die Verwüstung und das Massaker gesehen.

„Dann hörte ich ein Wimmern. Ich entdeckte Maisie in der hintersten Hütte unter ein paar zerrissenen Decken und dem Oberkörper eines Toten. Maisie ist die Tochter meiner Schwester Irvette, die ich besuchen wollte."

Sie griff erneut nach dem Kamm und presste die spitzen Enden in ihre Handfläche.

„Ich nahm sie hoch und drückte sie an mich. Sie schien die einzige Überlebende zu sein. " Sie atmete scharf ein. „Ich trug sie auf den Hügel und machte mich daran, mein Pferd einzufangen. Es war vor Angst weggelaufen. Mein Knöchel schmerzte sehr, und ich war froh, dass es nicht weit gerannt war und zu mir kam, als ich nach ihm pfiff. Plötzlich sah ich, wie sich zwischen ein paar Bäumen etwas bewegte. Ich hatte Angst, es könnten die Engländer sein. Doch es waren nur die Kinder. Flora hielt Alecs Hand, und Creighton stand mit geballten Fäusten da."

„Ihr habt Eure Schwester und ihren Ehemann begraben."

Sie nickte. In den letzten Nächten hatte sie außer ihnen noch viele andere beerdigt.

„Ich konnte Irvette und ihren Mann nicht einfach so liegen lassen."

„Und Ihr seid wegen der Kinder geblieben und habt dann begonnen, die restlichen Toten zu begraben?"

„Nicht nur deswegen." Sie versuchte, die Erinnerung an die Nächte und ihre Abstiege hinunter ins Tal, wo das Mondlicht die Ruinen von Doonhill gespenstisch beleuchtete, aus ihren Gedanken zu verscheuchen.

„Ich habe Albträume seitdem. Nicht nur wegen der Dinge, die ich gesehen habe …" Sie hielt inne. Es hatte lange gedauert, die Toten zu den Beeten zu schleifen, und es war eine schreckliche Arbeit gewesen. „Ich konnte förmlich hören, wie die Toten mich anflehten, sie zu beerdigen. Ich habe immer weiter gegraben, immer fester, bis ich Blasen an den Händen hatte. Doch ich hörte nicht auf, und als sie aufplatzten, tat es so weh, dass ich meine schmerzenden Arme nicht mehr spürte. Dadurch konnte ich noch schneller arbeiten."

„Aber nicht schnell genug", stellte Robert fest. „Sogar in der Kühle der Nacht konnte ich den Leichengeruch riechen."

Sie schüttelte den Kopf. „Doch das war nicht das Schlimmste. Das Schlimmste war das Geräusch, das die Leichen machten, wenn sie in das Grab fielen."

Er hielt den Blick auf das Feuer gerichtet, sodass sie nur sein Profil sehen konnte. Woran mochte er denken?

„Aber das war nicht das einzige Geräusch, das sie von sich gaben."

Er zog die Stirn in Falten, unterbrach sie jedoch nicht.

„Ich weiß, dass Ihr denken werdet, dass ich verrückt bin: Ich konnte ihre Stimmen hören. Ganz leise, als kämen sie von einem anderen Ort, aber laut genug, um sie zu hören."

Gaira konnte nicht anders, sie musste es ihm sagen. „Sie haben sich bei mir bedankt." Sie hatte nicht gedacht, dass sie jemals mit irgendjemandem darüber sprechen würde. Es waren ihre persönlichsten Gedanken. Doch unwillkürlich wusste sie, dass er sie verstehen würde. „Sie dankten mir dafür, dass ich mich um ihre Kinder kümmerte, weil sie selbst es nicht mehr konnten."

Roberts Hände verkrampften sich, doch er schwieg. Es wirkte beinahe so, als hätte er ihr gar nicht zugehört, aber er saß direkt neben ihr. Wie konnte er also nicht gehört haben, was sie erzählt hatte? Waren ihm ihre Ängste womöglich egal?

„Letztlich war alles sinnlos." Sie schluchzte leise auf. „Schließlich wollt Ihr uns nicht helfen."

Sie schämte sich nicht, dass ihre Stimme zitterte, denn in diesem Augenblick hatte sie jeglichen Stolz verloren. Sie fühlte nichts als pure Verzweiflung. Und Angst. Denn er würde sie allein lassen.

Er atmete tief ein. „Heute Nachmittag habe ich gesagt, dass ich Euch nicht helfen würde."

Nur allzu deutlich konnte sie sich an das Gespräch erinnern, das sie am Nachmittag geführt hatten.

„Doch dann kam Alec, und Ihr habt mit ihm gespielt", fuhr er zögernd fort. „Und danach auch mit Maisie und Flora. Ihr habt sie angelächelt, sie liebevoll umarmt, obwohl Ihr allen Grund habt zu verzweifeln."

„Selbstmitleid hilft niemandem. Ich habe mich nie vor einer Herausforderung gedrückt. Und die Kinder bedeuten mir mehr als alles andere. Ich habe ihnen ein Versprechen gegeben, und ich werde es auch halten. Mit oder ohne Eure Hilfe."

„Ich bringe Euch zum nächsten Dorf." Er stieß den Atem schwer aus. Sie hatte beinahe das Gefühl, als wären die Worte gegen seinen Willen aus ihm herausgeplatzt. „Aber nicht weiter", fuhr er fort, jetzt mit mehr Entschlossenheit in der Stimme. „Dort besorgen wir Euch ein zusätzliches Pferd und weitere Vorräte."

Eigentlich hätte sie erleichtert sein sollen. Stattdessen fühlte sie ein Stechen im Herzen. Er hatte zwar eingewilligt, ihr noch beizustehen, aber sie wusste, dass er es nur widerwillig getan hatte. Nun kamen zu ihrer Trauer und ihrer Verzweiflung auch noch Schuldgefühle hinzu. Doch in ihrer Lage konnte sie sein Angebot nicht ablehnen. Sie nickte und wischte sich die Augen mit dem Handrücken ab.

„Ist gut", flüsterte sie. „Nur bis zum nächsten Dorf."

Er nickte, und sie dachte, er würde aufstehen, doch er hielt inne.

„Gaira?"

Sie drehte sich zu ihm und sah ihn an. Sie saßen so dicht beieinander, dass sie sich beinahe berührten. Im schwachen Feuerschein konnte sie sein Gesicht nicht vollständig sehen. Dennoch fühlte sie seinen Blick auf sich, und sie wusste, dass die Lust wieder von ihm Besitz ergriffen hatte.

Sie spürte, wie ihr eigener Körper sein Verlangen erwiderte. Ihr wurde ganz heiß, und ihr Atem kam kurz und stoßweise.

Durch ihre Trauer und ihre Situation war sie durcheinander und verletzlich. Daran musste es liegen, dass sie so empfänglich für ihn war. Gern hätte sie gewusst, was er dachte, aber ihr war klar, dass er es ihr niemals sagen würde.

„Ja?", fragte sie schließlich.

Er berührte sie nicht, doch ihr war, als würde er sie mit seiner Stimme liebkosen. Er ließ seinen Blick über ihren ganzen Körper wandern. Indes wirkte er dabei nicht zärtlich und sanft. Seine Blicke waren fordernd und gierig – wie loderndes Feuer.

Schließlich sagte er mit fester Stimme: „Solange ich bei Euch bin, dürft Ihr Euer Haar nie wieder offen tragen."

Sie hoffte, dass er im schwachen Schein des Lagerfeuers nicht sehen konnte, wie sie errötete.

9. Kapitel

usby war sicher, dass er sie bald finden würde. Sie konnte sich schließlich nicht ewig vor ihm verstecken, selbst wenn sie Männerkleidung trug. Ihr feuerrotes Haar war zu auffällig. Noch dazu war sie auf einem edlen Pferd unterwegs. Seinem Pferd!

Bereits die Bewohner der ersten Hütte, an deren Tür er geklopft hatte, hatten angesichts seiner drohenden Miene sofort eifrig bestätigt, dass vor zwei Tagen ein Reiter mit flammend rotem Haar vorbeigekommen war.

Die dumme Gans lief tatsächlich bei helllichtem Tag umher, wenn man sie sehen konnte. Alles, was er tun musste, war, ihrer Spur zu folgen und die Menschen zu befragen. Dann würde er sie bald finden. Er verzog die Lippen zu einem grausamen Lächeln. Er freute sich bereits darauf, sie angemessen zu bestrafen.

Ihre Flucht änderte nichts daran, dass sie verheiratet waren. Er brauchte sie für seine Burg. Und für seine Kinder.

Er presste zornig die Lippen aufeinander. Er hätte sie schon längst eingeholt, wenn er nicht auf so einem armseligen Klepper reiten müsste.

Er würde sie kriegen! Und dann würde er keine Gnade mit ihr haben. Hätte sie gewollt, dass er sie milde behandelte, dann wäre sie gar nicht erst geflohen und hätte nicht seine zwanzig Schafe aufs Spiel gesetzt und sein einziges schnelles Pferd gestohlen.

Verschiedene Geräusche rissen Gaira am nächsten Morgen aus dem Schlaf. Alec weinte, Flora schluchzte ebenfalls verzweifelt vor sich hin, und Creighton schlug mit einem Stück Holz auf ein anderes ein.

Durch das Klopfen wurde Maisie wach. Gaira nahm sie hoch und wickelte sie aus ihrem Tuch. Maisie schrie ihr aus voller

Kehle ins Ohr, und sie musste sich zusammenreißen, um nicht auch noch laut zu werden. Dann sah sie Robert. Er sattelte gerade die Pferde.

„Was tut Ihr da?", rief sie ihm zu.

Er drehte sich nicht um. „Ich packe unsere Sachen zusammen für die Reise."

„Ihr habt es ihnen gesagt." Sie wiegte Maisie im Arm, bis sie ruhiger wurde.

„Ja. Es schien mir notwendig."

„Dazu hattet Ihr kein Recht. Ich trage die Verantwortung für sie."

Sie war angespannt wie die Sehne eines Bogens. Sie wollte zu Creighton gehen, ihm den Stock aus den Händen reißen und brüllen, bis ihr Gesicht genauso rot anlief wie das von Maisie. Doch stattdessen atmete sie ein paarmal tief ein und aus, um sich zu beruhigen.

Gestern Abend waren ihr Zweifel gekommen, ob es richtig gewesen war, Robert darum zu bitten, sie zu begleiten. Er war ein Fremder, und sie konnte nicht wissen, ob er nicht eine noch viel größere Gefahr für sie darstellte als alles, was da draußen auf sie wartete.

Doch da er es den Kindern bereits gesagt hatte, gab es kein Zurück mehr. Damit hatte er die Rangordnung in ihrer kleinen Truppe geändert und sich an die Spitze gesetzt. Sie hatte ihn zwar darum gebeten, ihr zu helfen, aber nicht, die Führung zu übernehmen. Sie trug die Verantwortung, und sie wollte nicht wieder gedemütigt werden. Sie hatte ein für alle Male genug von Männern, die über sie und alle anderen bestimmen wollten!

„Wartet! Nur einen Moment. Ich muss kurz Maisie versorgen, und dann möchte ich selbst mit den Kindern sprechen."

Ihre Bitte schien ihn nicht zu überraschen. Er klopfte seinem Pferd aufmunternd auf den Hals und ging dann hinunter ins Dorf. Als sie ihn nicht mehr sah, wandte sie sich an die Kinder.

Creighton sah sie erwartungsvoll an, Flora blickte auf ihre Hände, und Alec grabschte nach einem Käfer im Gras.

Sie hoffte, dass ihr Plan funktionieren würde. Denn es war alles andere als sicher, ob ihre Brüder die Kinder aufnehmen würden.

Schließlich hatten sie nicht einmal davor zurückgeschreckt, ihre eigene Schwester loszuwerden.

„Ich habe euch schon von meinem Zuhause erzählt. Meine Brüder sind gutherzig, und sie werden sich freuen, euch bei sich aufzunehmen." Sie nahm Maisie auf den anderen Arm. „Aber es ist weit entfernt, und der Weg dorthin ist gefährlich. Deswegen habe ich Robert gebeten, uns ein Stück zu begleiten."

Creighton griff wieder nach dem Stock.

„Aber, Tante Gaira, er ... er ist Engländer! Du hast gesagt, dass du uns beschützen würdest." Flora sah sie voller Angst an.

„Natürlich beschütze ich euch, zur Not mit meinem Leben. Euch alle!"

„Aber woher wissen wir, dass wir ihm vertrauen können und dass nicht wieder etwas Schlimmes passiert?", fragte Flora.

Sie konnte ihr keine Antwort darauf geben, denn sie wusste nicht, ob Robert eine Gefahr für sie darstellte oder nicht. Immerhin hatte er ihr dabei geholfen, die Verwandten der Kinder zu begraben, und er hatte sie mit Essen versorgt. Das musste reichen als Beweis dafür, dass er nichts Böses im Schilde führte.

„Ich denke, wir können es nur herausfinden, wenn wir mit Robert genauso umgehen, wie wir es untereinander auch getan haben: indem wir ihm einfach vertrauen."

Creighton schlug kräftig auf das Holzstück. Seine Augen blitzten wütend, und er hatte seine Lippen fest zusammengepresst.

„Denkt bitte nicht, dass ich das leichtfertig entschieden habe, Creighton. Denn so war es nicht. Mit einem zweiten Pferd kommen wir schneller voran, und es ist von Vorteil, jemanden dabeizuhaben, der Fallen aufstellen und mit dem Schwert kämpfen kann. Das müsst auch ihr zugeben."

Floras Miene blieb skeptisch. „Er ist zwar Engländer, doch wir werden auf unserem Weg wahrscheinlich noch etliche seiner Landsleute treffen. Und dann habe ich lieber jemanden an meiner Seite, der sagt, dass er uns hilft, als einen, der ..."

Sie sprach nicht weiter. Flora fing wieder an zu weinen. Und ihr selbst stiegen plötzlich auch die Tränen in die Augen. „Es tut mir so leid, Flora. Doch wir haben keine andere Wahl."

Sie fasste in ihre Satteltasche, griff jedoch ins Leere. Sie nahm ihre Hand heraus und blickte sich nach Alec um, konnte ihn aber nicht entdecken.

„Alec! Wo hast du Maisies Haferkekse versteckt?"

Gaira ließ Maisie bei Flora und ging ins Dorf zu Robert hinunter. Die Zeit drängte. Jetzt, da sie die Entscheidung getroffen hatte, wollte sie so schnell wie möglich aufbrechen.

Er stand am Ufer des Sees und streifte sich seine Tunika über. Seine Haut war sonnengebräunt, sie konnte es gerade noch erkennen, bevor er das Kleidungsstück über seinen muskulösen Körper zog. Seine Haare und sein Bart waren nass, doch seine Tunika war trocken. Ihr Herz schlug schneller, als ihr klar wurde, dass er nur wenige Augenblicke zuvor vollkommen nackt gewesen war.

Sie wollte nicht darüber nachdenken, warum ihr Herz plötzlich so heftig klopfte. Oder warum sie einen trockenen Mund bekam, wenn sie seine nackte Haut mit dem Blick streifte.

„Habt Ihr gebadet?", fragte sie, als sie neben ihm war.

„Ich bin geschwommen." Er zog die Schultern hoch. „Es macht den Kopf klar, sodass ich besser nachdenken kann."

Sie kannte keinen Mann, der schwimmen ging. Nein, dieser Mann war wie keiner, den sie kannte. Und die Art, wie ihr Körper auf ihn reagierte, war der Beweis dafür. Sie hatte ihre Brüder schon unzählige Male unbekleidet gesehen. Roberts Nacktheit hingegen löste etwas in ihr aus, das vollkommen neu für sie war.

„Ich habe ebenfalls nachgedacht", sagte sie. „Die Kinder sind damit einverstanden, dass Ihr uns begleitet."

Er setzte sich in Bewegung und folgte ihr. Doch sie hob die Hand, damit er stehen blieb. „Wartet. Ich habe ein paar Regeln."

Er sagte nichts, sah sie nur an und zog eine Augenbraue hoch.

„Ihr werdet uns nicht vorschreiben, wo die Reise lang geht und was wir zu tun haben."

Seine Augenbraue ging noch weiter nach oben, aber er schwieg noch immer. Und das war gut. Wenn er gelacht oder ihr auch nur einen belustigten Blick zugeworfen hätte, dann hätte sie ihm gesagt, dass er in den See springen soll, und wäre gegangen.

„Ich mag es nicht, herumkommandiert, gedemütigt, angebrüllt oder lächerlich gemacht zu werden, schon gar nicht von irgendwelchen arroganten, holzköpfigen Männern!" Sie zählte jeden einzelnen Punkt an ihren Fingern ab. „Ich erwarte, anständig und mit Respekt behandelt zu werden, solange wir unterwegs sind. Ich werde Euch ebenfalls respektvoll behandeln, vorausgesetzt, dass Ihr es verdient."

Einer seiner Mundwinkel zuckte leicht. „Auf dieser Reise geht es also um Respekt? Ich dachte, Ihr habt mich gebeten mitzukommen, damit ich für Eure Sicherheit sorge."

Sie versuchte, seinen sarkastischen Ton und sein Lächeln zu ignorieren. „Da bin ich mir noch nicht ganz sicher. Schließlich kenne ich Euch kaum und weiß auch nicht, was Ihr vorhabt."

„Ihr habt mich gebeten, Euch zu helfen. Habt Ihr Eure Meinung plötzlich geändert?"

Sie hatte den Eindruck, dass er seine Augenbrauen noch weiter nach oben zog, doch sie war sich nicht sicher, da sie bereits unter dem dichten Haar verschwunden waren, das ihm weit in die Stirn fiel.

„Ja, ich habe Euch darum gebeten", antwortete sie. „Doch jetzt, am helllichten Tag, frage ich mich, warum Ihr zugestimmt habt."

Er zuckte mit den Schultern. „Vielleicht habe ich eine Schuld zu begleichen."

Aber das war es nicht. Sie hatte schon versucht, ihm Schuldgefühle zu machen, doch er war nicht darauf angesprungen. „Wenn das der Grund wäre, dann hätte es gereicht, dass Ihr die Toten mit mir begrabt. Eine Frau und vier Kinder in feindliches Gebiet zu bringen, hat gewiss nichts damit zu tun."

„Wir sind keine erklärten Feinde."

„Doch, das sind wir, und das wisst Ihr ebenfalls. Ihr seid einer der Soldaten König Edwards, und wahrscheinlich habt Ihr viel schottisches Blut vergossen."

Sie wusste, dass sie ins Schwarze getroffen hatte mit ihrer Vermutung. Und wieder kam ihr der Gedanke, dass er so schwer zu ergründen und voller Untiefen war wie ein wilder Fluss. Sie hatte nicht die geringste Ahnung, wer er war und was seine Absichten waren, auch wenn er ihnen jetzt half.

„Ich dachte nicht, dass es irgendeine Bedeutung für Euch hat, wer ich bin."

Sie wusste nicht, was in sie gefahren war, dass sie diesen Mann gebeten hatte, sie und die Kinder zu begleiten. Doch sie hatte keine andere Wahl. Dieser Engländer schien Gottes Antwort auf ihr Flehen zu sein. Und sie war nicht so dumm, diese Hilfe auszuschlagen

„Na gut", sagte sie. „Was auch immer Eure Geschichte ist, ich will sie nicht hören. Ich will nur Euer Wort, dass Ihr dafür sorgt, dass uns niemand etwas antut, Euch selbst eingeschlossen."

Seine Augen verrieten kein bisschen, was in ihm vorging. „Ihr habt mein Wort."

Sie nahm eine Handvoll Erde und hielt sie ihm entgegen. Entgeistert starrte er darauf. „Warum nehmt Ihr sie nicht?", fragte sie ungeduldig.

„Soweit ich weiß, wird dieser Brauch, jemandem Erde zu geben, nur angewendet, wenn er der neue Besitzer eines Stücks Land ist?"

„Ja, das stimmt. Aber Ihr befindet Euch hier auf schottischer Erde, Robert of Dent. Wenn Ihr einmal über unsere Hügel geritten seid und die grünen Wälder, die violette Heide und die tiefblauen Seen und Flüsse gesehen habt, dann werdet Ihr schottisches Land besitzen wollen. Und ich gebe Euch jetzt schon ein wenig als Geschenk. Um Euch mein Vertrauen zu beweisen."

Er starrte die Erde in ihrer Hand an. Gaira machte einen Schritt auf ihn zu und hielt ihm die Hand noch näher hin. „Es ist eine gut gemeinte, freundschaftliche Geste, du unhöflicher, rübenköpfiger …"

Er kam auf sie zu und fegte die Erde aus ihren Händen. „Wir brauchen uns nicht zu vertrauen, und ich will auch keine Geschenke. Ich tue nur das Notwendigste und weiter nichts. Sobald wir das nächste Dorf erreicht haben und Reiseproviant gekauft haben, werde ich Euch verlassen. Denkt daran!"

Der plötzliche Wechsel seines Verhaltens verwirrte sie, und sie wusste nicht, was sie sagen sollte. Sie sah ihm nach, als er davoneilte. Sein Blick war so eisig gewesen wie die See im Winter. Sie versuchte, sich mit tiefen Atemzügen zu beruhigen und den Schmerz über seine Zurückweisung nicht an ihr Herz kommen zu lassen.

Streng genommen dürfte seine Zurückweisung sie gar nicht so hart treffen. Doch in den letzten Tagen war ihr alles ans Herz gegangen. Das war auch ihre einzige Erklärung dafür, dass dieser unhöfliche Mann, der noch dazu ein Engländer, sie so in seinen Bann schlug.

Sie hatte es ernst gemeint, als sie ihm als Zeichen ihrer Freundschaft und ihres guten Willens ein wenig schottische Erde schenken wollte. Und er hatte sie zurückgewiesen. Schon wieder. Also vertraute er ihr nicht. Na gut, ihr sollte es egal sein. Doch das bedeutete nicht, dass sie ihm nicht vertrauen konnte.

10. Kapitel

Im Verlauf des Tages wurde der morgendliche Nebel immer dichter, und Robert spürte, wie die Feuchtigkeit seine Tunika durchdrang. Er war englischen Regen gewohnt, und auch in Wales gab es häufig dichten Nebel. Doch er hatte das Gefühl, dass die schottischen Schwaden böse Geister waren, die ihm absichtlich die Kleider durchnässten.

Es war allerdings nicht der Nebel, der seine volle Aufmerksamkeit erforderte, sondern die Frau an seiner Seite, die noch kein einziges Mal aufgehört hatte zu reden, seit sie das Lager verlassen hatten.

„Ich verstehe einfach nicht, warum Ihr unbedingt den Märtyrer spielen müsst! Ihr könnt nicht ernsthaft zu Fuß bis ins nächste Dorf gehen wollen! Ihr werdet vor Müdigkeit zusammenbrechen, bevor wir auch nur die halbe Strecke geschafft haben. Und dann können wir Euch nicht mehr gebrauchen."

Er verzog die Lippen. „Ich bin es gewohnt, weite Strecken zu marschieren. Doch keine Sorge. Ich habe nicht vor, den ganzen Weg zu laufen. Ich hoffe, dass diese Route, auf der Ihr beharrt habt, die kürzeste bis zum nächsten Dorf ist. Sobald wir dort sind, kaufen wir Euch Proviant und ein weiteres Pferd."

„Und wovon sollen wir das alles kaufen? Wir haben nichts, das wir eintauschen könnten."

„Ich habe Silbermünzen", antwortete er. Sie musste es doch gehört haben, dass der Beutel an seiner Hüfte klimperte.

„Auch schottische?"

Mit englischen Münzen zu handeln, war zwar verbreiteter, doch er besaß auch schottische. In einem anderen Beutel, der zu schwer war, um ihn am Gürtel zu befestigen – genug Geld, um für ein niedergebranntes Dorf zu zahlen. „Ein paar", antwortete er.

„Darf ich es behalten?", fuhr Alec aufgeregt dazwischen.

Gaira drehte sich zu dem Jungen um, der hinter ihr auf Roberts Pferd saß und sich an ihr festklammerte. „Was behalten?"

„Das Pferd, das wir kaufen. Darf ich es haben? Ich wollte schon immer ein Pferd haben."

Gairas Pferd, das Creighton und Flora trug, schnaubte plötzlich laut auf. Robert sah zu ihm hinüber, um zu prüfen, ob der Junge die Zügel fest genug hielt.

„Ich glaube nicht, dass Sir Robert uns das Pferd schenken will, Alec", warf Flora ein. „Er will es bloß kaufen, damit wir schneller zu Gaira nach Hause kommen."

„Es wird unser Zuhause sein, Flora, vergiss das nicht", mahnte Gaira. „Aber du hast recht. Es ist Roberts Pferd, und er entscheidet, ob er es zurückhaben möchte."

„Für mich spricht nichts dagegen, dass die Kinder das Pferd behalten", sagte Robert. „Vorausgesetzt, wir finden überhaupt ein Pferd. Ich kann es ohnehin nicht gebrauchen, wenn ich nach England zurückkehre."

Er lief jetzt langsamer und sah, wie sich Wut, Verwunderung und Trotz in Gairas Mienenspiel abwechselten. Er hätte niemals gedacht, dass irgendjemand so viele Gefühle gleichzeitig haben konnte, geschweige denn, sie alle auf einmal zu zeigen.

„Wir können Eure Großzügigkeit wirklich nicht länger als nötig beanspruchen", gab sie zurück.

„Ich tue es nicht aus Großzügigkeit", stellte Robert klar. „Ihr werdet mit vier hungrigen Mäulern bei Eurem Bruder ankommen. Deswegen ist es besser, wenn sie ein Pferd haben, das sie ihm schenken können."

Gaira schüttelte ungläubig den Kopf.

„Und was hätte ich von dem Pferd? Es ist höchstwahrscheinlich zu langsam für einen Soldaten und eher für Kinder geeignet. Wozu brauche ich ein solches Tier?"

Gaira erwiderte nichts.

„Also nehmt Ihr mein Angebot an?", hakte er noch einmal nach.

„Ich wäre ziemlich dumm, wenn ich so ein Geschenk ausschlagen würde. Und außerdem ist es ja für die Kinder und nicht für mich."

„Wir können es behalten! Wir können es behalten!", rief Alec begeistert.

„Alec, sitz still, oder du fällst runter!", sagte Gaira bestimmt.

Robert blieb stehen, drehte sich um und ließ die Pferde an sich vorbeilaufen. Im dichten Nebel konnte er so gut wie nichts erkennen. Als erfahrener Soldat wusste er, dass es besser wäre, den Wald so bald wie möglich zu verlassen. Doch Gaira hatte darauf bestanden, dass der Weg zum nächstgelegenen Dorf mitten durch den Wald führte. Und da er selbst den Weg nicht kannte, konnte er nichts anderes tun, als sich nach ihr zu richten. Aber es gefiel ihm ganz und gar nicht. Er wandte sich wieder um und lief neben den Pferden her.

„Wohin reiten wir?", fragte Alec.

„Zu Tante Gaira nach Hause", erwiderte Flora geduldig.

Robert fragte sich, wie sie es schaffte, noch Geduld für den Jungen aufzubringen, denn er hatte diese Frage schon unzählige Male gestellt.

„Warum?", fragte Alec.

„Weil ich möchte, dass Ihr meine Brüder kennenlernt", sagte Gaira mit fröhlicher Stimme. „Ihr erinnert euch doch noch, dass ich euch von meinen Brüdern erzählt habe. Der Älteste ist Bram, der Rothaarige, der andere Caird, der nicht ganz so Rothaarige, und dann noch Malcolm, der Dunkelhaarige."

Gaira fuhr mit der Beschreibung ihrer Brüder fort, aber da Robert die Schilderungen schon mehrfach gehört hatte, blendete er Gairas Stimme aus, um sich seinen eigenen Überlegungen zu widmen. Sie hatte den Kindern schon den ganzen Morgen lang Geschichten erzählt, und es schien ihnen zu gefallen.

Seine Männer würden es schrecklich finden, mit einer Frau umherzureiten, die ständig redete. Doch es machte ihm nichts aus. Sie sprach sehr melodisch, es wirkte beinahe beruhigend auf ihn, als ob sie seine dunklen Gedanken allein mit ihrer Stimme zu bändigen vermochte …

Plötzlich hielt sie in ihrer Erzählung inne und rief dann: „Robert, wir müssen eine Pause machen."

„Wir sind gerade erst aufgebrochen." Er ging einfach weiter, ohne sich umzudrehen.

„Das ist schon Stunden her, und die Kinder haben bestimmte Bedürfnisse, denen sie nachgehen müssen."

Er lief weiter, blickte sie aber über seine Schulter hinweg an. „Für mich sehen sie so aus, als ob alles in Ordnung ist. Wir gehen weiter."

Sie brachte ihr Pferd zum Stehen. „Das sind Kinder, keine Soldaten! Sie brauchen eine Pause!"

Er war schon viel zu lange unterwegs. Er hatte Hugh gesagt, dass er am nächsten oder übernächsten Tag zurück sein würde, nicht in ein paar Wochen.

„Wir machen heute Mittag eine Rast."

„Das schaffen sie nicht."

Er griff nach den Zügeln ihres Pferdes und zog daran, sodass das Tier erschrocken zurückwich. Er zog es energisch weiter, und es setzte sich wieder in Bewegung.

Gairas Miene verdüsterte sich, doch er achtete nicht darauf. Er würde keine weiteren Verzögerungen mehr dulden. Er hatte eingewilligt, ihr zu helfen, aber dann musste sie auch nach seinen Regeln spielen.

Sie waren erst wenige Schritte vorangekommen, da rief Gaira: „Wollt Ihr, dass Maisie Euer Pferd nass macht?"

„Pferd!", rief Maisie erfreut.

Gaira verkniff sich das Lachen, denn Robert blieb abrupt stehen und sah sie entsetzt an. Als er die Zügel losließ und zu Flora und Creighton hinüberging, musste sie sich einen triumphierenden Blick verkneifen. Creighton ließ sich nicht von ihm beim Absteigen helfen, doch Flora legte vorsichtig ihre kleine Hand in seine, wobei ihre Finger heftig zitterten.

Nachdem er das Mädchen auf dem Boden abgesetzt hatte, wandte er sich wieder Gaira zu. Sie sah ihn direkt an, seine Lippen waren fest zusammengepresst. Sie hob Maisie vorsichtig hoch und reichte sie ihm. Er nahm sie entgegen, aber er hielt sie weit von sich gestreckt. Maisie schien es nicht zu stören. Sie sah ihn mit großen Augen an. Robert blickte sich um und suchte einen sicheren Ort, wo er sie absetzen konnte.

Da entschlüpfte Gaira ein amüsiertes Lachen. „Haltet sie doch nicht so!"

Er ging ein paar Schritte vom Pferd weg und setzte Maisie ab. Dann klopfte er ihr ein paarmal auf die Schultern, bevor er sich zu Gaira umdrehte. Doch sie blickte Maisie an, die ihm mit unsicheren Schritten folgte.

Gaira zeigte auf das kleine Mädchen. „Ihr müsst sie Flora oder Creighton geben, sonst läuft sie Euch hinterher."

Er runzelte die Stirn. „Die stehen aber dicht bei dem Pferd. Das könnte gefährlich für das Kind sein."

„Das weiß es noch nicht."

„Dann sollte man es ihm eben verbieten."

„Ihr habt nicht viel mit Kindern zu tun, was?"

„Nun ..." Er nahm Maisie hoch, brachte sie zu Flora und kam dann zurück, um Alec vom Pferd zu heben. Nachdem er den Jungen vom Rücken des Pferdes gezogen hatte, hielt er ihn ebenfalls am ausgestreckten Arm vor sich, sodass der Junge in der Luft baumelte. Alec lachte und trat mit den Beinchen um sich. Kaum hatte er festen Boden unter den Füßen, rannte er davon und verschwand zwischen den Bäumen.

„Ihr dürft sie nicht so halten!" Gaira stieg vom Pferd und nahm Maisie aus Floras Armen.

„Ich schere mich nicht darum, wie ich die Kinder zu halten habe. Meine Aufgabe war nur, sie vom Pferd herunterzuholen."

Gaira begann, Maisie auszuziehen und zu säubern. Als sie fertig war mit Wickeln, hob sie die Kleine hoch und setzte sie auf ihre Hüfte. Sie genoss das Gefühl, das niedliche kleine Mädchen an sich zu drücken.

Robert war inzwischen dabei, die Pferde trocken zu reiben. Sie waren zwar nicht erschöpft, aber diese Geste zeigte ihr, dass er ein verantwortungsvoller Mann war.

„Ihr könntet Euch auch gut mit ihnen verstehen. Es braucht nur ein wenig Übung."

Er sah sie nicht an. „Was braucht Übung?"

„Die Kinder zu versorgen."

„Es ist nicht meine Aufgabe, die Kinder zu versorgen."

„Ach, es unterscheidet sich im Grunde nicht sehr von der Pferdepflege. Sie brauchen Essen, etwas zu trinken, Schlaf und eine liebevolle Hand."

Sie ging auf ihn zu, blieb dann aber stehen. „Ihr habt eingewilligt, uns zu helfen."

„Ja", sagte er nach kurzem Zögern.

„Wenn Ihr uns helfen wollt, dann müsst Ihr Euch richtig auf uns einlassen, ohne Einschränkungen, und nicht nur halbherzig und widerwillig."

Er verzog amüsiert die Lippen. „Reden alle schottischen Mädchen so wie Ihr?" Sein Lächeln erreichte die Augen, und sein Blick wurde sanft und warm.

„Wechselt jetzt nicht das Thema. Ihr müsst mir mit den Kindern helfen, oder Ihr könnt gleich wieder zurück in Euer verkrautetes, langweiliges England gehen!"

Robert sah Maisie an, die immer noch auf ihrem Arm war. „Ich bin Soldat und kein Vater. Sobald wir das nächste Dorf erreicht haben, bin ich weg."

Gaira lief um das Pferd herum und stellte sich vor ihn. Sie nahm Maisie von ihrer Hüfte herunter und drückte sie ihm an die Brust, doch er ließ seine Arme einfach schlaff zu beiden Seiten herabhängen.

Sie griff nach seinem Arm, legte ihn um Maisie und rückte sie zurecht. „In Ordnung, Ihr könnt gehen, aber bis dahin müsst Ihr uns helfen."

Sie sah, wie die Anspannung aus seinem Körper wich und Robert sich damit anfreundete, ein Kleinkind im Arm zu haben. Sie schickte ein Stoßgebet gen Himmel, dass Maisie mitspielen möge. Schweigend ging sie zu ihrer Satteltasche, nahm einige Haferkekse heraus und reichte sie ihm.

„Sie hat zwar schon fast alle, aber ein paar kommen noch durch."

Vollkommen verwirrt blickte er erst die Kekse an und dann Maisie, die sich die Finger in den Mund gesteckt hatte.

„Ihre Zähne kommen durch das Zahnfleisch", erklärte Gaira.

Er sah sie entgeistert an, und sie versuchte, sich das Lachen zu verkneifen. Es würde noch viele Erklärungen und Anweisungen brauchen, bis Robert of Dent in der Lage sein würde, sich um ein Kind zu kümmern. „Auf den Fingern oder auf Haferkeksen zu kauen, hilft den Kindern beim Zahnen."

Robert nickte und hielt Maisie einen Keks an den Mund.

Maisie zog ihre Finger aus dem Mund. Dann nahm sie mit der anderen Hand den Keks und packte mit dem von Spucke feuchten Händchen seine Tunika.

Robert sah an sich herunter. „Ich glaube, sie hat gewonnen", sagte er schließlich.

Gaira lachte. „Ich wusste gar nicht, dass Ihr Humor habt."

„Habe ich auch nicht", widersprach er und blickte Maisie weiter aufmerksam an.

Fasziniert sah Gaira, wie verschiedene Gefühle sich auf seinem Gesicht abzeichneten. Er hatte also keinen Sinn für Humor, doch sie vermutete, dass es nicht immer so gewesen war.

„Ich sehe nach, ob die anderen mich brauchen." Schnell drehte sie sich um. Sie fühlte, dass er ihr hinterhersah, und versuchte, nicht über ihre eigenen Füße zu stolpern. Sie wusste, dass sie sich ziemlich abrupt von ihm abgewandt hatte, doch sie hatte nicht anders gekonnt. Genau wie sie nichts gegen die wachsende Faszination tun konnte, die dieser Mann auf sie ausübte, obwohl er nicht viel von sich preisgegeben hatte. Eigentlich war er den ganzen Morgen über sehr schweigsam gewesen. Doch es war seine ganze Art, mit der er sie in seinen Bann zog.

Er war geduldig, ehrenhaft und freundlich, wenn auch widerstrebend. Und er war großzügig. Allerdings hatte sie diese Charakterzüge nicht erst entdeckt, als er Maisie auf dem Arm hielt. Nein, sie hatte tiefer in ihn hineingesehen, und sie hatte dort viel Schmerz entdeckt, aber auch Güte. Er war ein Mann im heiratsfähigen Alter, doch von einer Ehefrau hatte er nie gesprochen, und ihr fiel ein, dass sie ihn auch nie danach gefragt hatte. Sie wusste überhaupt nichts von ihm und von seinem Leben, nur, dass er König Edward diente.

Mit einem Mal überkamen sie Schuldgefühle, weil sie sich zu ihm hingezogen fühlte. Vielleicht war er ja ein verheirateter Mann?

11. Kapitel

Als Gaira zurückkam, sah sie, dass Creighton und Alec ruhig miteinander spielten und Flora trotz der feuchten Kälte an einen Baum gelehnt eingeschlafen war. Maisie schlummerte auf ihrem Schoß.

Bei ihrem Anblick krampfte sich ihr Herz zusammen. Sie hatten so viel durchgemacht, so Schreckliches mit ansehen müssen. Sie selbst hatte ihre Schwester verloren. Doch sie hatten ihre Familien und ihr Zuhause verloren.

Sie war froh, nicht mehr in der Nähe des Tals zu sein, selbst wenn sie erst ein paar Meilen entfernt waren.

Creighton merkte, dass sie ihn anblickte, und sie lächelte ihn an. Doch er erwiderte ihr Lächeln nicht. Sie ging zu ihm, um ihm das Haar zu zerzausen und ihn ein wenig zu necken, damit er nicht mehr so ernst war. Sie hatte es schon mehrfach probiert, ihn aufzumuntern, aber er lachte nie. Immerhin hatte er gezeigt, dass es ihm lästig war, wenn sie ihn ärgerte, und das war ihr wesentlich lieber als der leere, traurige Blick, den er jetzt hatte.

„Wir sollten aufbrechen."

Gaira wandte sich zu Robert. Er stand an einen Baumstamm gelehnt, die Arme hatte er vor der Brust verschränkt. Sie fragte sich, wie lange er sie wohl beobachtet hatte.

„Sobald die Kinder sich ausgeruht haben", antwortete sie. „Das Wetter hält noch, vielleicht regnet es gar nicht."

„Und wenn doch? Kennt Ihr eine Unterkunft in der Nähe?"

Sie hatte keine Antwort darauf.

„Ich weiß es nicht", antwortete sie. „Auf meiner Reise hierher war ich in sehr großer Eile und habe nicht darauf geachtet."

Sein Mienenspiel verriet nichts, aber seine Augen verdunkelten sich.

„Die Kinder müssen sich ausruhen", nahm sie das ursprüngliche Thema wieder auf, um ihn abzulenken.

„Wenn wir in dieser Geschwindigkeit weiterreisen, kommen wir erst im nächsten Winter zu einem Dorf", wandte er ein.

Natürlich war es vollkommen lächerlich, was er sagte. Vielleicht hatte er versucht, einen Witz zu machen. Dennoch wurde ihr plötzlich eiskalt.

Wie hatte sie so dumm sein können? Ja, die Kinder mussten sich ausruhen, doch es war gefährlich, die Weiterreise zu verzögern. Ihr Bräutigam konnte sie jederzeit finden, und dann konnte sie ihnen gar nicht mehr helfen. Sie mussten zu Kräften kommen, aber nicht um jeden Preis.

„Es war eine dumme Idee", sagte sie. „Was glaubt Ihr, wie lange haben wir Pause gemacht?"

Er löste seine verschränkten Arme und trat näher. „Mindestens eine Stunde."

Sie drehte sich weg, damit sie seinen misstrauischen Blick nicht sehen musste, und klatschte in die Hände. „So, Kinder! Wir müssen aufbrechen. Wir haben lang genug getrödelt."

„Aber ich habe Hunger", jammerte Alec.

Sie bekam ein schlechtes Gewissen, doch sie durfte nicht nachgeben. „Wir essen etwas, während wir weiterreiten."

Robert beobachtete sie. Gaira wusste, dass sie ihn mit ihrem plötzlichen Sinneswandel misstrauisch gemacht hatte, aber es war ihr egal. Sie mussten weiter.

Sie nahm Maisie von Floras Schoß und hob sie sich auf die Hüfte, ohne sie zu wecken. Dann griff sie nach Alec, doch der beugte sich vor und nahm Roberts Hand.

„Los, Onkel Robert!"

Robert sah den Jungen verblüfft an, als der begann, an seinem Arm zu ziehen, sodass er sich in Bewegung setzen musste.

Gaira erklärte: „Robert ist kein Verwandter von dir. Also kann er nicht dein Onkel sein."

Alec dachte kurz darüber nach, was sie gesagt hatte, und zuckte dann mit den Schultern. „Nicht schlimm. Ich mag dich trotzdem." Er streckte Robert beide Arme entgegen.

Der stand wie versteinert da und starrte Alec entgeistert an.

Sein Gesicht war vollkommen fahl und ausdruckslos. Gaira hatte ihn noch nie zuvor so gesehen. Er war vollkommen aus der Fassung geraten, und das wegen eines fünfjährigen Jungen. Sie musste lächeln.

„Er möchte hochgehoben werden", erklärte sie ihm. „Damit Ihr ihn auf das Pferd setzen könnt."

Robert wirkte nicht gerade erleichtert über diesen Hinweis. Doch schließlich nahm er den Jungen und hob ihn aufs Pferd. Gaira wandte sich schnell Creighton und Flora zu, um nicht laut loszulachen.

„Wir wollen aufbrechen."

Flora rieb sich müde die Augen, und Creighton half ihr hoch. Dann folgten sie ihr langsam zu ihrem Pferd. Gaira wurde sich erneut bewusst, welche enorme Verantwortung sie auf sich genommen hatte. Sie war stolz darauf, dass die Kinder in weniger als einer Woche so viel Vertrauen zu ihr gefasst hatten, dass sie zuließen, dass sie sich um sie kümmerte, und ihr in ein vollkommen unbekanntes Gebiet folgten. Sie akzeptierten es sogar, dass ein englischer Soldat sie begleitete.

Zuerst half sie Creighton beim Aufsteigen und dann Flora. Die beiden blickten sie vertrauensvoll an.

Vielleicht war es sogar mehr als bloß Vertrauen. Vielleicht hatten sie angefangen, Zuneigung für sie zu empfinden.

Sie reichte Creighton die Zügel. Sie würde sie nicht enttäuschen.

Natürlich hielt das Wetter nicht. Es dauerte nicht einmal eine Stunde, bis die Luft sich deutlich abkühlte und dicke Wolken sich zusammenballten. Mit einem Mal platzte ein Unwetter über sie herein, und eiskalter Regen peitschte ihnen ins Gesicht.

Robert sah, dass Gaira und die Kinder zusammengekauert in den Sätteln saßen, und hörte Maisie trotz des prasselnden Regens weinen.

Gairas Verhalten kam ihm merkwürdig vor. Erst noch war sie fest entschlossen gewesen, eine längere Rast einzulegen, und im nächsten Moment scheuchte sie die Kinder hektisch auf, damit sie weiterreiten konnten, als ob ein wilder Fluss drohte, sie alle hinfortzureißen.

Und sie sah oft so verängstigt und gehetzt aus. Zunächst hatte er gedacht, dass die Ereignisse in Doonhill der Auslöser für ihre Angst und ihre Unruhe waren. Doch mittlerweile fragte er sich, ob es noch einen anderen Grund gab. Warum musste eine Frau mit vier Kindern sich so beeilen? Ihm fiel keine Antwort darauf ein.

Nichts an dieser Frau ergab einen Sinn. Sie trug Männerkleidung, und sie war allein unterwegs gewesen. Vielleicht hatte sie die Wahrheit gesagt, was ihre Schwester betraf, doch sie hatte ihm nie mitgeteilt, warum sie sich überhaupt auf die Reise nach Doonhill gemacht hatte.

So plötzlich, wie der Regenguss eingesetzt hatte, hörte er wieder auf, als hätte jemand den Himmel mit einem riesigen Stöpsel verschlossen. Nach dem Heulen des Windes und dem kräftigen Rauschen des Regens kam ihm die plötzliche Stille unnatürlich vor.

Mit einem Mal rissen die Wolken auf, und ein paar Sonnenstrahlen brachen durch die Äste hindurch und brachten das regennasse Gras und die Glockenblumen zum Glitzern. Doch er konnte sich nicht an dieser unerwarteten Schönheit erfreuen, denn er war nass bis auf die Haut, und noch immer trafen ihn dicke, kalte Tropfen, die von den Blättern herunterfielen.

„Wir müssen von den Bäumen weg", rief er Gaira zu. „Sonst werden wir niemals trocken."

„Aber dann verlieren wir die Richtung", protestierte sie.

„Wir gehen einfach direkt am Waldrand entlang, bis der Boden wieder trocken ist."

„Ich bin nicht sicher …"

„Ich werde nicht hier unter den tropfnassen Bäumen bleiben. Ihr könnt mitkommen oder es bleiben lassen. Aber ich würde gerne trocken werden."

Er setzte sich in Bewegung, doch ihre Antwort ließ nicht lange auf sich warten.

„Ich hatte schon gehört, dass Engländer Weichlinge sind. Allerdings hätte ich nicht gedacht, dass Ihr wegen ein paar Regentropfen weglauft und flennt wie eine Memme."

Ihre Bemerkung war ihm keine Antwort wert, und er ging einfach weiter.

„Andererseits überrascht es mich nicht im Geringsten", rief sie ihm nach.

Sie würde ihn nicht in Ruhe lassen, bis er auf ihre Provokationen einging. „Trocken werden zu wollen, hat rein praktische Gründe. Niemand möchte krank werden oder sich die nasse Haut aufscheuern, bis sie sich entzündet. Das wäre einfach nur dumm!"

„Ist es auch Dummheit, dass Ihr einen wunderschön gefertigten Sattel habt, der so bequem ist, dass es sich anfühlt, als würde man auf einer Wolke reiten? Und ist es auch ein rein praktischer Gedanke, dass Ihr Kleidung tragt, die aus so weichem Stoff ist, dass es sich anfühlt wie Blütenblätter?"

Er wrang seine tropfnassen Haare aus. „Ich habe Geld. Deswegen kann ich mir solche Dinge leisten."

„Ach so. Und vermutlich seid Ihr der Meinung, dass es keine Schande ist, solche komfortablen Dinge zu mögen."

„Ich mag Komfort."

„Ja, weil Ihr ein Weichling seid!"

Er hatte keine Lust, sich weiter rechtfertigen zu müssen, und drehte sich zu ihr um. Er hatte erwartet, Spott in ihrem Gesicht zu sehen oder zumindest Belustigung. Doch er hatte sich geirrt. Statt eines Lächelns oder eines hochgezogenen Mundwinkels sah er, dass sie unter ihren Sommersprossen vollkommen fahl war und ihre Lippen ganz weiß waren.

„Was für ein Spiel treibt Ihr?"

Er sah, wie ihre Finger an den Zügeln zitterten.

„Haltet mich nicht zum Narren! Ihr denkt, wenn Ihr meinen Stolz verletzt, dann bleibe ich im Wald. Was wiederum bedeutet, dass Ihr nicht wollt, dass ich den Wald verlasse. Warum?"

„Ich weiß nicht, wovon Ihr sprecht."

„Oder müsst Ihr Euch vielleicht verstecken?" Dieser Gedanke führte zum nächsten. „Ist das überhaupt der Weg zum nächsten Dorf?"

Sie lenkte ihr Pferd in Richtung Waldrand und folgte ihm.

„Ich will bloß, dass wir sicher ankommen", gab sie zurück. „Wenn Ihr Euer Leben aufs Spiel setzen wollt, weil Ihr trocken werden wollt, dann tut, was Ihr nicht lassen könnt, Engländer."

Er wartete, bis sie auf selber Höhe mit ihm war. „Und warum wären wir außerhalb des Waldes nicht sicher?", fragte er schließlich.

„Wegen Eurer Kameraden – den Männern, die Doonhill niedergebrannt haben. Weshalb sonst?"

Zum ersten Mal, seit er sie kannte, glaubte er ihr kein Wort. Er hatte ihr geglaubt, was sie über ihre Schwester und das Dorf gesagt hatte. Doch jetzt wusste er, dass das nicht die ganze Wahrheit war.

Immerhin war sie in Männerkleidung unterwegs. Da in Doonhill alles zerstört worden war, musste sie die Sachen schon getragen haben, als sie sich auf den Weg gemacht hatte.

Außerdem reiste sie ganz allein. Keine Frau reiste allein umher. Vielleicht hatte sie sich deshalb als Mann verkleidet. Doch er fand die Erklärung nicht sehr überzeugend.

Und dann waren da noch ihre ständige Angst und Unruhe. Alles wies darauf hin, dass Gaira vor irgendetwas auf der Flucht war. Allerdings kamen sie mit vier Kindern und nur zwei Pferden nicht besonders schnell voran. Wenn sie ihm nicht die Wahrheit sagte, konnte er weder sich selbst noch sie beschützen.

Wie leichtsinnig er doch gewesen war, dass er sich in ihre Probleme hatte mit hineinziehen lassen. Und es war gefährlich, dass er nicht einmal ihre wahren Absichten kannte.

Denn was auch immer es war, vor dem sie weglief, es würde sie einholen.

12. Kapitel

Als sie den Schatten der Bäume verließen, musste Gaira blinzeln, weil die Sonne sie blendete, und Alec nieste laut hinter ihr. Seine kleinen Hände hielten ihre Taille fest umklammert, und sie konnte sich bildlich vorstellen, wo der Nieser gelandet war.

„Nächstes Mal halte die Hand vor den Mund, Alec!"
Er kicherte.

Die Kinder schafften es immer, ihre Stimmung zu heben, sie waren wie ein Wunderbalsam für ihre Seele, der alle ihre Sorgen dahinschwinden ließ.

Robert lief wieder voran und erreichte die Straße. Gaira erkannte sie. Es war dieselbe, auf der sie hergekommen war. Nun waren sie für jeden zu sehen. Ihre Brüder und der grausame Busby of Ayrshire konnten sie hier jederzeit finden.

Wieder einmal hoffte sie, dass es die richtige Entscheidung war, zu ihrem Clan zurückzukehren. Ihr ältester Bruder hatte sie zwar hintergangen, doch er würde sich vier Waisenkindern gegenüber gütig zeigen. Sie hoffte, dass er ihr ebenfalls erlauben würde, zu bleiben, denn schließlich musste sich jemand um die Kinder kümmern.

Zu ihrem Bräutigam zurückzukehren, stand vollkommen außer Frage. Sie wusste nicht viel über Busby of Ayrshire, außer, dass er als grausam galt, dass seine Ehefrauen allesamt gestorben waren und dass er weder seine Burg noch seinen Clan besonders gut führte. Als sie neben ihm hergeritten war, hatte sie bemerkt, dass er von grobschlächtiger Statur war, sich vulgär ausdrückte und sie unverhohlen lüstern angestarrt hatte.

Doch war Busby mit seinem schlechten Ruf und seinem ungehobelten Verhalten wirklich schlimmer als ihr Bruder, der sie ihm ohne Skrupel zur Frau gegeben hatte?

Sie sah sich um und versuchte, sich ein wenig abzulenken. Es war nicht gut, wenn sie ihre Gedanken in diese Richtung schweifen ließ. Leider boten die nassen Grashalme und die herumschwirrenden Insekten nicht viel Ablenkung. Da war es viel interessanter, Robert zu beobachten.

Seine breiten Schultern, die muskulösen Beine und sogar seine Arme, die er einfach nur entspannt herabhängen ließ, waren ein ansprechender Anblick. Er machte keine einzige Bewegung zu viel und teilte sich seine Kraft genau ein. Mittlerweile hatte sie schon gemerkt, wie viel Kraft in ihm steckte, und zweifelte nicht mehr daran, dass er es schaffen würde, den ganzen Weg zu Fuß zu gehen.

Robert stellte in der Tat eine Ablenkung für sie dar, aber das war nicht alles. Insgeheim wusste sie genau, welcher Natur die Gefühle waren, die sie für ihn hatte. Dabei kannte sie ihn erst seit wenigen Tagen.

Es war pures Verlangen. Nicht mehr und nicht weniger. Sie wusste nicht, woher es kam, aber sie konnte es nicht mehr leugnen. Sie versuchte sich einzureden, dass sie ihn nur so sehr begehrte, weil sie sich nach jemandem sehnte, der sie aus dieser misslichen Lage befreite.

Sie hatte Gott noch nie so sehr angefleht wie vor wenigen Tagen, als sie ihn darum bat, dass er ihr jemanden zu Hilfe schicken möge. Und dann war Robert aufgetaucht.

Trotz seiner rauen Schale und seines schroffen Verhaltens hatte er etwas Verlässliches, etwas Bodenständiges. Es war stark, und nicht nur körperlich. Nein, er hatte auch einen starken Charakter. Niemals würde er seine eigene Schwester abschieben. Und er würde nie seine Untergebenen ausbeuten oder seinen Haushalt vernachlässigen. Nein, sie war sicher, dass auf Roberts Ländereien alles in bester Ordnung war.

Und wie stand er zu Lügnern? Sie konnte sich gut vorstellen, dass er jeden zur Rechenschaft ziehen würde, der es wagte, ihn anzulügen.

Sie konnte nur hoffen, dass er verstehen würde, warum sie ihn belogen hatte. Schließlich hatte sie es nur getan, um ein paar hilflose Waisenkinder zu schützen – und sich selbst.

Einige Meilen legten sie schweigend zurück.

„Wir müssen bald ein Lager für die Nacht finden", sagte Robert und blieb stehen.

Die Sonne stand jetzt schon tief am Horizont. „Ich erinnere mich an ein Eichenwäldchen hinter dem nächsten Hügel. Dort könnten wir Schutz finden."

Er sah sie durchdringend an. Doch dann nickte er und ging weiter.

Sie versuchte, ihren Herzschlag zu beruhigen, nachdem er sich umgedreht hatte. Stark. Ja, das war das richtige Wort für ihn. Und scharfsinnig. Sie war überzeugt, dass er wusste, dass sie ihn angelogen hatte, als sie ihm sagte, warum sie im Wald bleiben wollte.

Es war hoffnungslos. Sie hatte ihn angelogen und das von Anfang an. Aber sie trug schließlich die Verantwortung für die Kinder und wollte nur, dass sie beim Colquhoun Clan in Sicherheit waren. Für ihr Wohl würde sie jedes Risiko eingehen.

Ihre einzige Hoffnung war, dass Robert sie vielleicht nicht sofort verlassen würde, wenn er erkannte, dass sie nicht nur sein Leben aufs Spiel gesetzt hatte, sondern auch ihr eigenes.

Das Nachtlager war schnell aufgeschlagen, und es dauerte nicht lange, bis sie gegessen hatten und die Kinder schliefen. Sogar Creighton fielen innerhalb kurzer Zeit die Augen zu.

Gaira fühlte sich nicht wohl in ihrer Haut. Warum mussten sie alle schlafen? So war sie mit diesem Engländer, der da mit ihr am Feuer saß, förmlich allein. Nichts lenkte sie von ihm ab. Seine Arme lagen auf seinen angewinkelten Beinen, er wirkte vollkommen entspannt, schien darauf zu warten, mit ihr zu sprechen.

Sie stand auf, um nach den Kindern sehen. Sie starrte Maisie an und hoffte inständig, dass das leichte Flattern ihrer Augenlider bedeutete, dass sie aufwachte. Doch sie hatte wohl nur einen besonders lebhaften Traum, sonst nichts.

Gaira ärgerte sich, dass sie so ein Feigling war, ging zurück zum Lagerfeuer und ließ sich ein Stück entfernt von Robert nieder. Sie hatte gedacht, dass sie sich weit genug von ihm weggesetzt hatte, sodass er keine Wirkung auf sie haben würde. Doch sie hatte sich geirrt. Es müsste wahrscheinlich ein ganzer Ozean zwischen ihnen liegen, damit sie ihn nicht mit jeder Faser ihres Körpers spürte.

„Ich möchte die Wahrheit wissen."

Sie hielt ihren Blick weiterhin auf das Feuer gerichtet, nickte aber zustimmend.

„Seid Ihr wirklich vom Clan der Colquhoun?"

Würde er ihre Brüder kennen, dann würde er ihr diese Frage nicht stellen. Alles an ihr, ihre hochgewachsene Statur, ihre roten Haare, schrie den Namen Colquhoun. „Aye."

„Liegt das Land Eures Clans wirklich im Norden, und führt dieser Weg dorthin?"

„Ja, das sagte ich bereits. Und es liegt tatsächlich am Firth of Clyde."

Er nickte langsam und bedächtig. „Gibt es entlang dieses Weges in der Nähe ein Dorf oder eine Siedlung, wo wir ein Pferd und etwas Proviant kaufen können?"

Sie blickte zu ihm hinüber. Er sah ihr eindringlich in die Augen, und sie schaute schnell wieder ins Feuer. Bis jetzt waren seine Fragen harmlos gewesen, und sie fand keine Einwände, warum sie ihm nicht antworten sollte.

„Ja, wir müssten morgen dort ankommen."

„Warum sind wir vorher durch die Wälder geritten?"

Sie biss sich auf die Lippe und dachte nach. Auf diese Frage wollte sie ihm keine Antwort geben. „Ich hatte mich wohl ein wenig in der Richtung geirrt."

Gaira hielt den Blick weiter gesenkt, denn sie war keine gute Lügnerin, und sie befürchtete, dass er ihr weitere Fragen stellen würde.

Er wandte sich zu ihr um und sah sie direkt an. „Erzählt mir von Eurer Familie."

Überrascht hob sie den Blick und sah ihn kurz an. Sie würde lieber über Bäume oder irgendetwas anderes sprechen als über ihre Familie. „Meine Familie? Ihr habt wirklich Humor, Robert of Dent."

Er ging nicht auf ihre Anspielung ein. „Reine Neugier."

„Was soll ich Euch erzählen?" Sie zuckte mit den Schultern. „Meine Mutter und mein Vater hatten drei Söhne und zwei Töchter. Für schottische Verhältnisse keine sehr große Familie. Meine Mutter starb im Kindbett nach der Geburt meiner Schwester

Irvette, und mein Vater brach sich beim Zureiten eines Pferdes das Genick. Also waren nur noch wir übrig."

Sie hielt inne, zu viele Erinnerungen stürmten auf sie ein. „Und nach dem Massaker in Doonhill haben wir noch jemanden verloren."

Sie war so damit beschäftigt gewesen, die Kinder zu beschützen, dass sie kaum an ihre Schwester gedacht hatte. Doch jetzt fühlte es sich so an, als ob sich tausend spitze Messer durch ihr Herz bohrten.

„Haben Eure Brüder Euch und Eure Schwester gut behandelt?", fragte Robert.

Die Frage überraschte sie, und sie war erleichtert, dass er sich nicht nach dem Grund ihrer Reise erkundigt hatte und sie ihn nicht anlügen musste. „Nein, es war von Anfang an schwierig zwischen uns", sagte sie. „Sie waren netter zu meiner Schwester als zu mir. Ich glaube, dass sie oft vergaßen, dass ich ein Mädchen bin, weil ich so groß und stark bin."

Sie sah ihn kurz von der Seite an. Er starrte ihre Beine an, und mit einem Mal wurde sie sich deren Länge deutlich bewusst. Doch anstatt sich zu schämen wie sonst, hatte sie plötzlich das Bedürfnis, sie auszustrecken. Es lag an der Art, wie er sie ansah. Ein warmes Gefühl breitete sich in ihr aus. Genau wie in dem Moment, als sie im Tal gewesen waren und er sie in den Armen gehalten hatte. Doch dann fiel ihr wieder ein, wie er sich von ihr losgemacht hatte, als wäre sie eine tote Ratte, und sie zog verlegen die Beine ein.

„Ich habe mich nicht davon unterkriegen lassen und das Beste daraus gemacht", fuhr sie fort und lachte leise auf. „Mit zwölf leitete ich bereits den Haushalt in der Burg, und meine Brüder konnten mich nicht mehr wegen meiner feuerroten Haare aufziehen, weil sie wussten, dass sie dann Steine in ihrem Brot haben würden."

Er gab einen Laut von sich, der beinahe wie ein Lachen klang. „Ich zweifle nicht im Geringsten an Eurem Durchsetzungsvermögen. Immerhin habt ihr mich mit einem Kessel niedergeschlagen."

„Ihr hattet es verdient", erinnerte sie ihn und fuhr mit ihrer Erzählung fort: „Doch im Gegensatz zu mir wurde Irvette immer schöner, und die Männer begannen, ihr den Hof zu machen, obwohl ich die Ältere war. Da sie weder Einfluss noch Reichtum wollte, verliebte sie sich sofort in Aengus Cathcart, der eines Tages auftauchte und nicht viel mehr zu bieten hatte als Träumereien von einem hübschen Häuschen. Meine Brüder konnten ihr nie einen Wunsch verwehren, und so willigten sie in die Heirat ein, auch wenn es dem Clan nicht dienlich war."

Sie zuckte mit den Schultern. „Ich freute mich für sie. Zu der Zeit hatte ich bereits meinen festen Platz innerhalb des Clans. Ich führte den Haushalt und sorgte gut für meine Brüder. Ich dachte, so würde es immer weitergehen."

Gaira sprach nicht weiter, denn sie war zu sehr damit beschäftigt, sich nicht anmerken zu lassen, wie schmerzvoll das Ganze für sie war. Doch er war zu aufmerksam, um es nicht mitzubekommen, indes hatte sie wenig Lust, ihm zu erzählen, was ihre Brüder ihr angetan hatten.

„Aber irgendetwas ist passiert", stellte er fest.

Sie drehte den Kopf weg, um ihn nicht ansehen zu müssen. „Ja, Irvette wurde getötet, das ist passiert." Sie stand auf und legte schützend die Arme um ihren Oberkörper. „Reicht Euch diese Information nicht, Engländer?"

Eigentlich hatte sie ihn mit ihrer Frage provozieren wollen, damit er nicht weiter nachbohrte. Doch sie wusste, dass er nicht so leicht abzuschrecken war. Mit einem seltsamen Leuchten in den Augen schaute er sie an. Ihr Magen krampfte sich zusammen, und sie blickte schnell nach unten, damit er nicht sah, was in ihr vorging.

„Das kommt darauf an", antwortete er.

„Worauf?"

„Auf das, was Ihr mir verschweigt."

Mit einem Mal stand er auf und trat auf sie zu, bis er direkt vor ihr stand. Zärtlich strich er ihr über die Wange, bis er bei ihrem Kinn anlangte und es anhob.

Da sie so groß war, konnte sie ihm direkt in die Augen sehen. „Ihr gebt so wenig von Euch preis." Er ließ die Hand sinken, blieb jedoch vor ihr stehen. „Und ich soll verdammt sein, aber ich will mehr über Euch erfahren."

Sie sah, dass sein Blick kühler geworden war. Sie wusste, dass die Kälte gegen ihn selbst gerichtet war. Er begehrte sie und versuchte, sich dagegen zu wehren. Ihr fiel nur eine Begründung ein, warum er sich so verhielt, und sie wollte nicht mehr länger im Dunkeln tappen. Sie wollte, dass er es ihr sagte.

„Warum?", fragte sie angstvoll.

Er schien von ihrer Frage überrascht zu sein, denn er räusperte sich. Mit einem Mal war sie sich nicht mehr so sicher, ob sie die Antwort wirklich hören wollte. Vielleicht war sie es, die verdammt war, weil sie mehr über ihn erfahren wollte.

Er ließ seine Finger sanft ihre Arme hinab bis zu ihren fest zusammengepressten Händen gleiten. An den Handgelenken machte er halt und ließ seine Fingerspitzen zärtlich über ihre Haut kreisen. Sie spürte, wie seine Berührungen eine Hitzewelle durch ihren Körper jagten.

„Weil ich der bin, der ich bin", erwiderte er geheimnisvoll.

Er sah ihr tief in die Augen, und sie konnte das Begehren in seinem Blick sehen, das Verlangen, ihr noch näher zu sein. Oder bildete sie sich das nur ein?

Mit seiner Antwort konnte sie nichts anfangen. Doch ein Schluss lag nahe. „Ihr seid verheiratet."

Wieder sah er sie voller Verwunderung an. „Großer Gott, nein." Er schüttelte den Kopf. „Ich bin Euch so nahe, dass ich Euren Atem auf meiner Haut spüren kann."

„Das spricht nicht dagegen, dass Ihr verheiratet seid."

„Doch, für mich schon. Wenn ich verheiratet wäre, dann wäre das für immer, Gaira, mit meiner ganzen Seele und meinem ganzen Körper."

Seine Worte drangen ihr direkt ins Herz und hinterließen dort ein wohliges Gefühl. Er war wirklich wie ein tiefer Fluss, beständig, fortwährend und Leben spendend. Doch wenn er nicht verheiratet war, bedeutete das, dass er noch niemals geliebt hatte? Sie verfluchte sich selbst dafür, dass es sie so sehr interessierte.

„Und Ihr wart auch niemals verheiratet?"

Er zog seine Hände zurück. „Nein, es hat sich nicht ergeben."

Das hieß aber nicht, dass er noch nie jemanden geliebt hatte. Wahrscheinlich war seine Liebe nicht erwidert worden. Ihr Herz krampfte sich vor Schmerz zusammen.

„Wir sollten versuchen zu schlafen", sagte sie und trat einen Schritt zurück. „Maisie wacht immer früh auf."

Robert hielt sie nicht zurück, doch er beobachtete sie, als sie zu den Kindern zurückging. Er stand noch ein paar Minuten bewegungslos da, dann kehrte er auf seine Seite des Feuers zurück und legte sich auf den Boden. Ihm war heiß, und er musste sich nicht zudecken.

Zur Hölle, er brannte!

Sie trug ihr Haar immer zusammengebunden, seit er sie darum gebeten hatte. Der dicke Zopf reichte ihr bis zur Taille. Doch so übte sie beinahe eine noch stärkere Wirkung auf ihn aus, als wenn sie es offen getragen hätte. Immer wieder stellte er sich vor, wie es wäre, die Flechten zu lösen und langsam seine Finger durch ihre seidigen Locken gleiten zu lassen. Er konnte beinahe spüren, wie ihr Haar sich weich und sanft um seine Finger wickeln würde.

Als sie so dicht voreinander standen, hatte er gespürt, wie gut ihre Körper harmonierten, die Länge ihrer Beine passte perfekt zu seinen. Er hätte sie nur ein kleines Stück anheben müssen, um sie an sich zu pressen.

Sie hatte gesagt, dass ihre Brüder sie nicht als Frau wahrgenommen hatten. Doch er konnte an nichts anderes denken als an ihre schönen weiblichen Rundungen.

Robert drehte sich unruhig auf die Seite. Er würde niemals einschlafen, wenn er sich diese Gedanken weiter ausmalte.

Aber sosehr er sich auch dagegen wehrte, er musste immer wieder an Gaira denken. Daher zwang er sich wenigstens dazu, über das nachzudenken, was sie ihm gesagt hatte, und nicht daran, wie gut sie roch oder wie voll und rosig ihre Lippen waren. Oder an ihre langen, schlanken Beine …

Wieder wälzte er sich herum, diesmal legte er sich auf den Rücken. Er hatte nach der Wahrheit gefragt, doch zwischen ihren Worten war noch etwas anderes mitgeschwungen.

Es gab irgendetwas, das sie verstört hatte. Etwas, das mit ihrer Familie zu tun hatte. Und das war nicht der Tod ihrer Schwester. Er konnte ihre Trauer und ihre Wut nachvollziehen. Doch der Mord war erst viel später passiert. Es musste etwas sein, das schon länger zurücklag, was sie so sehr aufwühlte, etwas, das noch vor Doonhill passiert war.

Sie hatte ihm nicht erzählt, warum sie ihre Brüder verlassen hatte. Wenn sie ihre Schwester wirklich so sehr brauchten, wie sie behauptete, dann hätten sie sie nicht ohne Weiteres gehen lassen.

Er hatte ihr gesagt, dass er mehr über sie erfahren wollte. Doch er hatte keine Begründung, warum es ihn so interessierte. Schließlich hatte er nicht das Recht, über Gairas Leben nachzudenken … oder über ihre Beine.

Noch nie zuvor war ihm eine Frau mit einem so starken Willen begegnet. Alles, was sie tat, kämpfen, lieben, fühlen, das tat sie mit ganzem Herzen, mit jeder Faser ihres Körpers. Sie verdiente einen Mann, der genauso stark und dessen Herz ebenso groß war.

Und er wusste mit schmerzlicher Gewissheit, dass sein eigenes Herz schon vor Jahren aufgehört hatte zu schlagen.

13. Kapitel

Robert wachte auf, weil ihm jemand laut ins Ohr atmete und er etwas Warmes und Schweres auf seinem Brustkorb fühlte. Alec lag ausgestreckt auf ihm und schmiegte sein Gesicht an seine Tunika. Mit den Armen umklammerte er seinen Hals.

„Wenn er schläft, sieht er ganz friedlich aus, oder?", flüsterte Gaira. „Als könnte er kein Wässerchen trüben."

Mit Maisie im Arm beugte sie sich über ihn.

„Wie ist er hierhergekommen?", fragte Robert verdutzt.

„Ich weiß es nicht. Wahrscheinlich hat er Schutz gesucht. Manchmal plagen ihn Albträume."

„Was soll ich tun?", flüsterte er.

Sie lächelte ihn geheimnisvoll an. „Das ist Eure Sache." Sie wandte sich ab.

Robert sah ihr nach, und beinahe hätte er sie zurückgerufen. Doch er hielt sich zurück, wenn auch mit einiger Mühe. Er wusste nicht, wie man mit Kindern umging. Zum Glück hatten sie ihn die meiste Zeit über in Frieden gelassen.

Doch irgendwann in der Nacht musste Alec zu ihm gekommen sein und war eingeschlafen. Als ob ich so etwas wie ein sicherer Ort wäre, dachte Robert.

Er blickte nach unten, um den Jungen anzuschauen. Er sah, dass seine Augenlider leicht flatterten, sah seine weichen Wimpern und die rosigen kleinen Lippen.

Robert blieb reglos liegen, weil er den Jungen nicht aufwecken wollte. Er war vollkommen überwältigt, dass der Kleine ihm so viel Vertrauen entgegenbrachte. Aber das Merkwürdigste war, dass er nicht einmal wach geworden war, als Alec in der Nacht zu ihm gekommen war. Hatte er im Schlaf gemerkt, dass ihm keine Gefahr drohte?

Während er noch darüber nachdachte, fühlte er, wie eine kleine Hand ihm einen leichten Klaps auf die Wange gab.

Alec. Mit großen braunen Augen sah er ihn an.

Robert starrte zurück, und ihm wurde ganz warm ums Herz. „Morgen", brummte er.

Alec gab ihm noch einen Klaps. Da setzte Robert sich auf und zwickte den Jungen spielerisch in die Wange. Alec kicherte.

„Oh, du findest das also lustig? Na, mal sehen, was du hierzu sagst!", knurrte Robert, stand auf, packte sich den Jungen und ließ ihn kopfüber herunterhängen wie einen Fisch. Der Junge quiekte und zappelte, als würde er wirklich am Haken hängen.

„Ihr lasst ihn besser wieder runter, wenn ihr nicht wollt, dass etwas auf Eurer Kleidung landet", sagte Gaira, als sie Maisie fertig angezogen hatte. „Er hat sich heute noch nicht erleichtert."

Sofort stellte er Alec auf den Boden, und der Junge rannte davon. Gaira lächelte ihm zu, und Robert hätte beinahe das Lächeln erwidert. Doch er drehte sich schnell um.

Er hatte seit Jahren nicht mehr gelächelt. Es gehörte zu seinem Ruf, immer ernst zu sein. Sein Ruf ... Mit einem Mal war ihm nicht mehr nach Lachen zumute.

Gaira hatte gesagt, dass sie heute das nächste Dorf erreichen würden. Er war zwar noch nie so weit nördlich gewesen, aber er konnte nicht riskieren, erkannt zu werden. Gewiss hatte man auch hier von Black Robert gehört und Beschreibungen über sein Aussehen verbreitet. Es würde nicht nur ihn, sondern auch Gaira und die Kinder in Gefahr bringen.

Er fuhr sich mit einer Hand durchs Haar und durch den Bart. Er besaß nur schwarze Kleidung, der er seinen Namen verdankte, doch er konnte sein Aussehen auch mit anderen Mitteln verändern. Seine letzte richtige Rasur lag Jahre zurück, genau wie sein letzter Haarschnitt.

Er nahm sein Messer sowie ein Stück Seife aus seiner Satteltasche und lief hinüber zu dem Bach, der sich zwischen den Bäumen entlangschlängelte.

Als er zur Lichtung zurückkehrte, warteten Gaira und die Kinder bereits auf ihn. Gaira saß mit Flora auf einem Baumstamm und sprach leise mit ihr. Sie pflückten Grashalme, die sie zu einer langen Kette flochten. Maisie stand neben ihnen und wedelte mit Grashalmen in der Luft umher. Creighton hielt ein paar Steine in der Hand.

Sie kennen sich zwar erst ungefähr eine Woche, doch sie verhalten sich schon wie eine richtige Familie, dachte er. Eine Familie, die das Schicksal und die Trauer zusammengebracht hatte. Dennoch gaben sie ein recht zufriedenes Bild ab.

In all den Jahren als Soldat im Heer von König Edward hatte er niemals den gleichen Frieden und Zusammenhalt gesehen, wie diese fünf sich ihn innerhalb weniger Tage aufgebaut hatten.

Gaira sah zu ihm auf. Sie streifte ihn erst nur kurz mit dem Blick, doch dann starrte sie ihn mit großen Augen an. Sie sagte etwas zu Flora, die ebenfalls aufschaute.

Er ging zu ihnen. „Seid Ihr fertig, um aufzubrechen?", fragte er.

Gaira sagte nichts. Da war etwas in ihrem Blick, das ihm Hitzewellen durch den ganzen Körper jagte.

„Lady Flora, seid Ihr bereit aufzubrechen?", erkundigte er sich galant.

„Was ist mit Eurem Gesicht passiert?" Schnell hielt sich das Mädchen die Hand vor den Mund und wurde knallrot im Gesicht.

Schon wollte er sagen, weshalb er die Veränderungen an seinem Aussehen vorgenommen hatte, entschied sich dann aber anders. Wenn er den wahren Grund nannte, würde er Gaira und die Kinder erschrecken. Also musste er sich etwas einfallen lassen. Er machte eine Verbeugung, wie sie bei Hofe üblich war.

„Ich habe gemerkt, dass ich kein würdiger Begleiter für Euch bin, Lady Flora. Daher habe ich mich entschlossen, mich zu rasieren und zu frisieren, um ein wenig respektabler neben Euch auszusehen."

Er hielt inne und sah zu Gaira. Es war nicht nur Verwunderung, was er in ihren Augen sah. Es war pures Verlangen.

Er hatte geglaubt, das Begehren sei einseitig. Der Gedanke, dass sie sich zu ihm hingezogen fühlte, war schmeichelhaft ... und erregend.

Doch derlei Versuchungen konnte er nicht gebrauchen, es machte alles nur noch komplizierter. Und Gaira stellte für ihn nicht nur eine Versuchung dar, nein, ihretwegen war er in diese vertrackte Situation geraten. Verdammt, warum hatte er überhaupt Interesse an ihr gezeigt und sie nach ihrem Leben gefragt. Seine Neugier war zwar groß, aber nichts im Vergleich zu seinem Verlangen! Wenn er seinem Begehren freien Lauf lassen würde, dann wäre er vollends verdammt!

Allerdings konnte er es nicht länger leugnen, er wollte sie trotz allem. Trotz seiner Verpflichtungen der englischen Krone gegenüber. Aber denen war er seit Doonhill ohnehin nicht mehr nachgegangen. Er war schon zu lange fort. Hugh würde König Edward bereits von seinem Verschwinden berichtet haben.

Wahrscheinlich dachten sie, dass er ein Deserteur war. Wie sollte er ihnen nach seiner Rückkehr seine Abwesenheit nur erklären? Er hatte sich wie ein Narr verhalten, nicht wie ein erfahrener Krieger. So schnell wie möglich musste er diese Reise hinter sich bringen.

„Sobald ich fertig bin, reiten wir weiter", sagte er. Brüsk drehte er sich um und packte ärgerlich seine Sachen zusammen.

Bald merkte er, dass etwas fehlte. Die Decke und die Tasche lagen am Boden, genau an der Stelle, wo er sie abgelegt hatte. Doch eines seiner Schwerter war nicht da. Er sah zu seinem Pferd. Der Sattel lag auf dem Boden, das Breitschwert und die Beutel waren noch immer daran festgebunden. Suchend durchkämmte er das ganze Lager. Nicht nur das Schwert war weg!

„Gaira!", rief er. „Wo ist Alec?"

Sie sah zu ihm herüber und lächelte ihn amüsiert an. „Oh, Robert, wenn Ihr Euer Gesicht sehen könntet! Ihr seht aus, als ob ihr in einen Misthaufen gefallen wärt. Hat er Euch irgendetwas weggenommen?" Sie lachte fröhlich und zeigte auf die Bäume. „Ich glaube, er ist in diese Richtung verschwunden."

Robert hatte keine Ahnung, warum er noch zögerte. Ob es Gairas schönes Lachen war? Bei der Vorstellung, dass ein Fünfjähriger mit einem Schwert umherlief, dessen Klinge so scharf war, dass sie seinen Arm so leicht durchtrennen konnte wie einen Grashalm, sollte er sich schleunigst in Bewegung setzen.

Gairas Lachen erstarb, stattdessen sah sie ihn voller Sorge an. „Was ist los?"

„Mein Schwert ..." Er schluckte. „Alec hat mein Schwert, Gaira."

Alle Farbe wich sofort aus ihrem Gesicht. Sie sprang auf, die Grashalme wirbelten um sie herum und segelten auf den Boden. Sie lief auf ihn zu, griff ihn am Arm und zog ihn mit sich, bis er endlich aus seiner Erstarrung erwachte.

Auf dem Schlachtfeld hatte er nicht ein einziges Mal gezögert, sonst wäre er längst tot. Doch die Angst um Alec hatte ihn vollkommen gelähmt.

Jetzt hatte er am eigenen Leibe erfahren, wie es seinen Soldaten erging, wenn ihnen der kalte Schweiß ausbrach und sie ihre Beine nicht mehr bewegen konnten. Er wusste nun, wie sich echte Panik anfühlte. Und dieses Gefühl hatte keine Armee wütender Krieger in ihm ausgelöst und auch kein Schotte, der mit einer Doppelaxt auf seinen Kopf zielte. Nein, ein kleiner Junge hatte ihn in solche Panik versetzt.

Wann hatte er begonnen, sich um die Kinder zu sorgen?

Im Wäldchen trennten sie sich, und Gaira lief nach rechts. Die Bäume standen nicht sehr dicht, doch es gab mehrere Erhebungen auf dem Gelände, hinter denen sich ein kleiner Junge wie Alec verstecken konnte. Er suchte den Boden ab und fand, was er brauchte: eine Spur! Keine Fußspuren, aber Schleifspuren von einem Gegenstand, den jemand hinter sich hergezogen hatte. Das Schwert war eindeutig zu schwer für Alec.

„Hier drüben!", rief er Gaira zu. Er folgte der Spur und entdeckte den Jungen.

Alec hatte einen dicken Ast über seinen Kopf gehoben. Der Ast machte Robert allerdings keine Sorge, sondern die Position des Schwertes, das mit der Spitze direkt auf Alec zeigte. Er hatte es zwischen zwei jungen Bäumen abgestützt, sodass es aufrecht stand. Wenn der Junge stolperte, dann konnte er fallen, und die Spitze würde seinen Hals durchbohren.

Robert wollte ihm eine Warnung zurufen, wollte Alec jedoch nicht erschrecken. Andererseits, wenn er ihn nicht warnte, dann ...

Er beschleunigte seine Schritte. Gaira lief jetzt ein kleines Stück vor ihm.

„Halt!", rief sie. „Alec, halt!"

94

Doch der Untergrund war noch rutschig vom Regen, sodass sie ausrutschte und stolperte. Sie ruderte mit den Armen, um ihr Gleichgewicht wiederzufinden, und lief schlingernd weiter auf Alec zu ... und auf das Schwert!

Sie strauchelte und würde auf die Spitze des Schwertes fallen und aufgespießt werden, wenn sie die Richtung nicht änderte. Es war ein Albtraum!

„Gaira!", rief Robert. „Pass auf! Lauf nach rechts!"

Jetzt blickte Alec zu ihnen hoch. Er hielt noch immer mit beiden Händen den Ast in die Höhe. Als er Gaira sah, lächelte er, doch dann begann er zu schreien.

Als sie Alecs Schrei hörte, strauchelte Gaira erneut, und ihre Füße fanden auf dem matschigen Boden keinen Halt mehr.

Robert machte einen Sprung nach vorne und stieß sie mit einem heftigen Ruck zur Seite. Doch nun war er selbst so dicht an dem Schwert, dass ihm die Spitze die Tunika und den Brustkorb aufritzte.

Als er den brennenden Schmerz fühlte, wurde aus seiner Angst um Gaira heftiger Zorn.

14. Kapitel

Gaira sah ihn nicht einmal an. Sie lief geradewegs auf Alec zu und drückte ihn an sich. Der Junge weinte laut. „Alec, Schatz, alles ist gut." Sein Schluchzen wurde schwächer, bis es schließlich verebbte und er nach Luft schnappte.

„Jetzt ist alles gut. Du hast dir doch nicht wehgetan, oder?" Sie suchte Alec am ganzen Körper nach Verletzungen ab.

„Mit dem Jungen ist alles in Ordnung." Robert packte den Griff des Schwertes und zog es aus dem nassen Boden.

Gaira hatte beide Hände um Alecs Gesicht gelegt und wischte ihm die Tränen weg. „Aber er hat sich zu Tode erschreckt, nicht wahr?" Sie nickte bekräftigend.

Alec nickte ebenfalls.

Robert hob sein Schwert hoch und betrachtete prüfend die Klinge. Zum Glück war sie nur verschmutzt, aber nicht beschädigt. „Geschieht ihm nur recht, wenn er Angst hat. Er hat sich in große Gefahr gebracht. Und Euch auch."

„Mich? Unsinn. Ich bin ein bisschen ausgerutscht. Aber meinem Knöchel geht es gut", versicherte sie.

„Ich spreche nicht von Eurem verdammten Knöchel. Er hätte von dem Schwert durchbohrt werden können. Und Ihr ebenfalls!" Sein Zorn wuchs. „Beinahe wärt Ihr aufgespießt worden, weil Ihr so schnell zu dem Jungen wolltet."

Sie legte Alec die Hände auf die Ohren. „Wollt Ihr ihm noch mehr Angst einjagen mit Eurem Unsinn? Er ist ein Kind!"

„Unsinn?"

Sie hatte die Brauen zusammengezogen und sah ihn trotzig an. Anscheinend glaubte sie wirklich, was sie da sagte.

„Er wollte uns doch nur helfen. Habt Ihr nicht gesehen, dass er Feuerholz machen wollte?" Sie deutete auf einen kleinen Haufen Zweige.

„Es ist mir vollkommen egal, was der Junge vorhatte. Es war falsch!" Robert ging in die Hocke, sodass er dem Jungen direkt in die Augen sehen konnte. „Hast du verstanden, dass es falsch gewesen ist, sich einfach etwas zu nehmen, das einem nicht gehört, ohne vorher um Erlaubnis zu fragen?"

Der Junge sah ihn schweigend mit großen braunen Augen an. Robert runzelte die Stirn. Der Knabe schien ihn nicht zu verstehen.

„Tu das nie wieder! Niemals, verstehst du? Du hättest tot sein können. Tot!"

Alec starrte ihn mit vor Schreck geweiteten Augen an, schwieg aber. Gaira funkelte ihn wütend an, doch es kümmerte ihn nicht.

Er war kurz davor, vor Zorn zu zerbersten. Der kleinste Auslöser würde ihn zum Explodieren bringen. Noch nie zuvor hatte er die Beherrschung verloren, und die Tatsache, dass er jetzt kurz davor war und dass ein fünfjähriger Junge ihn so zur Raserei gebracht hatte, ließ seine Wut nur noch höher flammen.

Schnell stand er auf und trat ein paar Schritte zurück, um etwas Abstand zu bekommen. Er hatte dem Jungen eben eine Erklärung über Eigentum und über tödliche Gefahren gegeben. Doch er schien es nicht verstanden zu haben.

Er zeigte mit dem Finger auf Alec. „Ich will wissen, warum du mein Schwert genommen hast und Gaira solch einen furchtbaren Schrecken …"

Robert hielt inne, als Alec flüsterte: „Es tut mir leid." Er blickte voller Sorge zu Gaira und dann wieder zu ihm. „Ich tue es nie wieder." Alec schüttelte den Kopf. „Ich möchte Tante Gaira keinen Schrecken einjagen. Nie wieder."

Der Junge hatte sich entschuldigt. Aber nur bei Gaira, nicht bei ihm. Nun schüttelte auch er den Kopf. Warum nur hatte er eingewilligt, diese verrückte zusammengewürfelte Familie zu begleiten? Sie bereitete ihm nichts als Ärger.

Gaira stand neben Alec und streichelte ihm tröstend über den Rücken. „Warum gehst du nicht zurück zum Lager und isst etwas, mein Liebling?"

Alec schlich mit hängenden Schultern davon.

„Seht, was Ihr getan habt!", fuhr Gaira ihn an. „Ihr dürft ihn nicht so anschreien. Er ist doch nur ein Kind."

„Ich habe nicht geschrien."

„Doch, das habt Ihr. Und Ihr habt ihn zu Tode erschreckt mit dem ganzen Gerede, dass ich mich seinetwegen hätte verletzen können. Er hat schon seine Eltern verloren. Das Letzte, was er braucht, ist, Angst zu haben, dass er mich auch noch verliert!"

„Mit seinem leichtsinnigen Verhalten hat er sich und Euch in tödliche Gefahr gebracht."

„Das ist doch lächerlich!" Sie schnaubte wütend. „Wie hätte er mir denn etwas tun sollen? Ihr wart es schließlich, der mich in den Schlamm geworfen hat."

Er machte einen Schritt auf sie zu und zeigte auf sein Schwert. Er wusste, dass er recht hatte, und er verstand selbst nicht, woher dieser Drang in ihm kam, sich zu rechtfertigen. „Ihr seid direkt auf ein Schwert zugerutscht, dessen Spitze auf Euer Herz gezeigt hat. Ich habe Euch in den Dreck geworfen, um Euch aus der Gefahrenzone zu bringen. Ich habe Euch das Leben gerettet!"

An ihrem Gesichtsausdruck erkannte er, dass sie keine Ahnung gehabt hatte, in welcher Gefahr sie geschwebt hatte. Ihr einziger Gedanke hatte der Sicherheit des Jungen gegolten, sodass sie ihre eigene vollkommen außer Acht gelassen hatte. Das überraschte ihn jedoch nicht weiter. Seit er sie kannte, hatte sie schließlich nichts anderes getan, als sich für andere aufzuopfern.

Sie richtete sich zu ihrer vollen Größe auf und beugte sich angriffslustig zu ihm vor. „Selbst wenn! Das ist wohl kaum die Schuld des Jungen! Er hat es nicht verdient, dass Ihr ihn so ausschimpft."

Er konnte nicht glauben, was er da hörte. Wenn er nur daran dachte, was um ein Haar geschehen wäre, kam die Angst wieder in ihm hoch. „Nicht seine Schuld!" Diese Frau war einfach von allen guten Geistern verlassen. „Es ist allein seine Schuld. Er hat mein Schwert gestohlen und es mit in den Wald genommen, um es als Axt zu benutzen. Dabei hätte er sich schwer verletzen können. Und Euch dazu!"

Er atmete tief durch. „Zudem wart Ihr genauso gedankenlos wie er. Ihr habt laut geschrien und seid wie eine Wahnsinnige durch den Schlamm geschlittert, direkt auf die Schwertspitze zu. Sie hätte Euch mitten ins Herz treffen können!"

Ihr Gesicht wurde rot, und ihre Augen blitzten zornig auf, als sie mit dem Zeigefinger gegen seine Brust stach. „Ich war gedankenlos ... das ist ja wohl die Höhe! Und was ist mit Euch? Ihr habt das Schwert leichtsinnig und rücksichtslos herumliegen lassen, obwohl Ihr wusstet, dass Kinder in der Nähe sind."

Ihre Augen glühten vor Zorn, und ihr rotes Haar sprühte beinahe Funken. Als sie so direkt vor ihm stand, wirkte sie so voller Leben.

„Rücksichtslos!" Er packte ihre Arme und zog sie zu sich heran. „Ich werde Euch zeigen, wie Rücksichtslosigkeit aussieht!"

Es erregte ihn, wie sie die Augen weit aufriss und ihren Mund ein klein wenig öffnete. Doch das Gefühl, wie sie sich verlangend an ihn drückte, war noch viel erregender. Ihr geschmeidiger, schlanker Körper passte perfekt an seinen.

Wenn sie ihn von sich gestoßen oder protestiert hätte oder wenn sie weiterhin wütend gewesen wäre, dann hätte er sich vielleicht zurückhalten können. Aber als er sie in seine Arme zog, verdunkelten sich ihre Augen, sodass sie die Farbe von rauchigem Whisky annahmen, und er wusste, dass er verloren war.

Gaira fühlte ihn hart und erregt an ihrem Unterleib. Zunächst hatte sie nicht gewusst, was er vorhatte, aber als sie nun spürte, wie groß sein Verlangen nach ihr war, wurde ihr seine Absicht klar. Eine Welle heißen Begehrens überrollte sie, und sie fiel in einen Strudel der Lust, der sie mit sich zog wie ein reißender Fluss. Sie wäre darin versunken, wenn Robert sie nicht mit seinen starken Armen festgehalten hätte.

Dann näherten sich seine Lippen ihrem Mund, und er küsste sie mit verzehrender Leidenschaft. Auch sie brannte jetzt voller Begierde, öffnete die Lippen und erwiderte seinen Kuss hingebungsvoll.

Sie umfasste seine Hüften, um sich noch fester an ihn heranpressen zu können. Sein Atem ging schnell und heftig. Sie fühlte, wie er begierig an ihren Lippen saugte, was ihre Erregung noch steigerte.

Mit seiner Zunge, die er zuvor noch lustvoll über ihre Unterlippe hatte gleiten lassen, liebkoste er jetzt die Innenseiten ihrer Lippen, und sie fühlte eine schmerzliche Sehnsucht in ihrem Innersten. Noch fester drückte sie sich an ihn, sie wollte ihm so nah sein, wie sie nur konnte. Sie stöhnte laut auf, als sie seinen Oberkörper an ihren Brüsten spürte, und grub ihm die Finger tief in die Seite.

Da schrie er plötzlich laut auf und schob sie von sich weg. Verwirrt blickte sie ihn an. Und dann bemerkte sie etwas Warmes und Klebriges an ihrer rechten Hand.

Sie blickte hinab und sah die leuchtend rote Flüssigkeit auf ihren Fingern.

„Es sieht schlimmer aus, als es ist", sagte Robert.

„Ihr seid verletzt!"

„Nicht nur körperlich."

Sie packte ihn an seiner Tunika und drückte seinen Arm hastig zur Seite.

„Ich würde es vorziehen, wenn Ihr es nicht noch schlimmer macht."

„Oh!" Sie ließ seinen Arm los. „Habt Ihr Schmerzen?"

„Jetzt ja." Er legte ihr eine Hand auf die Schulter. „Aber ich denke, ich habe sie bisher nicht bemerkt, weil ich vorher an … etwas anderes gedacht habe als an die Wunde."

Flammende Röte schoss ihr ins Gesicht.

Er trat einen Schritt zurück. „Ich hätte das nicht tun dürfen."

Sie schluckte, denn plötzlich schnürte es ihr die Kehle zu. „Eure … Eure Standpauke für Alec war etwas heftig, aber er ist ein Kind und hat sie bestimmt schon wieder vergessen."

Er blickte sie kurz an. Das Verlangen in seinen Augen war schon wieder der gewohnten kühlen Distanz gewichen. Doch sie sah noch etwas anderes in seinem Blick als zuvor. War es Wut?

„Das meinte ich nicht."

Sie nickte. Sie wusste, was er meinte. Sie wollte bloß nicht darüber sprechen, warum er sie nicht hätte küssen dürfen. Denn sie wollte von ihm geküsst werden. Und sie wollte ganz bestimmt nicht hören, dass er es nicht ebenso sehr gewollt hatte wie sie. „Wir sollten Eure Wunde versorgen."

„Ich habe stets Nadel und Faden dabei, um Wunden zu vernähen, und auch Leinenstreifen für einen Verband. Das sollte reichen."

„Ich helfe Euch."

„Nein. Ich habe das schon häufig gemacht. Ich brauche nicht lange." Er klang vollkommen gefasst und sachlich. „Und alles Weitere kaufe ich im nächsten Dorf, bevor ich zu meiner Truppe zurückkehre. Falls ich noch etwas benötigen sollte."

„Aber was ist, wenn Ihr Fieber bekommt? Bleibt wenigstens so lange bei uns, bis wir sicher sein können, dass Ihr wohlauf seid."

„So viel Zeit habe ich nicht." Er drehte sich um und hob sein Schwert vom Boden auf. „Dieser kleine Kratzer ändert nichts an unserer Abmachung. Sobald Ihr Euren Proviant und Euer Pferd habt, werde ich allein weiterreiten."

Also hatte er noch immer vor, sie zu verlassen. Obwohl sie sich geküsst hatten. Und sie hatte tatsächlich geglaubt, dass er Gefühle für sie hegte, als er sie eben in die Arme schloss!

Und Alec? Sie hatte den Eindruck gehabt, dass er sich tatsächlich Sorgen um den Jungen gemacht hatte.

Und jetzt blickte er noch nicht einmal zurück, um nachzusehen, ob sie ihm auch folgte, als bereite er sich schon darauf vor, sie und die Kinder bald zu verlassen.

Wie konnte er sein Verhalten so abrupt ändern? Ihr war noch immer ganz schwindlig, wenn sie daran dachte, wie er sie geküsst hatte. Und er marschierte einfach davon und ließ sie stehen, so als wäre nichts gewesen. Und als ob er gar nichts gefühlt hätte.

Gaira presste die Lippen aufeinander. Sie fühlten sich geschwollen an und warm. Er hatte sie mit so unbändiger Leidenschaft geküsst und sie so fest mit beiden Händen an sich gezogen, als würde er sie mehr begehren als alles andere auf der Welt.

Sie wusste, dass sie sich das nicht eingebildet hatte. Genauso wenig wie die tiefe Sorge, die sie in seinem Gesicht gesehen hatte, als er zu Alec geeilt war. Er hatte sich Sorgen um den Jungen gemacht. Und um sie.

Also hatte er auch Gefühle. Ihr Herz sagte ihr, dass er sich nicht so kühl und distanziert verhielt, weil er keine Gefühle hatte. Nein, vielmehr wollte er keine Gefühle für einen kleinen fünfjährigen Jungen haben. Und auch nicht für eine rothaarige Frau, die beinahe so groß war wie er selbst.

Doch gerade eben hatte sich deutlich gezeigt, dass beides der Fall war. Dieser Gedanke stimmte sie ein wenig heiterer.

15. Kapitel

*E*s war schon spät, als sie das Dorf erreichten. Es hatte eine Weile gedauert, bis Robert seine Wunde gereinigt und vernäht und sein Schwert gesäubert hatte. Gaira hatte mehrfach mit ihm diskutiert, damit er sich helfen ließ. Doch er hatte sich heftig gewehrt, wenn sie ihn berühren wollte.

Die Straße zum Dorf war nicht sehr breit. Die zwei Pferde konnten gerade so nebeneinanderher laufen. Und zunächst sah man nicht viel mehr als ein paar Hütten, umgeben von kleinen Gärten. Dann wurde der Weg noch schmaler, und die Cottages standen immer enger zusammen. Robert nahm die Zügel von Floras und Creightons Pferd und führte es vorsichtig die Gasse entlang, auf der nun außer Menschen auch Nutztiere unterwegs waren. Dann kamen sie auf einen Platz, an dem ein Haus stand, das höher als die anderen war und Schlitze anstelle von Fenstern hatte. Die Türen standen offen, und es drang Stimmengewirr nach draußen. Offensichtlich handelte es sich um ein Gasthaus.

„Das ist kein einfaches Dorf", bemerkte Robert. „Wart Ihr schon einmal hier?"

„Nein." Gaira lockerte ihre Zügel ein wenig. Es war eher eine kleine Stadt. Als sie auf der Flucht war, hatte sie Häuseransammlungen gemieden. Jetzt war sie allerdings erleichtert, als sie sah, dass es eine Herberge gab, denn von Norden her zog ein Gewitter auf, und sie brauchten dringend ein Dach über dem Kopf.

Robert tätschelte den Hals des Pferdes. „Ich dachte, Ihr seid zuvor schon hier entlanggekommen."

„Ich hatte keine Zeit, um Rast zu machen."

Er sah sie einen Moment lang an, zuckte dann aber mit den Schultern. „Es ist spät. Hoffentlich finden wir noch eine Kammer für die Nacht."

Gaira war erleichtert, dass er das Thema gewechselt hatte, und beeilte sich zu sagen: „Ich kümmere mich gleich darum. Denn Euch merkt jeder sofort an, dass Ihr Engländer seid, wenn Ihr unsere Sprache sprecht. Womöglich verlangen sie mehr Geld von Euch. Oder sie schlagen Euch den Kopf ab."

Auf Gälisch sagte er zu ihr: „Aber Ihr seid eine Frau. Es ist gefährlich für Euch, allein dort hineinzugehen."

Sie lächelte. „Mit Eurem Gälisch habt ihr keine Chance."

„Trotzdem. Ich denke …"

Aus dem Gasthaus drang jetzt lautes Gelächter. Drei kräftige Schotten stolperten grinsend heraus und torkelten auf den Platz.

Einer von ihnen winkte ihnen fröhlich zu. „Ho, ho, seid gegrüßt! Was für ein herrlicher Tag!"

Gaira lachte und neigte den Kopf. „Ja, es ist tatsächlich ein herrlicher Tag, wenn man so willkommen geheißen wird."

Einer der Männer stolperte und hielt sich an dem Mann fest, mit dem sie sprach. „Mit so einem schönen Gesicht wie deinem wird der Tag noch angenehmer. Zudem gibt es gute Neuigkeiten."

„Großartige Neuigkeiten!", fügte sein Kamerad polternd hinzu.

„Und was sind das für Neuigkeiten?"

„Habt Ihr es noch nicht gehört?"

„Nein, wir sind gerade erst angekommen."

„Black Robert ist tot!"

„Toter als tot!" Jetzt torkelte der Mann so sehr, dass er in einer Matschpfütze landete und seinen Kameraden mitzog.

„Tot!" Maisie klatschte freudig in die Hände. Alec kicherte.

Die zwei Männer versuchten erfolglos, wieder auf die Beine zu kommen. Sie sahen aus wie Schweine, die sich im Dreck suhlten. Gaira wandte sich an den dritten der Männer, der immerhin noch aufrecht stehen konnte.

„Black Robert?", fragte sie.

„Kennt Ihr ihn nicht, den verdammten Engländer? Er kämpft wie ein Besessener, als hätte er seine Seele an den Teufel verkauft. Er ist so schwarz wie die Nacht und größer als jeder Schotte, und er hat glühende Augen. Aber das Schlimmste ist, er kämpft mit einem schottischen Claymore, unserem Schwert. " Der Mann rieb sich über seinen massigen Bauch. „Er hat jede Menge schottische Männer auf dem Gewissen, dieser englische Bastard."

„Ich verstehe", antwortete Gaira. Sie wusste nicht, was sie erwidern sollte. Aus Höflichkeit sagte sie: „Was ist mit ihm passiert?"

„Genau weiß ich es nicht, schönes Mädchen. Ich war nicht dabei. Zu weit im Osten. Der englische König, dieser Hund, und seine Armee haben dort gewütet." Der Mann rülpste laut. „Entschuldige, Kleine. Es gab viele Verluste. Keine von beiden Seiten war siegreich. Aber dann bekamen wir die unglaubliche Nachricht. Black Roberts Männer waren da, aber Black Robert selbst nicht. Die Schlacht ist schon seit Tagen vorbei. Aber er ... ist nie wieder ... aufgekreuzt."

„Hat man ihn denn gefunden?", fragte Gaira. Sie machte eine unauffällige Kopfbewegung zu den Kindern in der Hoffnung, dass er nicht zu genaue Schilderungen geben würde.

„Nein. Aber er hat noch nie eine Schlacht verpasst. Er ist immer an der Seite von König Edward." Er grinste breit. „Er ist verdammt noch mal tot, ja, das ist er."

Die anderen zwei waren inzwischen aufgestanden und torkelten die Gasse hinab.

Der Mann, mit dem Gaira gesprochen hatte, drehte sich um, rief ihnen etwas hinterher und ging ihnen nach.

Gaira blickte die Kinder und Robert an. Creighton und Flora sahen dem Mann interessiert hinterher, doch Robert wandte den Kopf in die andere Richtung und hielt verkrampft die Zügel fest.

Als die Männer weg waren, konnten sie wieder das Lärmen und Lachen aus dem Gasthaus hören. Gaira lenkte ihr Pferd ganz dicht zu Robert. Dann beugte sie sich vor und flüsterte: „Wenigstens wissen wir jetzt, wie sie über Engländer denken. Seht Ihr jetzt also ein, dass es besser ist, wenn ich hineingehe und frage, ob es noch freie Kammern gibt?"

„Ja, geht nur", flüsterte er auf Gälisch. „Fragt nach einer Unterkunft für Euch und die Kinder. Ich breche heute Abend noch auf."

Sie schnaubte wütend. „Kein Grund, Angst zu haben. Ich verrate Euch nicht. Es ist besser, wenn Ihr bleibt."

Er blickte sie kurz an. In seinen Augen lag ein Ausdruck, den sie bisher noch nicht an ihm gesehen hatte. „Nein", antwortete er entschieden.

Sie riss ihren Blick von ihm los. Es hatte keinen Sinn, mit ihm zu streiten. Ohne ein weiteres Wort reichte sie ihm Maisie, sprang vom Pferd und half Alec beim Absteigen.

Als sie aus dem Gasthaus herauskam, hielt Robert die Pferde am Zügel fest, während Alec und Maisie aufgeregt vor ihm herumsprangen, um seine Aufmerksamkeit zu bekommen. Sie sah sich auf dem Platz um. Creighton und Flora waren auf die andere Seite gelaufen und schauten einem Schmied bei der Arbeit zu.

Robert achtete nicht auf sie, er stand einfach nur da. Vielleicht hatte er Angst bekommen wegen der feiernden, betrunkenen Männer. Der Gedanke beunruhigte sie, denn Robert hatte bisher den Eindruck erweckt, sich vor nichts zu fürchten.

Was immer er vorhatte, momentan waren sie noch auf ihn und seinen Schutz angewiesen. Er hatte gesagt, er würde sie bis zum nächsten Dorf bringen. Dennoch hatte sie gehofft, dass er sie noch weiter begleiten würde. Sie wagte nicht, weiter in Richtung Westen zu reiten, denn dann wären sie zu nahe an Busbys Burg. Deswegen mussten sie einen Umweg machen und das Land der Buchanans durchqueren. Doch die Buchanans und die Colquhouns waren seit Jahren verfeindet, und man würde sie nicht sonderlich gern dort sehen.

„Gute Neuigkeiten." Sie zauste Alec durchs Haar. „Der Gastwirt sagt, dass er eine Kammer hat, die groß genug für uns alle ist. Da die Kinder bei uns sind, brauchen wir ja auch keine getrennten Räume."

Robert sah nicht auf.

„Es ist zu dunkel, um weiterzureiten. Und es fängt gleich an zu regnen", fügte sie hinzu.

Er drehte sich zu ihr um und sah sie mit eiskaltem Blick an. Sie wünschte sich beinahe, dass er wieder wütend werden würde wie zuvor, oder zumindest so schroff wie immer. Diesen Robert, der sie jetzt ansah, kannte sie nicht.

„Ich breche beim ersten Sonnenstrahl auf", sagte er. „Ihr müsst euch selbst um Eure Einkäufe kümmern. Ich kann nicht länger bleiben."

Sie wusste, dass es ein denkbar schlechter Zeitpunkt war, um ihn um einen Gefallen zu bitten. Dennoch bat sie: „Ich brauche Geld von Euch, denn ich habe keins."

„Ihr sollt es haben." Kurz dachte sie, dass seine Mundwinkel nach oben gingen, doch nicht aus Belustigung. „Habt Ihr mich nicht deswegen überhaupt mitgenommen?"

Er machte sich über sie lustig. Als sie Robert um Hilfe gebeten hatte, war ihre Absicht gewesen, sein Pferd zu benutzen und sich und die Kinder unter seinen Schutz zu stellen. An Geld hatte sie nicht gedacht. Peinlich berührt begann sie: „Ich hatte keine ..."

Im gleichen Moment flüsterte Robert: „Verzeiht bitte." Er nahm Maisie und hob sie vom Boden hoch. „Ich wollte Euch nicht in Verlegenheit bringen."

Er hatte sich bei ihr entschuldigt, das tat er sonst nie! Sie wurde einfach nicht schlau aus ihm. Wenn er sich von Anfang an so kalt und hart ihnen gegenüber gegeben hätte, dann hätte sie ihn niemals gebeten, sie zu begleiten. Er sah viel zu gefährlich und Furcht einflößend aus. Sie konnte sich gar nicht vorstellen, dass sie ihn noch vor Kurzem begehrt hatte ... geschweige denn, dass sie sich geküsst hatten. Bei dem Gedanken stieg ihr das Blut in die Wangen. Seit sie in dem Dorf angekommen waren, verhielt er sich merkwürdig. Doch genau genommen verhielt auch sie sich häufig merkwürdig, seit sie sich kannten. Sie küsste einfach einen vollkommen Fremden, zeigte ihm, wie sehr sie ihn begehrte, bat ihn um seinen Schutz, wollte sein Geld ... und ihn.

„Nein. Ich sollte mich entschuldigen", sagte sie. „Ich hatte nicht die Absicht ..."

„Genug jetzt", sagte er. „Auf dieser Reise passieren die ganze Zeit Dinge, die nicht beabsichtigt waren. Lasst uns die Kammer ansehen."

Sie öffneten die Tür des Gasthauses, und der Wirt kam sofort auf sie zu.

„Meine Frau hat schon alles für Euch hergerichtet. Ich lasse die Pferde nach hinten in den Stall bringen." Er winkte einen Stallburschen herbei.

Gaira rief Flora und Creighton zu sich und folgte dem Wirt ins Innere des Hauses, das nur spärlich beleuchtet war. Der Herbergsbesitzer führte sie zwischen den Tischen und Bänken hindurch.

Die Kammer befand sich hinter dem Schankraum. Sie war einfach und sauber, und es gab eine Feuerstelle, ein Bett und einen Hocker. Aber sie bot nicht sehr viel Platz. Sie hatte eingewilligt, das Zimmer zu nehmen, weil der Wirt gesagt hatte, dass es groß genug für sie alle war.

In das Bett passten kaum zwei Leute, geschweige denn sechs, und sie konnte durch die dünnen Wände den Lärm aus der Wirtsstube hören.

Wenn die Kinder zusammen im Bett schliefen, dann hatten sie und Robert keine Schlafmöglichkeit. Und selbst auf dem Boden vor der Feuerstelle gab es nur Platz für eine Person. Für ein Ehepaar wäre die Kammer vielleicht geeignet. Aber sie war vollkommen unangemessen für einen Mann und eine Frau, die nicht miteinander verheiratet waren. Sie konnten unmöglich hierbleiben.

16. Kapitel

Gaira drehte sich um und setzte ihr fröhlichstes Lächeln auf. Weder der Wirt noch Robert würden ihren plötzlichen Sinneswandel verstehen. Doch ihre Gefühle für Robert verwirrten sie zu sehr, als dass sie mit ihm in so einem kleinen Raum schlafen konnte. Was, wenn ihr Verlangen zurückkehrte und sie etwas Dummes tun würden?

Plötzlich ertönte draußen ein lauter Donnerschlag, und kurze Zeit später war das Prasseln eines Regenschauers zu hören. Ihr Lächeln erstarb. Das Gewitter war da. Jetzt konnte sie mit den Kindern nicht mehr weiterreiten.

Wenigstens würde Robert erfreut sein, dass sie ein Dach über dem Kopf hatten, denn schließlich wurde er nicht gerne nass. Sie musste beinahe kichern, als ihr wieder einfiel, wie er sich geziert hatte.

Sie lächelte den Wirt herzlich an und sagte: „Wir würden gerne etwas essen. Gibt es noch etwas?"

„Ja, Hammel in Biersoße und etwas Brot."

Erfreut bestellte Gaira: „Dann für jeden von uns eine Schale Eintopf und ein Stück Brot, bitte."

„Und Honig!", rief Alec.

„Und Bier", fügte Robert hinzu.

Gaira warf ihm einen wütenden Blick zu, den er jedoch ignorierte. Sie drehte sich wieder zum Wirt. „Habt Ihr vielleicht etwas Honig?"

„Bier, ja, aber Honig, nein."

„Ich bin mir sicher, dass Euer Eintopf köstlich sein wird. Und wir nehmen gerne das Bier. Danke."

Der Wirt nickte, öffnete die Tür und ging hinaus.

Gaira drehte sich zu Robert um. „Ihr habt gesprochen!"

„Ja, das tue ich manchmal."

Sie stemmte ärgerlich beide Hände in die Hüften. „Ich dachte, wir hatten abgemacht, dass Ihr das besser bleiben lasst!"

„Aber ich wollte das Risiko nicht eingehen, dass Ihr mir kein Bier bestellt."

„Für Bier würdet Ihr also Euer Leben riskieren?"

„In gewissen Situationen, ja."

„Und jetzt haben wir so eine Situation?"

„Mit vier Kindern und Euch in einer kleinen Kammer eingesperrt zu sein, ertrage ich nur mit Bier, ja. Ich hoffe, er bringt mir genug."

Busby konnte sein Glück kaum fassen. Gerade als er dachte, dass er in dem Gasthaus seine Zeit verschwendete, marschierte der Grund, warum er überhaupt unterwegs und hier gelandet war, zur Tür herein.

Er hatte sie an ihren flammend roten Haaren erkannt. Selbst im dunkelsten schottischen Wetter wirkte es noch wie ein Leuchtfeuer. Doch ihre restliche Erscheinung hatte sich so sehr verändert, dass er sie erst erkannte, als sie zum zweiten Mal hereinkam.

Sie war groß und schlank wie immer, doch sie hinkte leicht. Er erinnerte sich nicht, dass sie gehumpelt war. Aber das war es nicht, was sie so anders aussehen ließ. Nein, es war ihr Gesicht, das nun nicht mehr rot und geschwollen war, sondern fein geschnitten und … gar nicht mehr hässlich. So schlimm wäre es also gar nicht, das Weib als Ehefrau zu haben.

Das Schicksal hatte ihm also einen glücklichen Zufall beschert. Zum einen, dass seine Braut ausgerechnet in diesen Gasthof spazierte, und zum anderen, weil er weit genug entfernt in einer dunklen Ecke saß, wo sie ihn nicht sah, während sie mit dem Wirt sprach.

Und das Schicksal hatte noch mehr im Angebot, denn sie war nicht allein. Vier Kinder liefen ihr und einem unbekannten Mann hinterher wie Entenküken.

Busby musterte den Mann genau. Er bewegte sich vollkommen sicher und hielt den Kopf gesenkt. Doch er sah, dass er mit seinem Blick den ganzen Raum durchstreifte. Busby hatte keine Angst, dass er ihn erkennen konnte, denn sie waren einander nie zuvor begegnet.

Er hielt seinen Bierkrug dicht vor das Gesicht und sah, wie sie in einer der Kammern hinter dem Schankraum verschwanden. Als sich die Tür kurze Zeit später wieder öffnete, drehte er schnell den Kopf weg. Doch es war nur der Gastwirt. Wenig später brachte der Mann mehrere Portionen Essen nach hinten.

Sie wollten also nicht mit den anderen Gästen zusammen essen, und sie hatten vor, über Nacht zu bleiben. Umso besser für ihn. Das Glück schien ganz auf seiner Seite zu sein.

Seine einzige Sorge war der Mann mit dem Schwert. Zwar war er nicht so groß wie er selbst, doch er sah aus wie ein Krieger und konnte gefährlich werden. Also durfte er ihn nicht offen herausfordern, aber er musste ihn unschädlich machen. Er brauchte die Frau – für seine Kinder und für sich selbst.

Immer wenn er an seine Kinder dachte, füllte sich sein Herz mit Stolz. Er durfte sie nicht enttäuschen. Er würde sich die rote Hexe packen, ihr Gehorsam beibringen und dafür sorgen, dass sie sich um seine Kinder kümmerte. Die Gören, die sie jetzt bei sich hatte, waren nicht ihre, und es war ihm vollkommen egal, was mit ihnen passierte.

Zufrieden nahm er einen großen Schluck aus seinem Bierkrug. Alles lief hervorragend, wer hätte das gedacht? Sie war ihm direkt in die Arme gelaufen, und er musste ihr nicht länger hinterherjagen. Und er würde jeden töten, der sich ihm in den Weg stellte.

„Ich fand den Eintopf köstlich", sagte Gaira laut, um das Geräusch des Regens zu übertönen. „Ich glaube, der Wirt hat ein bisschen Met dazugegeben, für den Geschmack."

Sie ging zu dem kleinen Hocker, machte dann aber auf dem Absatz kehrt und lief zur Wand gegenüber. „Ich dachte immer, davon würde der Eintopf zu süß, doch er war gut."

Robert lehnte an der Tür und trank einen Schluck Bier.

„Wahrscheinlich hat er ihn hineingetan, weil Alec nach Honig gefragt hat. Oder glaubt Ihr, dass er das immer so macht?"

Robert ließ seinen Krug kreisen, erwiderte jedoch nichts.

Sie ging zurück zum Hocker und lief ein paarmal um ihn herum. „Der Abend wird auch nicht schneller vorbeigehen, wenn Ihr schweigt."

Er zuckte mit den Schultern. „Aber es ist einfacher."

Er warf ihr einen vielsagenden Blick zu und sah dann zu den Kindern. Als er sich wieder ihr zuwandte, ruhte sein Blick einen Moment lang auf ihren Lippen, bevor er ihn zu ihren Brüsten, ihrer Taille und dann ganz langsam an ihren Beinen hinabwandern ließ.

Als er sie so voller Verlangen ansah, wurde ihr ganzer Körper von glühender Hitze durchströmt. Sie verstand nur zu gut, was er gemeint hatte. „Oh!"

Er nahm noch einen Schluck Bier.

„Warum trinkt Ihr nicht in der Wirtsstube?" Sie hob fragend die Augenbrauen.

„Ihr seid nur durch diese Tür von den Männern da draußen getrennt, und es gibt kein Schloss. Wenn ich hinausgehe, wird es nicht lange dauern, bis irgendein Betrunkener mich zum Kämpfen herausfordert, was nicht gut für ihn ausgehen würde. Dann käme es zu einem Tumult. Um das zu vermeiden, bleibe ich hier. Und wenn ich mich zum Schlafen hinlege, dann direkt vor die Tür."

Sie versuchte vergeblich, an seinem Gesicht abzulesen, was wirklich in ihm vorging. Er hielt sich kerzengerade, trotz der beträchtlichen Menge an Bier, die er bereits getrunken hatte. Keiner von beiden hatte sich auf den Hocker gesetzt. Sie war rastlos in der Kammer umhergelaufen, während er an der Tür stehen geblieben war.

Jedes Mal, wenn sie in seine Nähe gekommen war, hatte er sich unruhig bewegt und war jedes Mal vor ihr zurückgewichen. Er war demnach alles andere als entspannt. Also hatte er doch Gefühle für sie! Sein arroganter Blick, als er ihren Körper betrachtet hatte, war reiner Selbstschutz. Er tat das, damit sie sich unwohl fühlte und unsicher wurde.

Und für einen Moment hatte seine Taktik funktioniert.

Doch mit einem Mal fühlte sie sich alles andere als unsicher. Mit ein paar Schritten durchquerte sie die Kammer und ging direkt auf ihn zu. Sie wusste, dass sie ihn wollte! Er hingegen hatte sich merkwürdig verhalten, seit sie hier angekommen waren, und sie musste wissen, was in ihm vorging. Vielleicht hatte er ihren Kuss schon vergessen, sie jedoch nicht!

Er bewegte sich nicht, nahm aber den Krug herunter und sah ihr direkt in die Augen.

Im Feuerschein wirkten seine Gesichtszüge noch markanter und männlicher. Ohne den Bart und mit den kürzeren Haaren sah er vollkommen anders aus. Seine Augen verschwanden nicht mehr hinter den wilden Strähnen, die ihm ins Gesicht gefallen waren. Doch auch vorher hatte er es bereits geschafft, sie mit seinen Blicken in seinen Bann zu ziehen.

Auch wenn sich einige verblasste Narben über seine Wangen zogen, ließ sich nicht leugnen: Robert of Dent war ein gut aussehender Mann.

Schon zuvor hatte sie sich aus unerklärlichen Gründen von ihm angezogen gefühlt. Doch jetzt war sie ihm absolut ... verfallen.

Sie machte einen weiteren Schritt auf ihn zu, und er wandte sich wieder von ihr ab.

Er, der große, starke Krieger, schien Angst vor ihr zu haben. Sie musste beinahe lachen. „Wovor habt ihr solche Angst?"

Verwunderung leuchtete in seinen Augen auf. Er deutete auf die Tür. „Ich dachte, ich hätte es deutlich gemacht."

Sie kam noch näher. „Nein, Ihr habt keine Angst vor den Männern da draußen. Da ist noch etwas anderes, das Ihr fürchtet."

„Nein, nichts."

Sie wusste nicht, was in sie gefahren war, als sie sagte: „Doch, mich."

Sie sah, wie seine Hand kurz zuckte, bevor er den Krug schnell an seine Lippen führte, um von der verräterischen Bewegung abzulenken. Er trank einen tiefen Schluck und nahm den Krug wieder herunter. „Ja, Ihr seid da und die Kinder. Und dann ist da noch diese verdammte Reise, zu der Ihr mich genötigt habt."

„Dass Ihr uns beschützt, bedeutet mir sehr viel."

„Ihr vergesst, dass ich Euch nur einen Teil des Weges begleite. Morgen früh breche ich auf."

„Ich denke ununterbrochen daran. Ich hatte gehofft ..." Sie hielt inne, denn sie wusste nicht, ob sie ihn fragen sollte. Doch sie hatte keine andere Wahl. „Ich hatte gehofft, dass Ihr uns auch auf der restlichen Strecke begleitet."

Er sah sie voller Verwunderung an. Nein, es war eher Entsetzen, und seine Reaktion schmerzte sie sehr. Vielleicht war es nicht der richtige Zeitpunkt, aber dies war eine Notsituation. Sie musste ihn noch einmal fragen.

„Wartet Ihr wenigstens so lange, bis ich ein Pferd und Proviant gekauft habe?"

Er beugte sich vor und stellte den Krug auf den Boden. „Eine Stunde mehr oder weniger kann es auch nicht mehr schlimmer machen."

Sie wandte sich zu den Kindern um. Alle schliefen fest und wirkten entspannt. Und das lag an Robert. Er gab ihnen Sicherheit, wenn auch widerstrebend.

„Ich sehe nicht, was so schlimm daran sein soll", sagte sie.

„Nein, das habe ich gemerkt." Jetzt war er es, der wütend einen Schritt auf sie zuging. „Ihr habt ja auch nie gefragt, ob es mir Probleme bereitet, wenn ich Euch begleite!"

Mit einem Mal fühlte sie sich so schuldig, dass sich ihr Magen zusammenkrampfte. Sie wusste, dass er sein Leben aufs Spiel setzte, je tiefer sie in schottisches Gebiet vordrangen. Doch sie hatte nie darüber nachgedacht, dass es ihm noch andere Probleme bereiten könnte. Aber was meinte er?

Jetzt war nicht die Zeit, darüber nachzugrübeln. Es ging um das Wohl und die Zukunft der Kinder, und sie war diejenige, die dafür sorgen musste, dass die Kinder unbeschadet auf das Gebiet ihrer Brüder gebracht wurden. Daher war es vollkommen gerechtfertigt, dass sie ihn um Begleitschutz bat. Ihr schlechtes Gewissen verwandelte sich in Wut. „Ich habe Euch bloß wegen unserer Sicherheit darum gebeten!", fauchte sie.

„Ja! Ihr habt bloß Eure eigene Sicherheit im Sinn, Euren eigenen Vorteil. Und ich soll verdammt sein, weil ich auf mein Gewissen gehört habe und mit Euch gekommen bin!"

Eine Welle des Zorns packte sie. Wie konnte er es wagen, so etwas zu sagen!

„Das ist nicht wahr! Ich werde zu leiden haben, wenn wir erst bei meinen Brüdern sind!"

Er kniff fragend die Augen zusammen. „Was meint Ihr damit?"

Sie verfluchte sich dafür, dass sie in ihrer Wut die Worte nicht hatte zurückhalten können. „Ach, nichts."

„In was für eine Gefahr bringt Ihr uns mit dieser Reise, Gaira?"

Sie versuchte, möglichst beiläufig zu klingen. „Ich habe weder Euch noch die Kinder in Gefahr gebracht."

„Und was ist mit Euch?"

Sie drehte sich verzweifelt um, doch sie konnte nicht weg, und es gab keine Möglichkeit, seiner Frage auszuweichen. „Meine Brüder werden wahrscheinlich nicht sehr glücklich sein, mich zu Hause zu sehen."

„Warum?"

Sie wollte ihm auf keinen Fall die Wahrheit sagen und ihre Demütigung preisgeben. Doch sie war eine zu schlechte Lügnerin. „Ich bin weggelaufen. Zu meiner Schwester."

„Warum?", fragte er noch einmal.

Wieso musste er so schrecklich hartnäckig sein? „Ist der Grund denn wichtig?" Sie drehte sich zu ihm und sah ihn an. „Es ist allein meine Sorge, nicht Eure. Ihr habt schließlich oft genug gesagt, dass Ihr morgen früh aufbrecht und in Euer heiß geliebtes England zurückkehrt."

„Ich habe meine Gründe."

„Geheimnisse wohl eher. Warum wollt Ihr mich zwingen, Euch die Wahrheit zu sagen, wenn Ihr selbst etwas zu verbergen habt?"

„Wollt Ihr tatsächlich schon wieder darüber reden? Ich dachte, es spiele keine Rolle, wer ich bin und was mein Hintergrund ist, solange ich Euch zur freien Verfügung stehe."

Er sprach zwar ruhig und leise, dennoch war die Wut aus seiner Stimme herauszuhören. Doch es war nichts im Vergleich dazu, wie zornig sie selbst war. Wie die wilden Wellen des Clyde stieg eiskalte Wut in ihr auf und packte sie.

„Ich!" Sie zeigte mit dem Finger auf ihre Brust. Sie flüsterte zwar, doch am liebsten hätte sie laut geschrien. „Ich werde alles für diese Kinder tun. Sogar einen ungehobelten, ungepflegten englischen Schottenmörder um Hilfe bitten! Ich tue es. Für die Kinder!"

Sie ging ein paar Schritte auf ihn zu und sah ihm wütend in die dunkelbraunen Augen. „Ich habe Euch nicht gefragt, weil ich Eure Gesellschaft suche, Engländer! Nein, ich habe Euch gefragt, weil mir das Schicksal oder Gott, der Teufel oder wer auch immer keine andere Wahl gelassen hat." Sie atmete tief ein. „Ich habe Euch gefragt, weil außer Euch niemand da war."

Sie konnte sehen, dass er jetzt heftig ein- und ausatmete. Seine Augen wurden beinahe schwarz vor Wut und funkelten sie furcht-erregend an.

„Ja, ich war da", sagte er mit leiser Stimme und ging auf sie zu. „Ja, ich habe zugestimmt, Euch zu begleiten. Aber Gott soll mein Zeuge sein, dass ich mich in Zukunft nie wieder auf solch einen Unsinn einlasse! Der Preis ist viel zu hoch."

„Sagt mir nichts davon, wie hoch der Preis ist!" Noch ein Schritt, und er wäre nahe genug bei ihr, um ihm eine Ohrfeige zu verpassen. „Der Preis, den ich gezahlt habe, ist mehr als doppelt so hoch wie Eurer, da bin ich mir sicher! Erst Irvettes Tod, dann noch mein …"

Sie brach ab. Beinahe hätte sie etwas Falsches gesagt. Der bloße Gedanke an ihre Schwester machte sie rasend vor Trauer, und es gab nichts, was sie dagegen tun konnte.

Er sah sie aufmerksam an und musterte ihre Gesichtszüge, auf denen jetzt deutlich zu lesen war, wie aufgewühlt sie war.

„Kommt nicht näher!", sagte er mit heiserer Stimme.

Sein schwerer Atem und der Ausdruck seiner Augen verrieten ihr, dass er die Worte nicht aus Wut gesprochen hatte. Es war pures Verlangen, das ihn offensichtlich quälte, und es fiel ihm schwer, die Kontrolle zu behalten.

Warum sollte sie nicht näher kommen? Sie wusste, dass die Leidenschaft ihr helfen würde, ihre Trauer und den Schmerz zu vergessen. Und sie wollte nichts mehr, als diese Leidenschaft zu spüren.

„Nein!" Seine Stimme klang jetzt hart. „Was auch immer Ihr gerade fühlt, Ihr dürft diesem Gefühl nicht nachgeben. Es kostet mich mehr Kraft, als ich habe, hier an dieser Stelle stehen zu blei-ben. Wenn Ihr auch nur einen Hauch näher kommt, dann kann ich mich nicht mehr zügeln. Selbst die Kinder könnten mich nicht davon abhalten."

Die Kinder.

Schnell stolperte sie nach hinten aus seiner Reichweite. „Ich wollte nicht …"

„Sagt nichts!" Er atmete geräuschvoll aus und rieb sich den Nacken. „Es war richtig von Euch, mich zu fragen, ob ich Euch und die Kinder begleite." Er nahm den Arm herunter. „Ich bin derjenige, der sich entschuldigen muss. Ich habe kein Recht, wütend zu sein oder Euch ein schlechtes Gewissen wegen meiner Entscheidung zu machen."

Er hob eine Hand, wie um ihr Gesicht zu berühren, ballte dann aber die Finger zur Faust und ließ den Arm sinken. „Ich wollte Euch nicht wehtun. Ihr habt viel verloren durch meine Landsleute." Er lächelte sie schief an. „Ich sollte wenigstens für einen Teil meiner Schuld bezahlen. Und wenn es hilft, dass ich dafür sorge, dass Ihr und die Kinder für den Rest des Weges alles habt, was Ihr benötigt, dann werde ich es tun. Ich werde Euch nicht weiter begleiten. Aber ich warte so lange, bis Ihr alles besorgt habt."

Sie schaffte es nicht, sein Lächeln zu erwidern, doch sie versuchte, ihre Stimme fröhlich klingen zu lassen. „Keine Sorge, Engländer. Ich werde schon dafür sorgen, dass Ihr bezahlt. Denn ich habe vor, ein richtig gutes Pferd zu kaufen."

17. Kapitel

Als Gaira aufwachte, war es noch dunkel, und sie hörte leises Schluchzen, das aus Richtung des Bettes kam.

Sie drehte sich um und spürte, dass ihre Beine die von jemand anderem berührten. Jemand, der größer und stärker war als sie. Vor Schreck zuckte sie zusammen. Sie war vor dem Feuer eingeschlafen, noch bevor Robert sich zur Ruhe gelegt hatte. Sie lagen dicht beieinander, und ihre Füße fühlten sich warm an, denn sie hatte sie an seine gedrückt.

Dann hörte sie wieder einen unterdrückten Schluchzer vom Bett und riss ihre Gedanken davon los, wie es sich anfühlte, Roberts Wärme zu spüren.

Sie bewegte sich langsam und leise, um ihn nicht zu wecken. Dann stand sie auf und ging leise zu Flora hinüber, die jetzt immer heftiger schluchzte.

Gaira kniete sich neben das Bett und legte Flora eine Hand auf den Arm.

„Es ist gut. Du musst die Tränen nicht zurückhalten", flüsterte sie. Sie wünschte, sie könnte Flora in den Arm nehmen und sie trösten. Doch sie wusste, dass sie Maisie und Alec wecken würde. „Es tut gut zu weinen."

Flora drehte sich zu ihr. Die ersten Sonnenstrahlen des neuen Tages drangen jetzt in die Kammer, und Gaira konnte sehen, dass die Augen des Mädchens vom Weinen ganz rot waren und sich dunkle Ringe darunter gebildet hatten.

Flora zog die Nase hoch. „Ich habe dich noch nie weinen sehen."

Gaira wusste nicht, was sie darauf erwidern sollte. Sie hatte nach dem Tod ihrer Schwester nicht geweint. Nicht ein einziges Mal. Der Schmerz in ihrem Herzen saß einfach zu tief. Doch sie

117

wusste, dass es gut für Flora sein würde, wenn sie sah, dass auch sie trauerte. Dass auch sie Menschen verloren hatte, die sie liebte.

„Ich fühle ebenfalls Trauer, Flora. Aber ich kann sie nicht zeigen, weil sie hier drin gefangen ist." Sie rieb sich über die Brust, über die Stelle, unter der sich ihr Herz befand. „Ich wollte euch mit meiner Trauer nicht wehtun, deswegen habe ich nicht geweint. Aber vielleicht war das keine so gute Idee."

Floras Tränenfluss verebbte langsam. Auch Alec und Maisie waren erwacht und hörten zu.

Gaira strich dem Mädchen liebevoll ein paar tränennasse Haarsträhnen aus dem Gesicht. „Ich vermisse meine Schwester sehr, Flora. Genau wie ihr eure Eltern vermisst."

Mit einem Mal hörte sie, wie jemand hinter ihr sich geräuschvoll streckte und gähnte. Robert war wach. Sie fragte sich, wie lange er wohl schon zuhörte.

Gaira verdrehte die Augen, und Flora musste kichern.

Sie stand auf und wandte den Kopf. „Guten Morgen, Robert."

„Habe ich Euch wach gemacht?"

„Nein, ich habe gerade die Kinder geweckt." Gaira hob Maisie hoch. Alec sprang voller Energie auf, so wie immer, und stieß Creighton mit dem Ellbogen an, als er vom Bett sprang.

„Creighton, aufstehen!"

Creighton zeigte keine Reaktion und hatte die Bettdecke noch immer über seinen Kopf gezogen.

Gaira beugte sich mit der verschlafenen Maisie zu dem Jungen hinab. „Creighton, du musst auch aufstehen." Sie küsste Maisie auf die Stirn, setzte sie vorsichtig ab und zog Creighton die Bettdecke von den Schultern.

Sie hatte nicht mit dem herumwirbelnden Arm gerechnet und konnte nicht rechtzeitig ausweichen, sodass der Schlag sie mit voller Wucht in der Magengrube traf und sie zu Boden sank.

Creighton hörte nicht auf, stand auf und schlug weiter wie wild um sich. Er war vollkommen außer sich und wirbelte weiter mit den Fäusten vor ihrem Gesicht herum. Einige Hiebe trafen sie, und sie schrie leise auf vor Schmerz.

Robert reagierte sofort. In zwei Schritten war er am Bett angekommen, hob den Jungen hoch und presste ihn fest gegen seine

Brust. Creighton schwieg, und sein Blick ging ins Leere, doch er schlug weiter um sich und traf Robert mehrfach mit seinen Fäusten und Beinen.

Schließlich ließ der Schmerz nach, und Gaira schaffte es, sich aufzurichten. Flora hatte sich ängstlich an sie geschmiegt, Alec hatte sich auf dem Boden zusammengekauert, und Maisie weinte. Fasziniert beobachte Gaira, was sich gerade vor ihren Augen abspielte.

Robert summte ein Lied und ließ Creighton weiter auf ihn einschlagen. Gaira kannte das Lied nicht, doch seine Stimme klang beruhigend und sanft.

Als Creighton schließlich aus seinem rauschähnlichen Zustand erwachte, hörte er sofort auf, um sich zu schlagen. Doch als er merkte, wo er war, stand ihm die Wut ins Gesicht geschrieben, und er versuchte mit aller Macht, sich aus Roberts Armen zu befreien.

Robert ließ ihn herunter und ging zur Tür. „Ich sehe mal nach, was es zum Frühstück gibt."

Nachdem er gegangen war, weinte Maisie noch immer, und Gaira versuchte, sie zu trösten. Flora war wieder an Creightons Seite und strich ihm vorsichtig über den Rücken.

Creighton sah sie fragend an, und Gaira wusste nicht, was sie sagen sollte. Doch sie musste ihm irgendeine Erklärung liefern.

„Es war meine Schuld, Creighton. Ich hätte dich nicht so plötzlich wecken dürfen. Du warst noch nicht richtig wach. Du wusstest nicht, was du tust."

Creighton sah sie an. Seine blauen Augen waren vor Schreck geweitet, und sie konnte sehen, dass er ein schlechtes Gewissen hatte. Doch er sagte noch immer nichts.

Gaira wischte Maisie die Tränen ab und drückte sie kurz an sich. Dann kniete sie sich vor Creighton und Flora auf den Boden.

„Es war für uns alle ein aufregender Morgen. Und das ist nach allem, was wir erlebt haben, auch nicht verwunderlich. Wir werden alle noch eine ganze Weile brauchen, bis wir das überwunden haben."

Flora legte ihren Kopf auf Creightons Schulter, und der Junge nickte. Immerhin hatte er eine Reaktion gezeigt. Gaira hoffte inständig, dass mit der Zeit alle ihre Wunden – ihre und die der Kinder – verheilen würden.

„Aber wisst ihr, was wirklich verwunderlich ist?" Sie lächelte verschwörerisch in die Runde. „Wer hätte gedacht, dass dieser grantige Engländer so schön singen kann?"

Gaira rückte die Bündel mit ihren Einkäufen auf ihrem Arm zurecht und ging zu den Pferden. Die Morgensonne hatte den nassen Boden schon fast wieder getrocknet, und die Luft war feucht und warm. Sie konnte es kaum erwarten, endlich aufzubrechen.

Robert brachte einige Riemen am Sattel des neuen Pferdes an, und sie legte ihre Beutel neben ihm ab.

„Das Geld, das Ihr mir gegeben habt, hätte gereicht, um Haferkekse für drei Reisen zu kaufen."

„Ihr braucht auch frisches Fleisch, wenn Ihr unterwegs seid. Doch das Trockenfleisch sollte fürs Erste reichen." Er sah zu den Kindern hinüber, die freudig das neue Pferd streichelten. „Offenbar trifft das Pferd den Geschmack der Kinder."

Obwohl sie von ihrem vorigen Besitzer schlecht behandelt worden war, wie die Striemen auf ihrem Fell bewiesen, handelte es sich um die freundlichste Stute, die Gaira je gesehen hatte. Sogar Flora hatte ihre Angst vergessen und streichelte ihr sanft über die weichen Nüstern.

Gaira lächelte. „Ja. Ich glaube, sie hat schon gemerkt, dass sie in guten Händen ist."

Robert fuhr fort, die Gurte zu befestigen. Sie liebte es, ihm dabei zuzusehen. Seine Hände bewegten sich so sicher und geschickt. Die Stute blickte ihn nervös an, als er am Sattelgurt zog.

„Aber ich glaube, sie mag Euch nicht besonders", stellte Gaira fest.

Er wandte sich zu ihr um. „Das muss sie auch nicht. Sie soll nur ihre Pflicht tun."

Es sah ihm so ähnlich, so etwas zu sagen.

„Sie ist ein Lebewesen", stellte sie klar.

„Das sind wir alle." Er wandte sich jetzt seinem eigenen Pferd zu. „Aber das heißt nicht, dass wir keine Pflichten haben."

Diese Bemerkung verriet ihr einiges über den Mann, der er war, und was ihn antrieb. Er sprach von Pflichten, aber sie wusste, dass es etwas anderes war.

Ihr lief die Zeit davon. Er hatte gesagt, dass er sie nicht noch weiter begleiten würde. Doch das musste er. Vielleicht konnte sie ihn überzeugen, wenn sie seine Beweggründe kannte.

„Seid Ihr deswegen hier in Schottland?", fragte sie. „Und wollt Ihr uns deswegen verlassen? Weil ihr Verpflichtungen habt?"

Er drehte sich um und ging ein paar Schritte von seinem Pferd weg. „Die meisten Menschen haben irgendwelche Verpflichtungen."

„Aber nicht Ihr", widersprach sie. „Oh ja, Ihr seid sehr pflichtbewusst bei der Pflege Eurer Schwerter und Eures Pferdes. Aber das erklärt weder, warum Ihr nach Doonhill gekommen seid, noch, warum Ihr uns geholfen habt und warum Ihr jetzt wegwollt."

Sie sah, dass er vorsichtig wurde, und wusste, dass sie der Wahrheit sehr nahe gekommen war.

Plötzlich erklang ein gutturales Gebrüll.

Gaira zuckte vor Schreck zusammen, und als sie den Mann entdeckte, der hinter Robert sein Schwert schwang, schrie sie ihm eine Warnung zu.

Der wirbelte herum und duckte sich. Um ein Haar hätte ihn die Klinge getroffen, die über seinem Kopf durch die Luft sauste.

Gaira zitterte am ganzen Leib. Sie stand direkt neben Robert, hatte sich jedoch nicht geduckt, und die Schwertspitze hatte beinahe ihr Gesicht gestreift.

„Nehmt die Kinder!", rief Robert ihr zu.

Blitzschnell rannte sie los. Die Kinder standen hinter den Pferden und hatten nicht gesehen, was vor sich ging. Hastig zog sie sie aus der Gefahrenzone. Weg von Robert – und von Busby of Ayrshire!

Sie hatte den großen, massigen Mann sofort erkannt. Ihr Bräutigam hatte sie also gefunden. Und er war gerade dabei, Robert zu töten. In seinen Augen loderte Zorn und Hass, als er erneut ausholte, um mit seinem Schwert zuzustoßen.

Robert hatte nichts, womit er sich verteidigen konnte, nicht mal einen Schild. Er stand zu weit von den Pferden entfernt und damit auch von seinen Waffen. Er hatte keine Chance!

Sie griff Creighton am Arm, bis der sie ansah. „Bleibt hier stehen!"

Dann rannte sie zu Roberts Pferd hinüber und zerrte an dem nächstbesten Schwert, doch es steckte im Futteral fest.

Busby brüllte erneut voller Wut, kurz danach schrie Robert laut auf. Um Gottes willen, war er etwa bereits tödlich verletzt? Sie konnte keinen klaren Gedanken fassen, zog nur mit aller Kraft am Griff des Schwertes, doch es bewegte sich nicht.

Mit einem Mal stand Creighton neben ihr und öffnete mit geschickten Handbewegungen die Schnallen, die das Schwert hielten, sodass es samt der Scheide zu Boden fiel. Schnell ging sie auf die Knie.

Mit zitternden Fingern öffnete sie das Futteral und zog die schwere Klinge heraus. Dann drehte sie sich mit der halb erhobenen Waffe zu den kämpfenden Männern um.

Robert kämpfte um sein Leben. Er hatte den Angriff genauso wenig kommen sehen wie sie. Völlig überraschend war Busby hinter der dicken Eiche, die auf dem Platz stand, hervorgesprungen.

Robert hielt einen großen Ast in den Händen, mit dem er sich notdürftig verteidigte. Doch Busby schlug auf das Holzstück ein, das Stück für Stück kürzer wurde.

Busby hatte ihr den Rücken zugedreht, aber Robert konnte sie und das Schwert sehen, und ein siegessicheres Strahlen trat ihm in die Augen. Sie hingegen war sich ihrer Sache gar nicht so sicher.

Sie konnte sich den beiden Männern nicht weiter nähern, denn Busby wirbelte wie ein Verrückter mit der scharfen Klinge umher. Robert musste irgendwie an ihm vorbeikommen, um an seine Waffe zu gelangen.

Er täuschte vor, nach rechts unten zu gehen. Busby hob sein Schwert über den Kopf, um zuzuschlagen. Genug Zeit für Robert, um sich in ihre Richtung zu werfen.

Doch der Abstand zwischen ihnen war zu groß, und Busby hatte sich von dem missglückten Hieb bereits erholt.

Mit aller Kraft ließ Gaira das Schwert über den Boden schlittern. Sie hielt die Luft an. Als Robert auf dem Boden landete, bekam er den Griff mit beiden Händen zu fassen. Ihre Erleichterung darüber hielt allerdings nicht lange an. Voller Angst musste sie mit ansehen, wie Busby mit erhobenem Schwert direkt über Robert stand.

Robert lag noch immer auf dem Boden. Er hob die Arme und blockte Busbys Schwerthieb mit aller Kraft ab. Die beiden Klingen prallten klirrend aufeinander.

Über seinem Gegner stehend, war Busby in der besseren Position. Robert wälzte sich umher, damit Busby das Gleichgewicht verlor, doch er schaffte es nicht, und seine erhobenen Arme begannen unter der Last der schweren Waffe vor Anstrengung zu zittern.

Lange würde er nicht mehr durchhalten. Und selbst wenn, wie sollte er schnell genug auf die Beine kommen, um nicht von Busbys Schwert getroffen zu werden?

Ohne darüber nachzudenken, begann Gaira zu schreien und umherzuspringen. Busby sah verwirrt in ihre Richtung, genau wie sie gehofft hatte. Robert nutzte die Abgelenktheit seines Gegners sofort aus und rollte sich über den Boden. Busby verlor das Gleichgewicht und fiel nach vorne.

Doch auch diesmal blieb ihr keine Zeit, sich über diesen Erfolg zu freuen, denn Busby stand bereits wieder auf den Beinen und wandte sich Robert zu. Aber der war jetzt vorbereitet.

Sie hatte vergessen, wie groß Busby war. Robert hatte zwar breite Schultern und war kräftig gebaut, doch sein Gegner überragte ihn.

Wenigstens waren ihre Schwerter gleich groß – beide Claymores, schottische Langschwerter.

Kraftvoll, aber planlos schwang Busby seine Waffe umher, offensichtlich entschlossen, zu töten.

Geschickt parierte Robert ein ums andere Mal, wenn Busby zuschlug. Er hielt sich geduckt und bewegte sich umher, um den Abstand zu seinem Gegner aufrechtzuerhalten. Es funktionierte. Die meisten Hiebe von Busby rauschten ziellos durch die Luft.

Dass Robert ein erfahrener Schwertkämpfer war, entging Gaira nicht. Während sie das Claymore kaum hatte anheben können, schwang er es elegant und gezielt. Beinahe sah es aus wie ein Tanz, wie er den wütenden Riesen in Schach hielt.

Ihre Brüder übten jeden Tag den Umgang mit den Waffen, und sie waren gut darin. Doch sie hatte noch nie einen Mann gesehen, der so kämpfen konnte wie Robert.

Es war meisterhaft. Es schien, als wäre das Schwert eine Erweiterung seines eigenen Körpers, so geschmeidig bewegte er sich. Busby hingegen hackte mit der Klinge umher wie ein Holzfäller. Robert benutzte sein Können, Busby seine Kraft.

Was hatten ihre Brüder immer gesagt? Kraft lässt irgendwann nach. Können hingegen nicht.

Robert sah in seiner schwarzen Kleidung aus wie der Schatten von Busby. Er war zweifellos ein hervorragender Krieger.

Sie zuckte zusammen, als hätte man sie plötzlich mit eiskaltem Wasser übergossen.

Schwarz. Langschwert. Robert. Krieger.

Sie sah sich um. Die ganze Zeit hatte sie solche Angst um Robert gehabt, dass sie gar nicht bemerkt hatte, dass sich eine Menschenmenge um sie herum gebildet hatte. Sie erkannte den Gastwirt und auch den Schmied. Sie sah sogar die drei betrunkenen Männer, mit denen sie gestern gesprochen hatten. Die Männer, die den Tod von Black Robert so ausgelassen gefeiert hatten.

Sie atmete tief durch, um sich zu beruhigen, und sah dann zu den Kindern hinüber, die sich ängstlich zusammengekauert hatten.

Nun wusste sie, dass sie keine Angst um Robert haben musste. Zumindest nicht wegen Busby. Doch sie waren mitten in der Stadt und umringt von einer Horde von Schotten, die voller Hass auf alle Engländer waren, allen voran auf einen bestimmten Engländer, von dem sie dachten, dass er tot war.

Sie fragte sich, wie sie aus der Stadt kommen sollten, ohne dass die Menschen erkannten, wer dort vor ihren Augen kämpfte.

Denn Black Robert war alles andere als tot!

18. Kapitel

Der Mann, gegen den er kämpfte, wurde langsam müde, denn er ließ den Schwertarm immer tiefer sinken, und er verlagerte sein Gewicht langsamer als vorher. Robert holte weit aus und versuchte gezielt, die Beine des Mannes zu treffen, um ihn zu Fall zu bringen. Er konzentrierte sich auf jede Bewegung seines hünenhaften Gegners. Er durfte keinen Fehler machen. Zwar wusste er, dass er der bessere Kämpfer war, aber wenn er sich auch nur einen falschen Schritt erlaubte, dann konnte der andere ihn töten.

Und dann hätten Gaira und die Kinder niemanden mehr, der sie beschützte.

Nachdem der Mann ihn angegriffen hatte, war ihm sofort klar gewesen, dass er gar nicht erst zu versuchen brauchte, mit ihm zu reden. Es war offensichtlich, dass der Schotte ihn in Stücke hacken wollte. Er hatte keine Ahnung, wer er war. Vielleicht hatte er bemerkt, dass er Engländer war. Er war darauf trainiert, seine Gegner zu besiegen. Das war alles, was zählte.

Er hieb seinem Angreifer erneut ins Bein und fügte ihm eine weitere Wunde zu, sodass der Mann strauchelte. Jetzt war der Zeitpunkt gekommen. Unvermittelt ließ er sich auf den Boden fallen und versetzte seinem Gegner dabei einen kraftvollen Hieb gegen die Beine, sodass der sich nicht länger halten konnte und ebenfalls zu Boden ging.

Robert drehte sich, setzte sich auf und stieß dem Angreifer die Spitze seines Schwertes in die Kehle. Noch bevor der leblose Körper vollends auf dem Boden auftraf, hatte er sich schon aus dem Weg gerollt.

Ächzend stand er auf. Das letzte Manöver hatte ihn außer Atem gebracht, und er wischte sich erschöpft den Schweiß aus den Augen, damit er etwas sehen konnte.

Eine große Menschentraube stand um sie herum, und er konnte weder Gaira noch die Kinder entdecken. „Kennt irgendjemand diesen Mann?"

Die Leute starrten ihn schweigend an. Niemand gab einen Laut von sich, wie es sonst üblich war. Einige schüttelten den Kopf, doch niemand sagte ein Wort oder trat vor.

Entweder hatten sie Angst, oder sie kannten den Toten wirklich nicht. Robert sah ihn an. Das Blut sprudelte jetzt aus seinem Hals. Der Mann hatte ihn töten wollen. Da er sich so wütend auf ihn gestürzt hatte, vermutete Robert, dass er persönliche Gründe gehabt hatte. Doch welche sollten das sein? Er hatte den riesigen Schotten nie zuvor gesehen.

Er bückte sich und suchte in der Tunika des Mannes nach einer Tasche oder einem Beutel. Doch er trug nichts bei sich.

Der Mann hatte ihn heimtückisch von hinten angegriffen. Jeder würde bezeugen können, dass er in Notwehr gehandelt hatte. Robert wischte sein Schwert an der Tunika des Mannes sauber. Dann griff er in den kleinen Lederbeutel, den er am Gürtel um seine Hüfte trug, und warf ein paar Münzen auf den Toten. Auch wenn er ein Fremder war, musste er begraben werden.

Er richtete sich auf und ließ seinen Blick über die Menge schweifen. Schließlich entdeckte er Gaira und die Kinder bei den Pferden.

Sie war vollkommen bleich im Gesicht, hatte die Augen vor Angst weit aufgerissen, doch sie sah nicht ihn an. Nein, sie sah die Menschen an, die sie umringten, als suche sie jemanden, den sie kannte.

Die Menschen fingen wieder an zu sprechen, und die Menge löste sich langsam auf. Er wartete darauf, dass Gaira zu ihm kam, doch sie verharrte auf der Stelle. Also ging er zu ihr, und sie nahm ihn erst wahr, als er direkt vor ihr stand. Panisch griff sie nach seinem Arm und zog daran.

„Rob..." Sie hielt inne, sah sich um und sprach dann mit leiser Stimme weiter. „Wir müssen so schnell wie möglich von hier weg. Jetzt! Ihr müsst mit uns kommen. Die Pferde sind schon gesattelt, und die Kinder sind bereit."

Sie hatte offensichtlich einen Schock erlitten. In ihren Augen sah er eiskalte Panik, und er fühlte, dass ihre Hand heftig zitterte.

Er hatte nicht nachgedacht. Er hatte einen Menschen getötet. Direkt vor ihren Augen. Er hätte nicht zulassen dürfen, dass sie das mit ansehen musste.

„Gaira, es tut mir leid. Er kam aus dem Hinterhalt. Ich habe nicht darüber nachgedacht, dass Ihr und die Kinder zuseht. Aber ich musste um mein Leben kämpfen."

Sie zog noch heftiger an seinem Arm. „Wir müssen sofort aufbrechen!"

Sie hatte Todesangst. „Gaira, alles ist gut. Er ist tot. Den Kindern passiert nichts."

Sie wurde ein wenig lauter. „Ich weiß! Wir müssen Euretwegen weg!"

Jetzt klang sie nicht mehr panisch, sondern ungeduldig. Er verstand nicht, was sie von ihm wollte. „Was ist los?"

Er sah die Kinder an. Creighton blickte ihn auf eine Weise an, als würde er ihn zum ersten Mal bemerken. Floras Blick war nicht ängstlich, sondern nachdenklich. Und Alec und Maisie spielten mit kleinen Zweigen, die von der Eiche gefallen waren. Die Kinder halfen ihm nicht dabei, herauszufinden, was Gaira so in Panik versetzte.

„Gaira?"

„Robert, bitte, lasst uns einfach aufbrechen. Jetzt!" Sie zog wieder an seinem Ärmel. „Wenn wir weit genug weg sind, erkläre ich Euch alles. Versprochen."

Mit einem Mal stieg eine furchtbare Erkenntnis in ihm auf. „Kanntet Ihr den Mann?"

„Robert, bitte!"

Er riss sich von ihr los. „Antwortet mir sofort!"

Sie atmete tief durch, sagte jedoch nichts. Beinahe hätte er die Geduld verloren, doch dann zischte sie: „Er war mein Bräutigam."

„Was? Erklärt mir umgehend, was das zu bedeuten hat!"

Sie sah sich hektisch um und flüsterte: „Nein, Robert. Jedenfalls nicht hier. Es ist zu gefährlich. Schließlich habt Ihr ihn mit dem Claymore getötet. Dummkopf!"

„Ja, weil Ihr es mir gegeben habt."

„Aber Ihr seid Engländer, und Ihr habt mit dem Claymore gekämpft. Und es gibt nur einen Krieger in König Edwards Heer, der ein Claymore benutzt. Wenn ich weiß, wer Ihr seid, was glaubt Ihr, wie lange es dauert, bis die anderen es ebenfalls wissen?"

Einen Augenblick lang herrschte Totenstille. Doch dann stieß Robert of Dent eine Reihe von Flüchen aus, die so derbe waren, dass sogar Gaira of Colquhoun vor Verwunderung die Luft wegblieb.

Gaira fürchtete noch immer, dass man sie verfolgen würde. Zwar hatten sie die kleine Stadt verlassen, doch sie befanden sich weiterhin auf der Hauptstraße. Immer wieder drehte sie sich um, weil sie dachte, dass sie das Geräusch herannahender Hufschläge hörte.

Robert ritt schweigend neben ihr, Alec saß vor ihm. Er hatte noch kein Wort gesagt, seit sie auf die Pferde gestiegen und losgeritten waren. Seine düstere Miene lud auch nicht gerade dazu ein, ihn in ein Gespräch zu verwickeln. Selbst Alec hatte keinen Ton von sich gegeben.

Sie rechnete damit, dass Robert sie jeden Moment verlassen würde. Schließlich hatte er keine Veranlassung, sie weiter zu begleiten, auch wenn sie ihn darum gebeten hatte.

Wieder drehte sie sich um und blickte hinter sich.

Durch das zusätzliche Pferd kamen sie schneller voran als vorher. Doch Creighton und Flora würden nicht schnell genug sein, wenn wirklich jemand hinter ihnen her war. Gaira konnte es kaum glauben, dass sie noch nicht von einer Horde wütender Einheimischer verfolgt wurden.

Wie gut, dass die Dorfbewohner Black Robert für tot hielten. Denn sonst wären sie gewiss schnell auf die Idee gekommen, dass es sich bei dem schwarz gekleideten Ritter, der auf dem Marktplatz mit dem Claymore gekämpft hatte, als wäre er damit geboren worden, um den berüchtigten englischen Krieger handelte.

Sie musste sich beherrschen, um nicht hysterisch zu kichern. Kein Geringerer als Black Robert hatte sie und die Kinder die ganze Zeit begleitet, und sie hatte es nicht gewusst. Sie hatte nicht einmal etwas geahnt, als die betrunkenen Männer vor dem Gasthaus ihn beschrieben hatten.

Doch wie hätte sie ihn auch erkennen sollen? Sie hatte ihn in der ganzen Zeit kein einziges Mal kämpfen sehen, und er hatte nicht wie ein furchterregender, geheimnisvoller Krieger gewirkt, der zahllose ihrer Landsmänner auf dem Gewissen hatte, sondern einfach nur wie ein … Mann.

Ein Mann, der von sich sagte, dass seine Pflichten seine einzige Motivation seien. Doch sie wusste, dass das nicht alles war. Er hatte ihr geholfen, die Toten in Doonhill zu begraben. Er hatte Alec davor beschützt, sich zu verletzen, und Creighton getröstet, als der von seinen inneren Dämonen geplagt wurde. Er hatte sie in den Marktflecken gebracht, um Proviant und ein Pferd für sie zu kaufen.

Es war kein Wunder, dass sie ihn nicht erkannt hatte, nachdem die Männer ihn gestern beschrieben hatten. Denn nichts, was sie gesagt hatten, stimmte mit dem Robert überein, den sie kannte.

Ihr Robert.

Sie wagte es, ihm einen kurzen Blick zuzuwerfen. Sein Gesicht war wie versteinert, und er blickte starr nach vorne. Er hatte sie nicht enttäuscht, so wie Busby, und auch nicht hintergangen, so wie ihre Brüder. Er hatte alles getan, was er konnte, um ihr und den Kindern zu helfen. Widerstrebend zwar, doch jetzt konnte sie verstehen, warum.

Sie blickte erneut nach hinten.

Noch keine Stunde war es her, da hatte sie mit eigenen Augen gesehen, wie Robert ihren Bräutigam besiegt hatte. Sie hatte Busby nicht gemocht. Doch jetzt ritt sie mit dem Mann durch die Lande, der ihn getötet und der sein blutiges Schwert an der Kleidung des Toten abgewischt hatte. Sie fühlte weder Angst noch Abscheu, wenn sie darüber nachdachte, was er getan hatte. Nein, schließlich war es Busby gewesen, der Robert aus dem Hinterhalt mit dem Schwert bedroht hatte. Busbys Angriff war feige und hinterhältig gewesen, und Robert hatte keine andere Wahl gehabt.

Aber was hatte es mit seinem Ruf auf sich? Die betrunkenen Schotten hatten gesagt, dass er unzählige ihrer Landsleute getötet hatte. War er so wie die Männer, die ihre Schwester umgebracht hatten? War er die Art von Mann? Und sie war allein mit ihm unterwegs!

Sie versuchte, Ordnung in ihre Gedanken und Gefühle zu bringen – vergeblich.

„Wir müssen anhalten!", rief Gaira lauter, als sie beabsichtigt hatte. Alle blickten sie nach ihrem plötzlichen Ausruf an, und alle wirkten überrascht. Das war kein Wunder, denn sie waren jetzt schon seit Stunden schweigend geritten. Eigentlich wollte sie nicht anhalten, denn sie hatte immer noch furchtbare Angst, dass man sie einholen und ihnen etwas antun würde. Doch es ging nicht anders. Maisie wand sich auf ihrem Schoß unruhig hin und her.

„Maisie braucht eine Pause", fügte sie hinzu.

Robert brachte sein Pferd zum Stehen und stieg ab.

„Benötigt Ihr Hilfe beim Absteigen?"

Sie gab es nur ungern zu, aber ihre Beine waren schon vollkommen taub. „Ja."

Er reichte ihr eine Hand. Sie nahm sie und fühlte seine warme, raue Haut. Dann legte sie ihm die Hände auf die Schultern und schwang sich vom Pferderücken.

Ihre Beine schmerzten so sehr, dass sie leise stöhnte.

„Ihr seid zu angespannt." Er ließ ihre Taille los.

Die Stelle, an der gerade noch seine Hände geruht hatten, fühlte sich leer an, und sie sehnte sich danach, dass er sie wieder dort hinlegen würde. Wie gern hätte sie ihren Kopf an seine Brust geschmiegt und ihre Arme um ihn gelegt. Sie wollte, dass auch er seine Arme um sie schloss und sie fest an sich drückte, sodass sie all ihre Sorgen vergessen konnte. Doch stattdessen reckte sie sich und bewegte ihre Beine. Ohne ein weiteres Wort verschwand Robert in den Wald, und sie wandte ihre Aufmerksamkeit den Kindern zu.

Creighton und Flora waren in die andere Richtung gegangen. Gaira hob Maisie vom Pferd, nahm sie an der Hand und führte sie zu einer grasbewachsenen Stelle.

„Dann wollen wir mal sehen, was wir hier haben."

Sie öffnete das Leintuch, rümpfte spielerisch die Nase und wedelte mit einer Hand in der Luft. „Hui! Ich wusste nicht, dass du schlimmere Kanonen als ein Wildschwein verschießen kannst!"

Maisie lachte vergnügt auf. Die Kleine lachte genau wie Irvette, es war ein glockenheller Klang, der in fröhlichem Gekicher endete. Sie hätte niemals geglaubt, Irvettes Lachen noch einmal hören zu können.

Sie beugte sich vor und betrachtete Maisie aufmerksam. Die Kleine war zweifellos Irvettes Kind. Die Ähnlichkeit war ganz deutlich. Der Mund und das Kinn hatten die gleiche Form, und dann war da noch dieses unverkennbare Lachen. Ihre Schwester war immer noch da! In diesem kleinen Mädchen.

Sie atmete tief durch und machte sich daran, Maisie sauber zu wischen. Als sie ein frisches Tuch holte, stand die Kleine auf und lief in die Richtung, in die Robert verschwunden war.

„Nein! Ich bin noch nicht fertig mit dir!"

Statt stehen zu bleiben, stapfte Maisie mit ihren kurzen dicken Beinchen entschlossen davon. Ein leichter Windstoß hob ihre winzige Tunika an, und Gaira konnte ihren Babypopo mit den Grübchen sehen. Es war das Niedlichste, was sie jemals erblickt hatte.

Ohne Vorwarnung stieg plötzlich eine Welle tiefer Trauer in ihr empor. Vollkommen überwältigt davon, fiel sie auf die Knie und begann, heftig zu weinen. Ihre Schwester würde niemals wieder Maisies Po sehen, und sie würde nicht erleben, wie sie größer wurde. Und sie selbst niemals wieder Irvettes Stimme hören oder in ihre freundlichen, warmen Augen blicken. Sie würde sie nie wieder um Rat fragen können, dabei brauchte sie ihn so dringend. Nie wieder!

Sie weinte so lange, bis alle ihre Tränen verbraucht waren, doch sie fühlte noch immer diesen überwältigenden Schmerz in ihrem ganzen Körper. Sie weinte, bis ihre Kehle vollkommen trocken war und sie nicht einmal mehr in der Lage war, zu schluchzen. Wie gelähmt blieb sie sitzen und ballte vor Trauer und Schmerz die Hände zu Fäusten.

Plötzlich hörte sie ein Geräusch neben sich und spürte, dass sie nicht mehr allein war. Sie wischte sich die Wangen ab und strich sich das Haar aus dem Gesicht.

Creighton und Flora saßen rechts von ihr auf dem Boden und hielten sich an den Händen. Alec schlief tief und fest auf ihrem Schoß. Robert stand vor ihr mit Maisie auf dem Arm. Sie hatte noch immer keine Windel an.

„Wir müssen weiter", sagte er ruhig.

Sie wusste nicht, was sie erwidern sollte. Deshalb stand sie auf und wischte sich das Gras und die Erde von den Kleidern. Dann streckte sie die Arme aus, um Maisie zu nehmen, doch Robert schüttelte den Kopf.

„Ich mache das schon", sagte er. „Dahinten gibt es einen Bach. Lasst Euch Zeit."

Sie war erleichtert, dass keiner von ihnen versuchte, mit ihr zu reden, denn sie war noch nicht bereit dazu. Sie war noch immer ganz zittrig und aufgewühlt. Als sie zu den anderen zurückkehrte, war sie vollkommen erschöpft.

Creighton und Flora streichelten das neue Pferd, und Maisie saß daneben und rupfte ein paar Grashalme ab. Alec sprang vor Robert auf und ab, doch diesmal hielt der dessen Hand.

Gaira begann sich ein wenig besser zu fühlen. Robert spielte mit Alec. Zwar machte er ein ziemlich verwundertes Gesicht dabei, doch Alec achtete gar nicht darauf, sondern lachte laut und vergnügt. Dieser Anblick war besser als jeder Versuch, sie zu trösten, und sie fühlte, wie der Schmerz in ihrem Herzen langsam nachließ.

Am Abend fanden sie Unterschlupf in einer Höhle, die zwar nicht sehr tief war, aber wenigstens etwas Schutz bot, falls es regnen würde. Die Felsen waren von der Sonne angewärmt, dadurch war es nicht ganz so kühl wie draußen.

„Ich gehe nachsehen, ob ich etwas zu essen für uns finde", sagte Robert.

„Es ist schon spät, und es ist dunkel." Gaira strich Alec über den Kopf, der auf ihrem Schoß saß.

„Ja, aber ich habe Hunger. Und zwar auf etwas Frisches."

Sie konnte ihm nicht verbieten zu gehen, daher versuchte sie, den Gedanken beiseitezuschieben, dass ihm etwas zustoßen könnte. Inzwischen waren sie weit weg von der kleinen Stadt, und es war ihnen auch niemand gefolgt. Es war albern, von ihm zu verlangen, dass er in Sichtweite bleiben sollte.

Stattdessen beschäftigte sie sich mit anderen Dingen. Sie und die Kinder sammelten Holz und Blätter, um ein Feuer zu machen, und Gaira versuchte, nicht daran zu denken, dass er in Gefahr geraten könnte. Nach kurzer Zeit kam Robert mit mehreren erlegten Hasen zurück.

„Ihr müsst Augen wie eine Katze haben, wenn Ihr bei solcher Dunkelheit noch sehen könnt." Gaira nahm ihm die Hasen ab und half ihm dabei, sie vorzubereiten.

Seit sie den Marktflecken verlassen hatten, waren sie nicht dazu gekommen, etwas zu sich zu nehmen. Daher verschlangen sie ihre Mahlzeit jetzt alle so gierig wie Raubtiere. Alec und Maisie schlummerten im Sitzen ein, nachdem sie fertig gegessen hatten, und Gaira legte sie vorsichtig in eine bequemere Position. Kurze Zeit später gesellten sich auch Flora und Creighton dazu und schliefen ein. Sie würden nicht frieren, denn sie hatten mehrere warme Decken erworben.

Robert war aus der Höhle hinausgegangen, während sie die Kinder schlafen gelegt hatte, und war noch nicht wiedergekommen. Als sie sicher war, dass die Kinder ruhig schliefen, nahm sie ihr Schultertuch und ging los, um ihn zu suchen.

Ihre Gefühle waren noch immer in Aufruhr, doch sie wusste, dass sie es ihm schuldete, ihm ihre ganze Geschichte zu erzählen. Aus irgendeinem Grund hatte er sich dazu entschlossen, sie noch weiter in den Norden zu begleiten, und es war an der Zeit, ihm alles zu sagen.

Er stand am Ufer des Bachs, eine dunkle Silhouette im diffusen Licht des Mondes.

Sie blieb hinter ihm stehen und hörte eine Weile zu, wie das Wasser über die Steine plätscherte.

Er drehte sich nicht zu ihr um, obwohl er sie gehört haben musste.

Sie sah nach unten. Ihre Füße berührten seinen Schatten. Als sie so darauf blickte, fühlte sie sich einerseits getröstet und andererseits abgeschreckt, weil er so breit und groß war. Doch genauso waren ihre Gefühle für diesen Mann. Obwohl er oft so grimmig war, obwohl er vor ihren Augen einen Menschen getötet hatte, brachte er dennoch ihr Herz und ihre ganze Seele zum Klingen.

Sie wollte ihm nicht von ihrer traurigen Vergangenheit erzählen, weil sie es ihm schuldig war, sondern weil sie das Bedürfnis hatte, ihre Gefühle mit ihm zu teilen.

Noch immer wandte er ihr den Rücken zu. Er selbst war sogar noch breiter und noch schwärzer als sein Schatten. Doch im Gegensatz zu einem flüchtigen Schatten war er stark, unbezwingbar und beständig.

Oh ja. Er war stark. Und jetzt war er eindeutig wütend auf sie. Und sie konnte ihm deswegen nicht einmal einen Vorwurf machen, denn schließlich hatte sie ihn in Lebensgefahr gebracht, als sie von ihm gefordert hatte, sie und die Kinder zu begleiten.

„Ich habe Busby of Ayrshire ungefähr zwei Wochen, bevor Ihr nach Doonhill gekommen seid, zum ersten Mal gesehen." Ihre Stimme klang unnatürlich in der Stille des Waldes. „Gleichzeitig erfuhr ich, dass Bram, mein ältester Bruder, der Laird unseres Clans, beschlossen hatte, dass ich Busby heiraten sollte."

Robert blieb noch immer mit dem Rücken zu ihr stehen, wodurch es ihr beinahe leichter fiel, ihm alles zu erzählen. „Busby und meine plötzliche Vermählung waren … eine ziemliche Überraschung. Ich war sehr glücklich dort, wo ich lebte, doch mein Bruder hatte ihm sein Wort gegeben. Meinem Bruder hätte ich mich natürlich widersetzen können, jedoch nicht meinem Laird. Das hätte zur Folge gehabt, dass ich verbannt und aus dem Clan ausgeschlossen worden wäre."

Er drehte sich um. „Warum hat er das getan?"

Sie hatte nicht mit dieser sanften Reaktion gerechnet, genauso wenig wie mit diesem durchdringenden Blick, mit dem er sie jetzt ansah. Mit einem Mal wusste sie nicht, was sie als Nächstes sagen sollte. Sie versuchte zu erkennen, was in ihm vorging, konnte in den Schatten der Nacht sein Mienenspiel jedoch nicht erkennen.

„Ich habe es zuerst nicht verstanden." Verschämt trat sie einen Schritt zurück, denn sie konnte sich nicht vorstellen, dass Robert jemals wie Abfall behandelt worden war.

„Ich stand dem Haushalt der Burg vor und stellte sicher, dass wir gut wirtschafteten. Irvette war glücklich verheiratet, und ich hatte darin meine Aufgabe gefunden, nachdem sie weggegangen war." Sie atmete tief ein. „Ich schätze, dass ich den Haushalt ein wenig zu gut geleitet habe, denn keine von den Frauen, die mein Bruder als Ehekandidatin ins Haus brachte, blieb."

Ein Geräusch kam aus seiner Kehle, das sie nicht genau einordnen konnte.

„Ein paar von ihnen waren nett, aber sie …" Gaira wusste

nicht, wie sie die Frauen beschreiben sollte und wie sehr all das Kokettieren und Kosen sie gestört hatte.

Er zog einen Mundwinkel nach oben und trat einen Schritt auf sie zu. „Sie kamen Euch in die Quere?"

„Ja, ich glaube, das kann man so sagen." Sie errötete. „Dabei war anscheinend ich diejenige, die im Weg war. Bram gab mir eine Mitgift von zwanzig Schafen und traf ein Abkommen mit Busby of Ayrshire."

„Warum mit ihm?"

„Busby war verarmt, und er hatte einen schlechten Ruf. Für ihn war es schwer, eine Ehefrau und Mutter für seine Kinder zu finden. Er konnte nicht wählerisch sein. Doch darüber hatte ich in dem Moment gar nicht nachgedacht. Ich stand vollkommen unter Schock, weil mein Bruder mich so hintergangen hatte. Er hatte mir nicht gesagt, dass ihn etwas an mir störte, und er hat mir keine Möglichkeit gegeben, es besser zu machen. Denn dann hätte ich mich mehr zurückgehalten."

Robert zog die Augenbrauen hoch.

„Ich hätte es zumindest versucht", fügte sie hinzu.

Er kam noch näher und legte ihr die Hände an den Hals. Dann ließ er seine Fingerspitzen über ihre Wangen gleiten, über die Ohren, über das Kinn.

„Wusstet Ihr, dass Ihr Euer Kinn immer ein klein wenig nach vorne streckt, wenn Ihr Euren Willen durchsetzen wollt?", fragte er mit leiser Stimme.

Sie war zu keiner Antwort fähig, denn sie war vollkommen gebannt von dem Gefühl, das seine Berührung in ihr ausgelöst hatte.

Dann zog er seine Hände abrupt weg. „Ich gehe davon aus, dass Euer Bruder diese Haltung in den letzten Jahren ziemlich oft gesehen hat."

Sie konnte ihm nicht widersprechen. „Ja, das könnte sein."

Er trat einen Schritt von ihr weg. „Und wahrscheinlich habt Ihr ihn wüst beschimpft, weil er Euch nichts von seinen Plänen erzählt hat."

Unter normalen Umständen hätte sie ihren Bruder angeschrien. Doch dass er sie einfach so abschieben wollte, war mehr gewesen, als sie ertragen konnte. Sie war wie erstarrt gewesen.

Sie schüttelte den Kopf. „Nein, das habe ich nicht."

Er sah sie aufmerksam an, als wolle er jedes Detail an ihrem Gesicht in sich aufnehmen. „Er hat Euch verletzt."

„Als Busby zu uns kam und Bram mir von seinem Plan erzählte, war ich wie gelähmt. Ich stand einfach nur da, und mein Bruder legte meine Hand in die von Busby und sagte die entsprechenden Worte vor dem ganzen Clan. Indem er unsere Hände verband, waren wir nach schottischem Brauch …"

„Verheiratet", fuhr er mit bitterem Ton dazwischen.

„Nur wenn …", wandte sie ein.

„Ihr habt gesagt, dass Ihr Busby vor beinahe zwei Wochen zum ersten Mal gesehen habt und dass Euer Bruder ihm Eure Hand gegeben hat", unterbrach er sie. „Ihr wart also beinahe vierzehn Tage mit dem Mann verheiratet."

Seine Stimme klang jetzt wieder wütend und hart, und Gaira verstand nicht, weshalb.

„Ich habe Euch zur Witwe gemacht." Er hielt inne. „Trauert Ihr um Busby of Ayrshire?"

Sie wollte zurückweichen, doch sie befürchtete, in den Bach zu fallen. Sein Verhalten ihr gegenüber hatte sich schlagartig geändert: Zuerst war er sanft und verständnisvoll gewesen, und nun war er kalt und hart. Sie wusste nicht, was sie tun sollte, und sie verstand nicht, was diesen plötzlichen Wandel ausgelöst hatte.

„Nein, es gab keine Feier", sagte sie. „Busby wollte sofort zurück zu seinen Kindern. Als er bei uns ankam, waren alle meine Sachen schon gepackt worden."

„Das ist keine Antwort auf meine Frage. Ihr seid mit diesem Mann einige Zeit durch das Land geritten und habt Zeit mit ihm verbracht, aber Ihr habt keine Gefühle für ihn entwickelt?"

„Ja, ich bin mit ihm in Richtung seiner Burg geritten, doch das war viel zu kurz, um ihn kennenzulernen. Außerdem eilte ihm sein schlechter Ruf voraus. Je weiter südlich wir kamen, desto klarer wurden meine Sinne, und mir fiel auf, dass wir in der Nähe meiner Schwester waren."

„Also habt Ihr ihn gefragt, ob Ihr sie besuchen könnt?", vermutete er.

Sie schüttelte den Kopf. „Nein. Ich wusste, dass er das nicht zulassen würde. Busby hatte bekommen, was er wollte: meine Mitgift, die zwanzig Schafe. Also nahm ich mir, während er schlief, ein paar seiner Kleidungsstücke und sein Pferd und machte mich allein auf den Weg in Richtung Süden zu meiner Schwester."

„Wie lange seid Ihr mit ihm unterwegs gewesen?"

Sie machte eine vage Geste. „Es ist nicht wichtig."

„Ihr wart mit ihm verheiratet."

„Das habe ich Euch bereits erklärt."

„Er ist Euch gefolgt."

„Ja, wahrscheinlich wegen seiner Schafe."

„Wegen der Schafe?"

„Ja, Bram hat ihm deutlich zu verstehen gegeben, dass er die zwanzig Schafe zurückgeben muss, wenn mir irgendetwas zustößt."

Er machte einen Schritt auf sie zu, und sie musste den Kopf heben, um ihm weiter ins Gesicht sehen zu können. Durch das Mondlicht wirkten seine Züge hart und kantig.

„Ihr denkt wirklich, dass ein Mann, der mehrere Tage lang mit Euch zusammen war, nur wegen ein bisschen Wolle hinter Euch her ist?"

Sie wusste nicht, was sie ihm antworten sollte. Die Frage verwirrte sie. Doch plötzlich kam ihr eine Vermutung, warum er sich so merkwürdig verhielt. Vielleicht war er gar nicht wütend, weil sie ihn in Lebensgefahr gebracht hatte oder weil ihretwegen um ein Haar seine Identität enthüllt worden wäre.

„Welchen Grund soll er denn sonst gehabt haben?"

Er öffnete die Lippen, und sie konnte seinen warmen Atem spüren. Er ließ seinen Blick zärtlich über die Stellen in ihrem Gesicht wandern, wo er sie zuvor berührt hatte, und sie spürte das Verlangen, die Lippen zu öffnen, damit er sie küsste.

Er versuchte nicht, sie anzufassen, und er kam auch nicht näher, und dennoch hatte sie das Gefühl, dass er sie berührte.

„Wisst Ihr wirklich nicht, wie viel Ihr wert seid?"

Es fiel ihr schwer nachzudenken, wenn er so dicht vor ihr stand. „Ich verstehe nicht."

„Eure Stärke, Euer Willen, Eure Fähigkeit zu lachen, obwohl Euer Herz voller Trauer ist. Gaira, all diese Eigenschaften findet man nur selten. So, als würde man plötzlich auf Gold stoßen."

Fast unmerklich bewegte er sich von ihr weg, doch sie spürte es.

„Nein, Ihr versteht es nicht." Er strich sich über den Nacken. „Oder vielleicht habe ich es nicht richtig erklärt."

Er drehte sich ein kleines Stück von ihr weg, und sie erwartete nicht, dass er noch etwas sagen würde. Sie selbst wusste auch nichts zu sagen. Wieder hörte sie nichts als das Plätschern des Baches und das Rascheln der Tiere im Unterholz. Der Wind war jetzt so schwach, dass sie ihn nur noch als ein leichtes Streicheln auf ihrem Unterarm wahrnahm. Sie suchte fieberhaft nach Worten, doch Robert wirkte so angespannt, sie konnte förmlich fühlen, wie sich seine Gedanken überschlugen.

Als er sich wieder zu ihr umwandte, war sein Gesicht schmerzverzerrt. Sie konnte es an der Art sehen, wie er die Augen zusammenkniff und sich die Haut über seinen Wangenknochen spannte, sodass die weißen Narben darauf noch deutlicher hervortraten.

„Ich muss es wissen", sagte er. „Ich kann nicht hier stehen bleiben und nicht nach England zurückgehen, ohne es zu wissen."

Sie sah ihn fragend an.

„Er war mehrere Tage mit Euch zusammen, Gaira. Trauert Ihr um ihn?"

Trauern? Um Busby? Nein! Wenn sie um ihn trauern würde, dann müsste sie Gefühle für ihn … Sie hielt inne. Plötzlich ergab alles einen Sinn. Er hatte Busby getötet, und dabei wäre beinahe seine Identität enthüllt worden. Doch das waren nicht die Gründe für seine Wut und seinen Schmerz. Er dachte, dass ihr Herz einem anderen gehörte.

„Nein, Robert of Dent. Ich trauere nicht um ihn."

Aber das schien ihn nicht zu erleichtern. Sie musste ihm also noch mehr erklären.

„Er hat mir ein eigenes Pferd gegeben, und ich bin hinter ihm hergeritten. Er hat nicht mit mir gesprochen. Er hat mich kaum angesehen, und er hat mich auch nicht angefasst."

Sein Körper stand zwar noch immer unter Anspannung, doch sie fühlte, wie er sich ein wenig beruhigte.

„Busby brauchte meine Mitgift, daher wusste ich, dass er versuchen würde, mich zu finden."

Jetzt wandte er sich ihr ganz zu. „Deshalb wolltet Ihr, dass wir uns so beeilen."

„Ja, als Ihr zu uns gestoßen seid, hatte Busby schon mehrere Tage Zeit gehabt, um mir zu folgen. Ich hatte jedoch erwartet, dass er annehmen würde, dass ich zu meinen Brüdern zurückkehre, und dass er dort auf mich warten würde. Ich hatte keine Ahnung, dass er überhaupt wusste, dass ich eine Schwester im Süden hatte."

„Vielleicht war er an beiden Orten."

Sie lachte, weil sie seine Bemerkung für einen Scherz hielt. „Ihr kennt ihn nicht. Busby war nicht gerade ein besonders eifriger Mann."

„Vielleicht hat er einen Boten zu Euren Brüdern geschickt und wusste daher über Eure Schwester Bescheid und ist danach Richtung Süden aufgebrochen."

„Wenn er einen Boten in den Norden geschickt hätte, dann hätten meine Brüder ebenso viel Zeit gehabt wie er, um mir nachzukommen." Sie biss sich nachdenklich auf die Unterlippe. „Wenn Busby uns gefunden hat, dann hätten meine Brüder uns auch finden können."

„Doonhill lag in Schutt und Asche", bemerkte er. „Niemand hätte ihnen sagen können, wo Ihr seid."

„Wenn sie mich verfolgt hätten, hätten wir sie auf der Straße oder in dem Marktflecken gesehen."

Er sagte nichts weiter und löste den Blick von ihr.

„Ich hätte es nicht zulassen dürfen, dass Ihr seht, wie ich ihn getötet habe."

Sie fragte sich, wann er das Thema endlich fallen ließ. Das Einzige, was für sie zählte, war, dass sie ihn noch zu ihrem Schutz und dem der Kinder brauchte.

„Ich war ja ohnehin dabei, und er hat Euch schließlich keine andere Wahl gelassen", erwiderte sie.

„Ich hätte ihn nicht töten müssen", widersprach er.

Sie berührte den Riss in seiner Tunika, wo Busbys Schwert ihn getroffen hatte. „Nein, Robert. Er hätte Euch getötet, sobald Ihr ihm den Rücken zugekehrt hättet. Ihr hattet keine Wahl."

„Man hat immer die Wahl, Gaira."

Er drehte sich von ihr weg.

Sie betrachtete seinen Rücken und seine breiten, starken Schultern. Sie hatte seine Wärme spüren können, als er vor ihr gestanden hatte. Doch jetzt war diese Wärme verschwunden, und er wirkte kühl und distanziert. Und einsam.

Als er seine Sachen gepackt hatte, um sie und die Kinder zu verlassen, hatte er genauso ausgesehen. Er war zwar noch da gewesen, doch es hatte ihn bereits wieder die Aura der Einsamkeit umgeben. Sie hatte mit ihm über seine angeblichen Pflichten gestritten. Doch es war nicht sein Pflichtbewusstsein, das diesen Mann antrieb.

„Wollt Ihr wissen, was es ist, das euch antreibt?" Sie lief um ihn herum, damit sie ihm ins Gesicht schauen konnte, denn sie wollte sein Mienenspiel sehen.

„Wisst Ihr, was ich glaube, warum Ihr losgeritten seid, um Euch ein zerstörtes Dorf anzusehen? Warum Ihr einer Frau und vier Kindern helft, ihre toten Verwandten zu begraben? Und warum Ihr sie begleitet und beschützt, damit sie im nächsten Dorf Reiseproviant kaufen können?"

Er blickte sie kaum an. „Nein", antwortete er schließlich.

„Es ist nicht Pflichtgefühl, wie Ihr gesagt habt, Robert of Dent. Es ist Trauer."

19. Kapitel

Er sah sie so erschrocken an, als hätte sie sein Claymore genommen und es ihm direkt in den Bauch gestoßen.

„Ihr irrt Euch." Seine Stimme klang heiser.

„Ihr vergesst, dass ich ebenfalls trauere. Denkt Ihr wirklich, ich würde die Anzeichen nicht erkennen?"

„Ihr kennt mich nicht." Er sah ihr wieder in die Augen. „Ich bin ein englischer Soldat. Mein ganzes Leben kämpfe ich schon für König Edward. Und Trauer ist wirklich nicht meine Motivation."

Sein Gesicht war vollkommen ausdruckslos, eine perfekte Maske, an der sie keinerlei Gefühlsregung ablesen konnte. Sie hatte jedoch schon häufiger beobachtet, dass er so aussah, wenn er versuchte, etwas zu überspielen.

„Ihr habt recht. Ich kenne Euch und Eure Vergangenheit nicht. Und wahrscheinlich gilt Eure Trauer nicht den Männern, die Ihr getötet habt. Aber ich weiß, dass es da jemanden oder etwas gibt, um das ihr trauert. Vielleicht Eure Familie?"

„Ich hatte eine ganz gewöhnliche Kindheit."

Er versuchte, sich lustig über ihre Vermutungen zu machen. Doch sie glaubte ihm kein Wort. „Erzählt mir davon", forderte sie ihn auf.

„Es gibt keinen Grund, warum Ihr etwas darüber erfahren solltet. Wenn ich nicht …" Er sprach nicht weiter.

„Was?", fragte sie. Langsam wurde sie ungeduldig, weil er sie ständig abwies. „Warum wollt Ihr mich nichts von Euch erzählen? Ich habe Euch meine ganze demütigende Geschichte offenbart. Ihr wisst jetzt, dass meine Brüder mich an den schrecklichsten Mann verkauft haben, den sie finden konnten, und Ihr wisst auch, dass meine Schwester auf fürchterliche Weise getötet wurde. Warum wollt Ihr mir nichts aus Eurem Leben erzählen? Noch nicht mal eine Kleinigkeit?"

Amüsiert verzog er die Lippen. „Ihr habt überhaupt keine Angst, oder?"

Sein scherzhafter, sarkastischer Ton ließ sie vorsichtig werden. „Wovor?"

„Vor mir", sagte er.

„Warum sollte ich?"

„Ich dachte, Ihr hättet in der Stadt, als ich mit Eurem Bräutigam kämpfte, verstanden, dass ich Black Robert bin."

„Ich sehe, dass Ihr in Schwarz gekleidet seid, aber ich habe bislang noch nicht mitbekommen, dass Eure Augen gelb geleuchtet haben oder dass Ihr Euch mit dem Teufel unterhaltet."

„Nein", erwiderte er ungeduldig. „Das sind die Legenden, die sich um meine Person ranken. Aber meine Fähigkeiten, mit dem Claymore zu kämpfen und zu töten, sind keine Legende. Ich habe Hunderte Eurer Landsleute auf dem Gewissen, weil mein König es von mir verlangte."

Sie wusste, dass er das absichtlich so deutlich sagte, um sie zu schockieren. Doch es funktionierte nicht. Sie hatte sich nämlich schon ihre eigenen Gedanken dazu gemacht.

„Mag sein, dass es die Wahrheit ist. Aber ich habe eine andere Seite an Euch kennengelernt. Ich mag zwar keine Ahnung haben, was Ihr in der Vergangenheit getan habt. Doch ich sehe nur einen Mann, der sein Leben aufs Spiel setzt, um einer heimatlosen Frau und ein paar Kindern zu helfen."

„Ja, aber …"

„Ich habe Euch als Mann kennengelernt, nicht als Legende", unterbrach sie ihn.

Sie trat einen Schritt auf ihn zu. Sie hatte keine Lust mehr auf ihr Versteckspiel. „Ein Mann, der wütend wird, weil er denkt, dass ich einem anderen gehöre." Sie legte ihm eine Hand auf den Ärmel und fühlte, wie sich seine Muskeln anspannten. „Aber ich gehöre keinem anderen."

Sein Blick wanderte zu ihrer Hand, die noch immer auf seinem Arm lag.

„Ihr habt Angst vor mir", stellte sie fest.

„Nein", flüsterte er.

Sie erinnerte sich an den ersten Morgen mit ihm. Als sie aufwachte, hatte er schon das Frühstück für sie und die Kinder bereitet. Und als ihre Blicke sich an jenem Morgen trafen, war für sie die Zeit stehen geblieben. Seitdem hatte sie ihn voller Faszination angesehen, hatte jede seiner Handlungen beobachtet: wenn er sein Pferd versorgte, sein Schwert reinigte und wenn er sich auf seine unbeholfene, aber liebevolle Art um die Kinder kümmerte.

Sie erinnerte sich auch noch gut daran, wie sich seine Lippen angefühlt hatten, als er sie geküsst hatte. Und sie wusste, dass sie es beide gespürt hatten, diese Hitze und dieses Verlangen. Und sie wollte es wieder spüren, wollte ihm ganz nah sein.

„Dann beweist es mir", forderte sie ihn auf.

Er trat auf sie zu und stellte den rechten Fuß zwischen ihre Füße. Dann lehnte er sich nach vorne, sodass sich ihre Hüften berührten. Er war ihr so nahe! Sein Brustkorb hob und senkte sich, rieb sich immer wieder an ihren Brüsten und rief ein lustvolles Ziehen in ihnen hervor.

Heiser stieß er den Atem aus. Doch plötzlich fluchte er leise und machte ein paar schnelle Schritte nach hinten.

Nachdem er sich von ihr gelöst hatte, fühlte sie sich schutzlos und nackt. Aber das Verlangen raste weiter in ihr, und ihr Atem ging immer noch schnell und heftig.

Dann richtete er sich auf, sah sie jedoch nicht an. „Verdammt, Gaira! Ihr zerrt und reißt an meiner Seele, dass ich mich selbst kaum wiedererkenne."

Robert stand ein Stück weit weg von ihr, aber es war nicht die Entfernung, die sie voneinander trennte. Nein, er hatte sich innerlich so weit zurückgezogen, dass sie nicht wusste, ob sie es schaffen würde, jemals wieder an ihn heranzukommen. „Ich weiß nicht, was Ihr meint. Ich weiß überhaupt nichts mehr. Und Ihr macht es mir auch nicht besonders leicht."

Jetzt blickte er sie an. Wahrscheinlich stand es ihr mit großen Lettern in den Augen geschrieben, was sie für ihn empfand.

„Es gibt keinen Grund, warum ich es Euch leicht machen sollte", sagte er. „Ich habe unsere Abmachung mehr als erfüllt. Und unabhängig davon, was heute passiert ist, werde ich morgen endlich aufbrechen."

Wieso war er bloß so stur? Sie verstand nicht, wie sie überhaupt Gefühle für ihn haben konnte. „Gut. Dann reitet morgen davon. Lauft ruhig weiterhin weg. Ihr tragt die Legende von Black Robert mit Euch herum wie einen Mantel, unter dem ihr Euch verstecken könnt."

Er stieß ein verächtliches Lachen aus. „Ich verstecke mich nicht hinter meiner Legende. Ich bin so wie diese Legende. Ich habe Menschen mit bloßen Händen umgebracht. Warum könnt ihr das nicht endlich verstehen und mich in Ruhe lassen?"

„Weil ich diesen Mann nicht in Euch sehe. Ich weiß, dass ihr getötet habt – im Krieg. Doch ich habe ebenfalls gesehen, dass Ihr freundlich seid und liebevoll …"

Wütend stieß er aus: „Was muss ich denn noch sagen, damit Ihr mich endlich in Ruhe lasst? Wieso glaubt Ihr mir nicht, dass ich fortgehe und nie wieder etwas mit Euch zu tun haben möchte?"

Seine Worte klangen so hart und kalt, dass sie zurückwich. Doch in diesem Moment sah sie alles mit einem Mal ganz klar und deutlich: Er baute schon wieder eine Mauer um sich herum auf. Eine Mauer der Wut.

Und der Verzweiflung.

Sie sah es ganz deutlich in seiner angespannten Haltung. Er zitterte vor Anspannung, es kostete ihn offenbar Kraft, seine Gefühle im Zaum zu halten. Er war wie ein Fluss, der nur darauf wartete, dass der Damm endlich brach, der ihn davon abhielt, so zu fließen, wie er wollte. Und sie hatte das Gefühl, dass sie dieser Damm war, gegen den seine Worte mit all ihrer Wucht prallten. Doch er würde es nicht schaffen, sie zum Brechen zu bringen. Der Fluss würde sich ihr fügen müssen.

Mit einem Mal war ihre Wut verschwunden, und sie lächelte ihn an. Sofort trat Vorsicht in seinen Blick, aber sie wusste, dass es nur deswegen war, weil er sie begehrte. Sie musste ihn lediglich dazu bringen, dass er seine Beherrschung aufgab.

Sie griff nach ihrem Zopf und begann, ihr Haar langsam zu lösen. Dabei sah sie ihm unverwandt in die Augen.

„Was tut Ihr da?", herrschte er sie an.

„Ich löse mein Haar", gab sie zurück.

Er wich ruckartig vor ihr zurück, als ob sie plötzlich in Flammen stünde. Wut und Ärger lagen in seinem Blick, aber dann flammte noch ein anderer Ausdruck auf, kurz bevor er leise aufstöhnte.

„Ihr wisst nicht, was Ihr tut", sagte er heiser. „Was Ihr fühlt."

Oh doch, das wusste sie. Es war Verlangen, Sehnsucht und Schmerz, alles zugleich. Doch selbst wenn sie dieses Gefühl nicht genau benennen konnte, so war ihr klar, dass es mit einer ungeahnten Heftigkeit von ihr Besitz ergriffen hatte, seit Robert an jenem Morgen für sie alle etwas zu essen gemacht hatte.

Und sie war sich sicher, dass Robert wusste, wie man mit diesem Gefühl umging.

Jetzt ließ sie ihre Haare über die Schultern fallen und fuhr mit den Fingern durch die dicken Locken. Sie sah seinen hungrigen Blick und wie er vor Verlangen erbebte.

Und auch ihr eigener Körper begann jetzt auf das feurige Band, das sie miteinander verband, zu reagieren. „Ich weiß nur, dass ich fühle, wie meine Brüste schwellen und sich ihre Spitzen langsam aufrichten. Dass mein ganzer Körper glüht und meine Lippen schmerzen, weil ..."

Mit seinen gestählten Armen packte er sie und drückte sie gegen den Stamm einer großen Eiche. Von der Wucht blieb ihr der Atem weg, doch sie hätte auch keine Zeit zum Luftholen gehabt, da er sofort begann, sie fordernd und zärtlich zugleich zu küssen. Er grub seine Fingerspitzen in ihre Arme und drückte sie noch fester gegen den Stamm.

Ein lustvolles Sehnen fuhr durch ihren Körper, und sie spürte die raue Rinde des Baumes durch den Stoff ihrer Tunika. Doch viel stärker als der leichte Schmerz war das Gefühl von Roberts männlichem, muskulösem Körper an ihrem.

Wie sehr sie ihn begehrte!

Sie wollte ihre Arme befreien, damit sie ihm noch näher sein konnte. Sie wollte ...

Plötzlich zuckte er zusammen und blieb reglos stehen. Dann ließ er ihre Arme los, und sie sackte gegen den Baum.

„Ich kann nicht", sagte er mit rauer Stimme. „Ihr müsst mich gehen lassen, Gaira. Schickt mich weg und zieht weiter!"

Sie sah, dass sein Blick jetzt dunkel und ernst war. Das Brennen, das sie zuvor noch darin gesehen hatte, war erloschen, und sie fühlte einen Stich in ihrem Herzen. Er versuchte, seine Gefühle zu leugnen. Doch das würde sie nicht zulassen. Denn damit würde er auch leugnen, dass etwas zwischen ihnen war, dass sie einander verbunden waren.

„Du kannst es, Robert", sagte sie. „Du kannst und du wirst."

„Aber du hast keinerlei Erfahrung, Gaira. Und es ist zu lange her, dass ich das letzte Mal mit einer Frau zusammen war. Mein Verlangen nach dir ist viel zu stark, und ich werde dir nicht das Vergnügen bereiten können, das du verdienst."

„Du bist das Einzige, was ich brauche", erwiderte sie. Sie gab einem plötzlichen Impuls nach, stellte sich auf die Zehenspitzen und ließ ihre Zunge kurz über seine Lippen fahren.

Er zuckte zusammen und neigte den Kopf. Sein gelocktes Haar fiel ihm über die Augen, und sie nahm eine Strähne sanft zwischen ihre Finger.

„Du weißt aber nicht alles. Ich habe dir nicht erzählt …"

Sie wollte keine weiteren Ausreden von ihm hören.

„Du." Sie legte ihre Hände um seinen Nacken und drückte sich an ihn.

Er atmete jetzt stoßweise, und sie spürte, dass ihm der Schweiß ausbrach.

„Verdammt soll ich sein für das, was ich jetzt tue." Er presste sich fest an sie.

Sein Körper entspannte sich. Er fühlte sich warm und fest an … und so männlich! Sie hatte das Gefühl, in ihm zu versinken, beinahe so, als würden ihre Körper miteinander verschmelzen.

Langsam ließ er seine Hände an ihren Schultern hinab, über ihren Rücken, zu ihren Hüften wandern. Einen Moment ließ er sie dort verweilen, bevor er sie noch tiefer gleiten ließ und sie mit einem Ruck noch dichter an sich heranzog.

Das Schultertuch kratzte auf ihrer Haut, und sie zerrte an den Enden. Zitternd vor Erregung schmiegte sie sich an ihn, während er ihr das Tuch aufknotete. Sie sah, wie sich sein Brustkorb hob und senkte, und konnte seine Blicke auf ihrer Haut spüren, als der Stoff erst langsam über ihre Schultern glitt, bis er schließlich auf den Boden fiel.

Dann zog er ihr mit schnellen Bewegungen die Tunika und die Hose aus, bis sie nur noch in ihrem dünnen Unterhemd vor ihm stand. Der zarte weiße Stoff umhüllte sie zwar, verdeckte jedoch nichts von dem, was darunter war. Sein Atem ging schnell und stoßweise, im gleichen rastlosen Takt wie ihr eigener.

Er krallte seine Hände in das Hemd. Doch plötzlich hielt er inne. Sie spürte, wie er den Stoff so fest umklammert hielt, als hielte er sie statt des Hemdes in den Händen.

Sein Körper bebte, weil er seine ganze Kraft aufbringen musste, um sich zu beherrschen, und sie verstand nicht, was es war, das ihn gefangen hielt.

„Robert?"

Er zitterte. „Nein!"

Er lockerte seinen Griff, doch er ließ die Hände dort, wo sie waren. Dennoch hinterließ dieser kleine Rückzug ein Gefühl der Kälte auf ihrer Haut.

„Warum?", fragte sie und war erleichtert, dass ihre Stimme nicht verriet, wie sie sich fühlte. Wieder hatte er sie zurückgewiesen.

Nun hob er den Kopf und sah sie voller Bedauern an. Das war sicher nicht das Gefühl, was sie in seinen Augen sehen wollte.

„Ich habe dir wehgetan", sagte er.

„Ja!", stieß sie atemlos hervor. „Aber nur, weil du wieder diese unsichtbare Barriere zwischen uns aufgerichtet hast." Sie legte sich die Hand aufs Herz. „Und jetzt fühle ich mich … leer."

Er stöhnte auf und grub seine Finger in ihre Hüften, doch er streifte ihr nicht das Hemd ab. Stattdessen zog er sie auf das Tuch, das neben ihnen auf dem Boden lag. Sie fühlte sein Gewicht auf sich, die Härte seiner Erregung, fühlte, dass er sie wollte. Dann schloss sie die Augen, und sie empfand alles noch stärker als vorher, wenn das überhaupt möglich war. Sie nahm seinen Atem, seinen Geruch mit allen Sinnen in sich auf. Sie hatte das Gefühl, mit ihm auf einem steilen Kliff zu liegen und jeden Moment in den Abgrund zu stürzen. Was sie unten erwartete, wusste sie nicht, und es war ihr auch egal.

„Lass mich … vielleicht kann ich …" Er schob ihr Hemd nach oben, sodass ihre Beine vollkommen entblößt vor ihm lagen. Doch er krallte seine Finger weiterhin in den Stoff, der sich noch nie so rau auf ihrer Haut angefühlt hatte. Dann öffnete sie die Augen.

Sie bemerkte, wie er jede einzelne Sommersprosse auf ihrem Körper betrachtete, jede kleinste Narbe. Sein Gesicht war dabei schmerzverzerrt, als würde er gefoltert.

„Ich kann dafür sorgen, dass du dich nicht mehr leer fühlst", sagte er. „Aber ich habe Angst davor, dich zu berühren und dann die Kontrolle zu verlieren. Weißt du, wie oft ich heimlich davon geträumt habe, dass du deine Beine um mich legst? Zum Teufel, ihr bloßer Anblick lässt mich beinahe die Beherrschung verlieren!"

Bei seinen Worten stieg ein warmes Gefühl in ihr auf. Sie wollte sich ganz seinen Blicken hingeben, ihm ihren Körper darbieten. Noch nie hatte sie das Gefühl gehabt, dass jemand sie so begehrte wie Robert in diesem Moment. „Dann verlier die Beherrschung!"

Er sah sie voller Schmerz an. „Nein, das kann ich nicht. Es ist alles, was mich noch zusammenhält ... Verdammt! Ich will dich so sehr, Gaira!"

Er ließ ihr Hemd los und glitt mit der Hand über ihren Bauch. Sie fühlte seine warmen Fingerspitzen auf ihrer nackten Haut und erschauerte wohlig.

Voller Verlangen sah er sie an. „Willst du mich auch?"

Die Begierde in seinen Augen war wie ein wilder Strom, vor dem es kein Entrinnen gab. Und sie ließ sich nur allzu gerne von ihm mitreißen. Als seine Lippen ihren Bauch berührten, zuckte sie zusammen, und vor Lust bog sie den Rücken durch. Sie konnte kaum noch atmen und zitterte vor Verlangen.

„Ja, du willst mich!", sagte er in zufriedenem Ton. „Genauso sehr wie ich dich. " Er setzte sich auf. „Öffne deine Beine für mich."

Sie schluckte. Mit einem Mal war ihr Mund ganz trocken geworden. Doch dann bewegte sie langsam ihre Beine auseinander.

„Weiter, Gaira." Ein kleines Lächeln huschte über sein Gesicht. „Na, hat dich ausnahmsweise der Mut verlassen?"

Sie spreizte die Beine noch ein wenig mehr, doch plötzlich fühlte sie sich unsicher und verletzlich. Schließlich war Robert noch angezogen, während sie vor ihm lag und ihr Hemd kaum ihre Blöße verdeckte. Er hatte es so weit nach oben gezogen, dass sie vollkommen nackt sein würde, wenn sie sich noch weiter bewegte. Nie zuvor hatte jemand sie so gesehen.

Robert zog die Augenbrauen zusammen und sah sie fragend an. Wie konnte sie ihm erklären, dass sie ihn zwar wollte, aber …

Mit einem Mal spürte sie seine rauen Hände auf den Innenseiten ihrer Oberschenkel, und die Hitze schoss ihr durch den ganzen Körper. Sie stöhnte laut auf, und er stieß flüsternd etwas auf Englisch hervor, das sie nicht verstand.

Dann drückte er mit einer fordernden Bewegung ihre Beine auseinander. Doch so plötzlich, wie er sie berührt hatte, ließ er sie auch wieder los.

„Du musst mir das jetzt erlauben, Gaira." Schwer atmend legte er sich zwischen ihre Schenkel. „Du musst mir dabei helfen, dass mein Verlangen nicht zu stark wird, damit ich nicht vergesse, was du brauchst." Sein Gesichtsausdruck wurde plötzlich fragend. „Du willst es doch noch, oder?"

Er fragte sie um Erlaubnis. Sogar wenn sein ganzer Körper vor ungestilltem Verlangen bebte, bat er sie noch um Erlaubnis. Aber die hatte er schon längst. „Ja, ich will", sagte sie atemlos. Sie sehnte sich danach, seine rauen Hände wieder auf ihrer Haut zu spüren. Als er sich gegen sie drückte, rieb der Stoff seiner Hose gegen die zarte Haut auf der Innenseite ihrer Schenkel. „Hör nicht auf", hauchte sie.

Er atmete schwer aus. „Ich will dich ganz sehen." Er bewegte sich ein wenig, sodass seine Beine noch stärker gegen ihre drückten, und beobachtete jede ihrer Reaktionen. „Aber du darfst mich nicht berühren. Du darfst dich nicht bewegen, bis ich es dir sage." Langsam schob er mit dem Knie ihre Schenkel auseinander. „Hast du mich verstanden?"

Sie wusste es nicht, denn sie war keines klaren Gedankens mehr fähig. Sie bestand nur noch aus brennender Leidenschaft. Dann hatte er ihre Beine so weit gespreizt, dass sie vollkommen seinen Blicken preisgegeben war. Sie war ihm ausgeliefert, doch als sie sah, wie Robert sie ernst anblickte, fühlte es sich alles andere als unangenehm an. Dann neigte er den Kopf, und sie konnte seine Augen nicht mehr sehen. Sie hatte nicht erkennen können, was er fühlte, ob sie ihm gefiel. Aber sein Körper gab ihr die Antwort, die sie brauchte. Seine Finger zitterten heftig, er ballte die Hände immer wieder zu Fäusten und bebte am ganzen Leib. Sie wollte, dass er sie endlich berührte!

„Ja", sagte sie schließlich. „Ich habe verstanden."

Das Gefühl der Verletzlichkeit war vergessen, und es gab nur noch Robert. Nur noch ihr Verlangen, das noch immer nicht gestillt wurde.

„Ich habe Angst, dass ich dein Feuer nicht überlebe", gestand er.

Er stützte seine Hände neben ihren Armen auf und beugte sich zu ihr hinunter. Er sah sie ernst und durchdringend an, bevor er sie leicht mit seinem Körper streifte. Die Berührung war nur kurz, sogleich zog er sich wieder zurück. Die Hitze, die vom ihm ausging, war wie eine Liebkosung. Nun beugte er sich wieder vor, sodass er mit seinem Brustkorb ihre Brüste streifte. Sofort stellten sich ihre Knospen auf und wurden hart. Er senkte den Kopf und streifte mit seinen Lippen ihren Mund. Mit der Zunge zog er die Umrisse nach, bevor er begann, sie langsam und leidenschaftlich zu küssen. Doch in dem Moment, als sie sich seinem Kuss hingeben wollte, hörte er auf und rollte sich von ihr herunter.

Sofort spürte sie die kalte Nachtluft an ihren Brüsten und protestierte.

Er stieß einen Laut aus, der halb Stöhnen, halb Lachen war, und ließ seinen Blick von ihrem Gesicht zu ihren Brüsten hinunterwandern. Durch den Stoff waren ihre harten Spitzen deutlich zu erkennen, und sie sehnte sich danach, dass er mehr mit ihnen tun würde, als sie anzusehen.

„Bitte." Sie griff fordernd nach ihm, versuchte, ihn an sich zu ziehen, damit er sie wieder küsste, wieder berührte.

„Du darfst mich nicht anfassen, Gaira", wiederholte er. „Ich kann mich dann nicht mehr beherrschen. Doch ich darf nicht die Kontrolle verlieren. Für dich." Er schüttelte den Kopf. „Aber ich darf dich berühren."

Sie krallte die Finger ins weiche Moos bei seinen Worten.

Er wartete, bis sie sich beruhigt hatte. „Ich werde dich berühren. Aber auf eine andere Weise als …" Er schloss fest die Augen und öffnete sie dann wieder. „Ich will dich so sehr, dass ich beinahe wahnsinnig werde. Zwar kann ich nicht haben, was ich will. Aber ich will wenigstens etwas von deiner Lust spüren … Verdammt … ich muss es wissen: Wie sehr willst du mich?"

Erneut ließ er seine Hände über ihre Schenkel fahren. Doch diesmal fühlten sie sich gar nicht mehr rau an. Hauchzart glitt er mit den Fingerspitzen von ihren Schenkeln immer weiter nach oben, bis er schließlich an der Stelle ankam, an der ihre Lust pulsierte. Sie war heiß und feucht und …

„Oh ja, du bist bereit, und du willst mich in dir spüren." Mit einer plötzlichen Bewegung zog er seine Finger von ihr fort und lachte heiser auf. „Mein Gott, du machst es mir wirklich schwer. Doch ich werde dafür sorgen, dass du mich spürst."

„Und wie?", flüsterte sie. Anstatt seiner Liebkosung fühlte sie jetzt nichts als die kühle Nachtluft. Sie sehnte sich so sehr nach seinen Händen, seinem Körper, seiner Berührung. Ihr ganzer Körper verlangte nach ihm.

„Es gibt einen Weg." Er verharrte zwischen ihren Schenkeln, doch bewegte sich so, dass er sie nun gar nicht mehr berührte. Sie wollte schon ihren Unmut äußern, doch er ließ ihr keine Gelegenheit dazu, denn mit einem Mal liebkoste er sie mit seinen Lippen an der gleichen Stelle, wo kurz zuvor noch seine Hände gewesen waren. Sie stöhnte laut auf, als er seine Zunge um die Perle ihrer Lust kreisen ließ und die unbeschreiblichsten Empfindungen in ihr weckte.

„Robert!" Sie bewegte ihr Becken unruhig hin und her und versuchte, sich ihm zu entziehen. Doch er ließ sie nicht weg.

Stattdessen drückte er ihre Schenkel weiter auseinander, damit er noch besser an sie herankam. Und dann geschah etwas, das sie sich nie hätte vorstellen können. Er drang mit seiner Zunge in sie ein, langsam und unglaublich erregend. Sie konnte nichts anderes tun, als ihre Finger tief in den weichen Erdboden zu graben. Immer stärker wurde ihr Verlangen, je länger er sie mit seiner Zunge verwöhnte. Als sie sich ihm verlangend entgegenreckte, ließ er sie los.

„Robert, bitte, ich kann …" Sie wölbte den Rücken, und sie zitterte heftig, als sie mit einem Mal eine Welle der Lust überkam, wie sie sie noch nie zuvor verspürt hatte. Mit einem lauten Stöhnen gab sie sich diesem überwältigenden Gefühl hin, bevor es langsam verebbte und sie auf den kalten Waldboden sank. Robert war direkt neben ihr. Sie öffnete die Augen. Er berührte sie nicht und sah sie auch nicht an. Er atmete schwer, und sein ganzer Körper war angespannt. Er war ein Gefangener seiner eigenen Gefühle.

Sie legte sich auf die Seite. Er hatte ihr zwar Lust bereitet, doch er hatte auf sein eigenes Vergnügen verzichtet. Und sie verstand nicht, weshalb.

„Ist es, weil du hier mit uns sein musst? Oder weil ich Schottin bin? Ist es meinetwegen?"

Er sah sie an. In seinem Blick lagen Wut und Schmerz. „Ja, es ist deinetwegen. Und meinetwegen. Es ist diese ganze verdammte Situation. Ich will dich. So sehr wie keine andere Frau jemals zuvor. Aber ich kann dir einfach nicht mehr geben als das. Und es ist nicht das, was du verdienst. Du verdienst viel mehr."

Sie fühlte, dass sie errötete, und war froh, dass es dunkel war. Sie hatte nicht darüber nachgedacht, dass es vielleicht einen körperlichen Grund gab, weshalb er sie zurückwies, denn er war so stark und so kräftig, dass sie nicht auf die Idee gekommen war. Doch sie hatte die Narben in seinem Gesicht, auf seinem Hals und den Armen bereits gesehen. Vielleicht hatte er noch andere Verletzungen, die von außen nicht sichtbar waren.

„Bist du verletzt worden?" Sie biss sich auf die Lippe. Es war ihr schwergefallen, diese Frage zu stellen. Mit einem Mal fühlte sie sich schuldig, dass sie ihn womöglich in eine Lage gebracht hatte, die mit viel Leid für ihn verbunden war. Die Zufriedenheit, die sie gerade noch gefühlt hatte, ließ schlagartig nach. Sie deutete mit einer unsicheren Handbewegung auf seinen Schoß. „In einer Schlacht?"

Er rieb sich verwundert die Augen. „Verletzt, ja. Aber nicht so, wie du denkst."

Sie wusste nicht mehr, was sie denken sollte. Er wollte sie. Auch wenn er es nicht sagte, doch sie hatte es deutlich gespürt. Und sie wollte ihn ebenso. Was hielt ihn also davon ab, ihre Körper miteinander zu vereinigen, wenn er nicht verletzt war?

Sie wusste so wenig über ihn. Und die wenigen Informationen, die sie hatte, waren widersprüchlich. Im Auftrag des englischen Königs zog er in den Krieg, tötete ihre Landsleute. Aber er war auch ein Mann, der voller Verwunderung reagierte, wenn ein Fünf-jähriger mit ihm spielen wollte.

Er gab ihr keinerlei Hinweise, doch sie wollte es wissen. Sie war entschlossen, die Wahrheit über ihn herauszufinden.

Sacht strich sie ihm über die Wange. Sein Gesicht war noch feucht vom Schweiß, doch es fühlte sich kühler an als zuvor. Er entzog sich ihrer Berührung zwar nicht, kam ihr aber auch nicht entgegen.

Lauter weiße Narben überzogen sein Gesicht und seinen Hals. Auch auf den Schultern sah sie einige. Sie zog ihre Hand zurück.

„Woher stammen all diese Narben?"

Seine Miene erstarrte bei ihren Worten, und seine braunen Augen, die ohnehin meist einen kühlen Ausdruck hatten, blick-ten eisig. Mit einem Mal schien sich eine Klinge zwischen sie zu legen, scharf wie die des Claymores. Sie war sich sicher, dass sie ihren Arm durchtrennt hätte, wenn sie ihn erneut berührt hätte.

20. Kapitel

Er wandte sich von ihr ab und starrte in den Nachthimmel. „Du willst also schon wieder in meiner Seele herumwühlen."

Seine spöttische Bemerkung verletzte sie, doch sie würde nicht aufgeben. Sie wusste, dass es keine leichte Aufgabe war, ihn, den wilden, ungezähmten Fluss, dazu zu bringen, sich zu fügen. Sie berührte mit den Fingerspitzen zärtlich sein Gesicht mit den unzähligen kleinen Narben. Er zuckte zusammen, aber sie zog ihre Hand nicht weg.

„Wie ist das passiert?", fragte sie erneut.

Er sah sie an. Sein Haar fiel ihm in Wellen über die Ohren. Sie ließ ihre Finger weitergleiten und strich ihm über die Wangenknochen, den Kiefer, über sein ganzes Gesicht.

Zärtlich ergriff er ihre Hand und zog sie gegen seine Brust, sodass sie direkt auf seinem Herzen ruhte.

„Was zwischen uns geschehen ist, ändert gar nichts."

Sie versuchte, ihre Stimme ruhig klingen zu lassen, konnte aber nicht vermeiden, dass ihre Finger anfingen zu zittern. „Das hatte ich auch nicht erwartet", log sie.

„Ich wollte dir nur helfen. Ich gehe morgen früh fort."

Ihr Herz zersprang in tausend Splitter. Sie hatte ihm ihr Herz geschenkt und sich ihm hingegeben. Sie hatte gedacht, dass er ihr den Grund sagen würde, warum er ihr nicht seinen Körper schenken konnte, und jetzt wollte er ihr noch nicht einmal verraten, woher er ein paar lausige Narben hatte. Heftiger Schmerz wallte in ihr auf. Doch sie wollte auf keinen Fall, dass er es merkte.

Sie versuchte, ihre Hand zurückzuziehen, doch er hielt sie fest und drückte sie an sich. Und in der Position, in der sie gerade dalag, konnte sie sich nicht von ihm wegbewegen. Sie konnte nur über ihn hinwegsteigen.

Robert hatte geahnt, was sie vorhatte, und legte sein Bein über ihres, um sie festzuhalten. Er spürte, wie sie sich unter ihm wand, doch er wusste, dass sie sich nicht befreien konnte. Aber es war nur ein kleiner Triumph und half ihm nicht darüber hinweg, dass er sich schuldig fühlte. Denn er hatte sie verletzt. Auch wenn er es nicht gewollt hatte.

Sie bedeutete ihm sehr viel. Denn sonst hätte er ihr widerstehen können. Doch stattdessen lag er hier neben ihr und kämpfte schmerzlich gegen sein grenzenloses Verlangen an, während er ihren Körper neben seinem spürte.

Er durfte nicht an ihren Körper denken.

„Meine Mutter war ein junges Dorfmädchen in Dent und mein Vater ein Adliger auf der Durchreise", begann er. Er wusste nicht, was in ihn gefahren war, dass er ihr von seiner Kindheit erzählte. Er hatte noch nie mit jemandem darüber gesprochen. Vielleicht lag es an ihrem Versuch, sich von ihm loszumachen und wegzugehen.

„Der Heiler in unserem Dorf, der mich mit aufgezogen hat, erzählte mir, dass mein Vater meine Mutter gezwungen hatte, und ich glaubte ihm. Meine Mutter war … nicht gesund. Ihr Geist war nicht richtig entwickelt, sie war mehr ein Kind als eine Frau. Ich weiß nicht, weshalb."

Gaira hörte auf, sich hin und her zu winden, und legte sich zurück. Dabei lag sie mit einem Teil ihres Körpers auf ihm, und er musste sich zwingen, sie nicht noch dichter an sich heranzuziehen. „Doch im Vergleich zu anderen Bastarden hatte ich Glück, denn wenigstens wusste ich den Namen meines Vaters", fuhr er fort. „Als Edward Jahre später mit seinem Hofstaat durch unsere Gegend kam, schlich ich mich hin und schloss mich ihnen an."

„Wie alt warst du da?"

Es beruhigte ihn, dass sie so interessiert war. Vielleicht würde sie nicht so wütend auf ihn sein, wenn sie etwas über seine Vergangenheit erfuhr. Allerdings wusste er, dass er sich etwas vormachte. Was er ihr berichten konnte, würde nicht ausreichen. Doch mehr konnte er ihr nicht verraten. Sein Herz war nicht in der Lage dazu. Er konnte ihr die Geschichte seiner Narben einfach nicht erzählen.

„Ich war jung, vielleicht zehn oder elf. Um ehrlich zu sein, weiß ich nicht genau, wie alt ich bin." Er zog die Schultern nach oben.

„Als ich am Hof war, fand ich meinen Vater schnell. Ich verlangte von ihm, er solle dafür sorgen, dass ich eine Ausbildung als Knappe erhielt. Er hat seine Vaterschaft nie angezweifelt, genauso wenig wie ich, seit ich ihm das erste Mal gegenüberstand. Wir sahen uns einfach zu ähnlich."

„Aber sonst wart ihr euch nicht ähnlich", sagte sie mit leicht fragendem Ton.

Er schüttelte den Kopf. „Das weiß ich nicht."

„Hat er dich denn nicht bei sich aufgenommen?" Ihre Stimme war vor Empörung lauter geworden. „Wie konnte er nur! Ich hoffe, du hast ihm ordentlich gegen das Schienbein getreten oder wenigstens …"

Er legte ihr einen Finger auf die Lippen. Es sah ihr ähnlich, ein Kind zu verteidigen, selbst wenn dieses Kind schon lange erwachsen war. „Er hat mich aufgenommen. Er sagte, sein Blut habe mir den Mut gegeben, an den Hof zu kommen, und man könne mich kaum dafür bestrafen, dass sein Blut in meinen Adern flösse."

Sie runzelte die Stirn und biss sich auf die Unterlippe. Er spürte die leichte Bewegung unter seinen Fingern, und es fuhr ihm heiß durch den ganzen Körper. Schnell nahm er sie von ihren Lippen.

„War er allein, als du kamst, um deine Rechte einzufordern?"

Er warf ihr einen überraschten Blick zu. „Nein, es waren noch andere Leute dabei. An dem Ausdruck auf ihren Gesichtern konnte ich erkennen, dass sie nicht glaubten, dass er auf meine Forderung eingehen würde. Doch als er anfing, davon zu sprechen, dass wir das gleiche Blut hätten, fingen sie an zu lachen und tauschten vielsagende Blicke aus."

Er atmete tief durch. Er erinnerte sich noch sehr deutlich an jenen Tag. „Ich hätte ihn hassen sollen, aber das konnte ich nicht. Ich wusste nicht, ob er überhaupt irgendwelche Gefühle hatte. Ich glaube, er hat mich nur zur Belustigung bei sich behalten. Doch ich übte mich mit den anderen Knappen im Kampf, jeden Tag, bis zur Erschöpfung. Ich wollte nicht nur eine Belustigung sein. Nicht auf seine Kosten, auf niemandes Kosten."

Gaira lag jetzt entspannt auf ihm. Er fühlte das Gewicht ihres geschmeidigen Körpers auf sich und wie sich ihre Beine an seinen rieben. Sofort breitete sich eine Welle glühenden Verlangens in ihm aus, doch er musste seine Geschichte zu Ende bringen.

„König Edward blieb mein Ehrgeiz nicht verborgen, und er sorgte dafür, dass ich in seinen Kasernen zum Krieger für die königlichen Truppen ausgebildet wurde. Seitdem habe ich keinen Kontakt zu meinem Vater mehr gehabt. Er hatte seinen Zweck für mich erfüllt, genau wie meine Mutter damals für ihn. Von Zeit zu Zeit sah ich ihn zufällig aus der Ferne."

„Lebt er noch?"

„Darüber habe ich mir keine Gedanken gemacht." Und das stimmte, seit vielen Jahren hatte er nicht mehr an ihn gedacht. Alles, woran er jetzt gerade dachte, war, wie gut sich Gairas Körper an seinem anfühlte, wie mutig und stur sie war – und dass er niemals mit ihr zusammen sein konnte.

„Wir sollten zurück zum Lager gehen", sagte er.

Robert hörte einen Schrei und dann ein Geräusch, das er gut kannte: wenn jemand von einem Faustschlag getroffen wurde.

Er sprang auf. Es war noch früh am Morgen. Gaira, Alec und Maisie waren nirgends zu sehen. Flora und Creighton waren noch an derselben Stelle, wo sie eingeschlafen waren. Doch jetzt schliefen sie nicht mehr.

Creighton saß halb aufrecht und wirbelte mit den Fäusten durch die Luft. Flora war damit beschäftigt, sich entweder schützend die Hände vors Gesicht zu halten oder zu versuchen, ihren Bruder an den Armen zu packen. Dabei redete sie ununterbrochen auf ihn ein.

Robert rannte zu ihnen, packte Flora und zog sie aus Creightons Reichweite.

„Nein!", schrie sie. „Er braucht mich!"

Sie streckte die Arme nach ihrem Bruder aus und wand sich in seinem Griff.

„Nein, nicht, wenn er in diesem Zustand ist." Er setzte sie unsanft auf dem Boden ab, in einigem Abstand zu Creighton. Es gefiel ihr nicht, doch er kümmerte sich nicht darum. Gaira war schließlich nicht hier, um einzugreifen.

„Er darf dich nicht schlagen!"

Flora sah ihn mit großen Augen an und begann, heftig zu weinen. Dicke Tränen kullerten ihr die Wangen hinunter. Er öffnete den Mund, wollte etwas Tröstendes sagen, aber ihm fiel nichts ein. Stattdessen deutete er auf sie. „Bleib hier!"

Er lief zurück zu Creighton. Er schlug zwar nicht mehr um sich, war jedoch immer noch in seinem Albtraum gefangen, denn er krampfte die Hände zusammen, bis die Knöchel weiß wurden, und sein ganzer Körper zuckte.

Robert legte ihm eine Hand auf den Kopf, und der Junge wachte erschrocken auf.

Wütend blitzte er ihn mit seinen blauen Augen an. In all den Jahren, die er auf dem Schlachtfeld gestanden hatte, war ihm nie solcher Hass begegnet. Doch fast im selben Augenblick verwandelte sich der Hass in Creightons Blick in Angst. Robert strich ihm sanft über die Stirn und das schweißnasse Haar.

Der Junge drückte sich von ihm weg und setzte sich mühsam auf. Er sah hinüber zu Flora, die noch an der Stelle stand, wo er sie abgesetzt hatte. Ihr Haar war zerzaust, das Kleid zerknittert, und sie hatte mehrere rote Kratzer im Gesicht.

Creighton sah erst ihn erschrocken an und dann Flora. Seine Augen waren weit aufgerissen vor Angst und Sorge.

Flora versuchte zu lächeln, doch ihre Unterlippe blutete, und sie saugte schnell daran, damit das Blut nicht hinuntertropfte.

Creighton stieß einen Schrei aus, der zur Hälfte aus Wut, zur anderen Hälfte aus Schmerz bestand. Aber es waren noch immer keine Worte.

Der Junge wusste, dass er seine Schwester so verletzt hatte. Robert hatte ein für alle Mal genug. „Du hast ihr sehr wehgetan. Du hast auch Gaira wehgetan. Du musst damit aufhören."

Creighton stand mühsam auf. Seine schuldbewusste Miene nahm einen gequälten Ausdruck an.

Robert schaffte es nicht, noch länger wütend zu sein, doch er musste etwas tun. „Geh zum Bach und hol Wasser zum Kühlen für deine Schwester."

Creighton rührte sich nicht. Er blieb stehen und starrte weiter seine Schwester an.

Robert wandte sich an Flora. „Kann er mich hören?"

Flora nickte, sah aber weiter ihren Bruder an. „Er kann hören." Sie saugte wieder an ihrer aufgeplatzten Lippe. „Wenn ich ihn darum bitte, geht er auch."

Creighton schnaubte und rannte dann in Richtung Bach davon.

Robert atmete erleichtert aus. Er wusste nicht, ob er Creighton hinterherlaufen oder ob er sich um Flora kümmern sollte. Er hatte keinerlei Erfahrung mit Kindern und wusste nicht, wie man mit ihnen sprach, selbst wenn es keinen Streit gab. Und er hatte mit Sicherheit keine Ahnung, wie man mit einem Neunjährigen sprach, der dieselben Qualen durchmachte, die er sonst nur bei erwachsenen Männern gesehen hatte.

Und er wusste auch nicht, wie er ihn dazu bringen sollte, zu reden. Viele seiner Männer erlitten nach dem Kämpfen ebenfalls einen Schock, doch sie schwiegen nie länger als einige Tage. Nie hatte es zwei Wochen angedauert wie bei Creighton. Sprach der Junge absichtlich nicht, oder stand er noch immer unter Schock? Gaira hatte es ihm nicht erklärt, und er vermutete, dass sie es ebenfalls nicht wusste.

Doch offenbar wusste Flora, was in ihrem Bruder vor sich ging. Sie hatte sich nicht gegen seine Schläge gewehrt und hatte gesagt, dass er sie brauchte.

Sie stand neben ihm und sah noch immer in die Richtung, in die ihr Bruder verschwunden war.

„Warum spricht er nicht?", fragte Robert.

Flora zuckte mit den Schultern. „Ich glaube nicht, dass er wieder zurückkommt." Sie warf ihm einen kurzen Blick zu, und er sah, dass sie ihn misstrauisch taxierte. Sie blickte ihn so wissend und so durchdringend an, dass er das Bedürfnis hatte, davonzulaufen. Doch er blieb stehen.

„Ich habe noch etwas Wasser. Aber ich glaube, es ist nicht so kühl wie das aus dem Bach."

Er nahm eins seiner Hemden und goss Wasser aus dem Trinkschlauch darauf. Es war noch kalt von der Nacht.

Sie kam zu ihm und stellte sich vor ihn, doch sie hielt den Kopf gesenkt. Plötzlich wusste er nicht, ob er ihr das Hemd geben sollte oder ob er sie selbst versorgen sollte.

Er kniete sich vor ihr auf den Boden und wischte vorsichtig das

Blut ab. Dann strich er ihr das Haar aus dem Gesicht und drückte das nasse Hemd gegen ihr Auge.

„Das muss dort bleiben, damit die Schwellung zurückgeht. Sag mir, wenn es warm wird."

Sie nickte leicht und drückte den Stoff gegen ihr Auge. „Es ist warm", sagte sie sofort.

Er vermutete, dass es auf ihrem geschundenen Gesicht wie Feuer brennen musste, doch sie weinte nicht und jammerte auch nicht. Sie sah ihn einfach nur an. Er goss noch mehr Wasser auf das Hemd und hielt es an ihr Gesicht. Sie blinzelte nicht, und wieder hatte er das Gefühl, dass sie ihn musterte.

Suchend blickte er sich um. Doch er sah oder hörte kein Zeichen von Gaira und den anderen Kindern.

„Es ist meine Schuld, dass er nicht spricht", flüsterte sie.

Robert hatte hinter sie geblickt, doch jetzt wandte er seine ganze Aufmerksamkeit ihr zu. „Warum denkst du, dass es deine Schuld ist?"

„Ich habe Gaira angelogen. Aber du darfst es ihr nicht sagen. Sie wäre furchtbar böse, wenn sie es wüsste."

„Ich denke, es braucht mehr als eine Lüge, um Gaira böse zu machen." Er musste es schließlich wissen, denn er hatte seine eigenen Erfahrungen mit ihr gemacht, was Lügen betraf. Und er bezweifelte, dass irgendetwas ihre Energie und ihren Optimismus bremsen konnte.

Er wartete, doch Flora sprach nicht weiter. Er hatte das Gefühl, dass dies ein ganz zerbrechlicher Moment war. Der Wald kam ihm mit einem Mal unnatürlich still vor. Er konnte sich kaum noch daran erinnern, wie es gewesen war, als er selbst ein Kind war. Doch er wusste noch gut, was das Entscheidende war, damit sich jemand öffnete: Vertrauen.

„Ich schwöre, dass ich dein Geheimnis für mich behalte."

Ihr Verhalten änderte sich schlagartig, und sie entspannte sich sichtlich, als hätte er irgendwelche magischen Worte gesagt. „Oh, es ist nicht mein Geheimnis." Sie reichte ihm sein Hemd. „Gaira denkt, dass wir uns im Wald versteckt hatten, doch das stimmt nicht", sagte sie, und ihre Stimme klang langsam sicherer. „Wir waren im Dorf, als es passierte."

Großer Gott! Das hatte er nicht gewusst! Er wrang das nasse Hemd aus, blickte sie jedoch weiterhin an, um sie nicht zu verschrecken. Es war offenbar ein schlimmes Geheimnis, das sie mit ihm teilen wollte, und er musste die Ruhe bewahren, zumindest ihretwegen.

„Wir hörten, wie die Pferde den Hügel herabkamen und auf Doonhill zugaloppierten." Sie saugte wieder an ihrer Lippe.

„Die Reiter hatten brennende Fackeln, die sie über ihren Köpfen schwangen. Ihre Schwerter blitzten im Feuerschein. Alle liefen in Richtung See davon oder in ihre Häuser. Papa nahm sich schnell eine Axt und rannte auf die Männer zu. Ich konnte nicht sehen, was dann passierte, weil Mama mich mit ins Haus gezogen hatte."

Robert goss noch mehr kaltes Wasser auf das Hemd und drückte es gegen ihr geschwollenes Auge. Seine Hände zitterten heftig. Sie nahm das Hemd und presste es selbst gegen ihr Gesicht.

„Zuerst taten sie den Kindern nichts, nur unseren Eltern. Doch sie hörten nicht auf. Sie hörten nicht auf, nachdem sie mit meiner Mama fertig waren. Sie hörten nicht auf." Sie atmete scharf ein. „Dann kam ein Mann auf mich zu."

Robert schüttelte den Kopf. Er wollte ihr Geheimnis gar nicht hören!

„Doch er hat mich nicht gekriegt", fuhr sie fort. „Creighton hat ihn überwältigt. Er hat sich Mamas Kessel genommen und ihm auf den Kopf geschlagen. Der Mann ist auf mich draufgefallen. Ich konnte mich nicht bewegen. Er war so schwer. Creighton zog ihn von mir herunter und warf ihn ins Feuer, denn unsere Hütte stand schon in Flammen. Ich sah, wie der Mann verbrannte. Ich glaube, er war bereits tot."

Sie drückte den Stoff gegen ihr Gesicht, sodass es beinahe ganz darunter verschwand. Doch mit ihrem freien Auge sah sie ihn unverwandt an, und ihm blieb nichts anderes übrig, als ihren Blick zu erwidern.

„Creighton nahm mich an der Hand, und wir liefen aus der Hütte. Alec rannte schreiend auf der Straße herum. Sie töteten alle unsere Freunde. Ich konnte mich vor Angst kaum bewegen. Doch Creighton packte mich und Alec am Arm und zerrte uns den Hügel hinauf bis in den Wald."

161

Sie ließ das Hemd fallen, und er hob es, ohne nachzudenken, wieder auf. Seine Hände zitterten zu stark, als dass er noch einmal Wasser daraufgießen konnte.

„Ich weiß, warum Creighton nicht spricht. Weil er den Mann umgebracht hat." Die Tränen liefen ihr jetzt in Strömen die Wangen hinunter, da sie nicht mehr von dem Hemd aufgefangen wurden.

Auf einmal spürte er, wie sich ihm die Kehle zuschnürte und seine Augen zu brennen anfingen.

„Er spricht einfach nicht mit mir!" Sie schüttelte den Kopf. „Fast, als wäre er auch weggegangen, wie Mama und Papa, an einen Ort, wo ich ihn nicht erreichen kann."

Ihre Augen, die so blau waren und so tief wie der Himmel, sahen ihn voller Vertrauen an, als ob er ihr helfen könnte.

Er wusste nicht, was er sagen sollte, und seine Stimme versagte, deswegen nahm er einfach ihre Hand. Sie fühlte sich plötzlich viel kälter und kleiner an als zuvor. Sie ließ es sich gefallen, dass er sie sanft zu sich heranzog und hochhob, und erschrak auch nicht. Er hatte das Gefühl, viel zu groß und unbeholfen zu sein, doch offenbar wusste sie, was er vorhatte, und legte ihm den Kopf auf die Brust.

„Das ist ein großes Geheimnis, das du mir da erzählt hast, Flora", flüsterte er.

Er spürte ein Nicken an seiner Schulter.

Was er ihr nun sagen würde, würde nicht nur ihr Leben verändern, sondern auch seines. Er wusste, dass er nicht nur unbeholfen im Trösten war, sondern auch mit Worten.

„Ich finde, dass Gaira es ebenfalls wissen sollte. Sie würde sicher wissen wollen, wenn euch Schmerzen zugefügt wurden."

„Aber er hat mir doch nichts getan."

Oh doch, das hatte er! Der bloße Gedanke daran ließ Robert innerlich kochen vor Wut. „Aber er hat dir Angst gemacht, oder?"

Sie nickte.

„Gaira liebt dich, und sie würde wissen wollen, wovor du dich fürchtest."

„Aber sie wird böse auf mich sein, dass ich es ihr nicht gleich erzählt habe."

„Ich glaube, dass sie es verstehen wird." Er hielt einen Moment inne. „Wirst du es ihr erzählen?"

Er spürte, wie sie mit sich haderte. „Ich versuche es."

Sie wollte Gaira also noch immer nicht erzählen, was passiert war. Dabei war Gaira diejenige mit dem großen, liebevollen Herzen und der sanften Art. Sie hätte gewusst, was man in solch einer Situation zu einem kleinen Mädchen sagt, um es zu trösten. Und trotzdem, aus irgendeinem Grund hatte sie es ihm erzählt, einem hartgesottenen Krieger. Noch dazu einem englischen Krieger.

„Warum hast du mir das erzählt, Flora?"

Sie machte sich ein wenig von ihm los und sah ihn direkt an. Plötzlich wirkte sie viel jünger auf ihn. Es kam ihm so vor, als wäre sie wieder ein Kleinkind geworden, seit sie ihr Geheimnis mit ihm geteilt hatte. Doch in ihrem Blick lag immer noch dieser prüfende Ausdruck.

„Gaira hat gesagt, dass du ein Krieger bist."

„Das stimmt."

„Dann weißt du bestimmt, was mit Creighton los ist."

Er wusste nicht, was sie meinte, doch sie sprach weiter.

„Ich komme nicht an ihn heran. Sein Geist ist an irgendeinem Ort, an dem ich noch nie war. Und Gaira auch nicht. Ich verstehe es nicht, und deswegen habe ich es Gaira nicht erzählt, weil sie es nicht richtig verstehen würde, obwohl sie versucht, uns zu trösten."

Sie senkte den Blick und zupfte an ihrem Kleid herum. „Creighton hat einen Mann umgebracht. Gott ist wahrscheinlich sehr wütend auf ihn. Doch ich habe ihm gesagt, dass Gott es sicher versteht. Dass er für ihn eine Ausnahme macht und er nicht in die Hölle muss."

Ihre Denkweise war so voller kindlicher Unschuld. Wie sollte er ihr erklären, dass es für niemanden Ausnahmen gab? Er war ein Krieger. Er kämpfte und tötete, weil er keine Ausnahme wollte. Er verdiente es, in die Hölle zu kommen, da er zu dem Menschen geworden war, der er jetzt war. Und wegen seiner Fehler in der Vergangenheit. Doch das konnte und wollte er ihr nicht sagen. Aber was konnte er ihr stattdessen sagen?

Sie zupfte an seiner Tunika. Ihre Finger waren in der Nähe seines Herzens. „Ich will meinen Bruder wiederhaben. Ich glaube, dass er sich selbst bestraft, indem er nicht spricht."

Creightons Wut schien ihm vollkommen gerechtfertigt. Er war nicht einfach nur wütend auf ihn, weil er für ihn die Männer verkörperte, die seine Familie umgebracht und sein Zuhause zerstört hatten. Er war zornig, weil sie ihn gezwungen hatten, zu töten. Und er war davon überzeugt, dass er dafür in die Hölle kam.

Robert räusperte sich. „Aber er hat doch dich und Alec gerettet mit seiner Tat."

„Das habe ich ihm auch gesagt!", rief sie erleichtert aus. „Und dass es fast das Gleiche ist wie das, was du gestern für uns getan hast. Du hast den Mann getötet, weil er uns angegriffen hat. Und du sprichst trotzdem. Du hast zwar getötet, aber du bist trotzdem noch hier und nicht irgendwo, wo wir nicht mehr an dich herankommen." Sie sah ihn forschend an. „Du gehst doch nicht weg von uns, oder?"

Er hatte niemals vorgehabt, überhaupt hier zu sein. Doch nun war er hier, er selbst hatte es so entschieden, denn niemand hatte ihn gezwungen, so weit mit ihnen mitzugehen.

Er strich ihr das Haar aus dem Gesicht. Es war so weich und fein, dass er es auf seiner schwieligen Haut kaum fühlte.

„Ich spreche mit Creighton. Aber ich kann dir nichts versprechen. Dennoch werde ich es versuchen."

Sie lächelte ihn an. Es war kein zaghaftes oder schüchternes Lächeln, nein, es breitete sich über ihr ganzes Gesicht aus, und sie strahlte.

„Dann bin ich mir sicher, dass es klappt. Denn alles, was du bisher für uns getan hast, ist gut für uns ausgegangen. Robert of Dent … ich glaube an dich."

Plötzlich spürte er ein leichtes Ziehen in seinem Herzen und wie eine Last von seiner Brust genommen wurde.

Er nickte. „Dann kann ich eigentlich gleich anfangen."

Sie ließ seine Tunika los, und kaum hatte er sie auf die Füße gestellt, rannte sie in Richtung des Baches davon. Er hatte sie noch nie zuvor rennen sehen.

„Flora?", rief er ihr hinterher.

Sie blieb stehen, drehte sich um und sah ihn fragend an.

„Ich bleibe. Ich gehe nicht weg von euch."

Sie winkte ihm kurz zu und hüpfte dann mit einer ganz neuen kindlichen Leichtigkeit davon.

Robert blieb wie angewurzelt stehen. Er wünschte, sich so leicht fühlen zu können wie Flora. Die Worte waren wie von selbst aus ihm herausgekommen, als wären sie die ganze Zeit schon in ihm gewesen. Sein Versprechen, dass er bei ihnen bleiben und sie beschützen würde, war ihm entschlüpft, ehe er auch nur darüber nachgedacht hatte.

Er hatte geschworen, dieses Versprechen nie wieder jemandem zu geben. Das letzte Mal, als er es getan hatte, hatte er es nicht einhalten können. Und seitdem hatte er kaum noch existiert, sein ganzes Leben bestand nur noch aus Schmerz und Schuld.

Und doch hatte er jetzt dieses Versprechen laut ausgesprochen. Und schon spürte er, wie dieser Entschluss ihm das Blut in den Adern gefrieren ließ und sich in seinem Herzen ein Gefühl der Entschlossenheit ausbreitete. Denn er wusste, wenn er sein Versprechen noch einmal brach, dann würde er dafür sorgen, dass auch er dieses Mal starb.

21. Kapitel

E r fand Creighton am Fluss. Er warf kleine Stöcke ins Wasser und sah zu, wie sie über die Steine hüpften und sich drehten.

„Du solltest es mit Steinen probieren." Robert suchte auf dem Boden und fand schließlich einen flachen Stein. Er holte weit aus und warf ihn auf das Wasser. Der Stein sprang dreimal über die Oberfläche.

„Als ich etwa so alt war wie du, habe ich das oft gemacht. Ich hatte einen Freund, bei dem die Steine fünf Mal gesprungen sind."

Er fand einen weiteren Stein und reichte ihn Creighton. Der Junge bewegte sich nicht, doch Robert sah, wie seine Blicke in Richtung des Steins gingen. Eine ganze Weile hielt er ihn vor Creighton in der Luft, doch der nahm ihn nicht.

Dann warf er den Stein hoch, fing ihn auf und schleuderte ihn auf das Wasser. Dieser sprang nur zweimal. „Ich habe nie mehr als dreimal geschafft. Ich ging immer und immer wieder zum Fluss, doch mehr als drei Sprünge wurden es nie."

Robert nahm eine Handvoll Kieselsteine und warf sie in das Wasser, wo sie viele kleine Punkte hinterließen wie dicke Regentropfen.

„Dafür war ich besser im Schwertkampf. Er war zwar der Ältere und hatte das bessere Elternhaus und die bessere Ausrüstung, doch wir trainierten immer zusammen während unserer Ausbildung. Ich bin jeden Tag vor ihm aufgestanden, um zu üben, und ging erst nach ihm schlafen."

Er rieb sich über den Nacken. „Für uns war es das Gleiche, die Steine zu werfen oder uns im Schwertkampf zu üben. Es war alles nur ein Spiel. Doch irgendwann mussten wir immer öfter und härter trainieren, und wir hatten keine Zeit mehr, um Steine zu werfen. Die Ausbildung zum Krieger in König Edwards Kaserne wurde ernster als früher, doch es war immer noch ein Spiel. Wir konnten uns miteinander messen und lachen. Aber es blieb nicht lange so."

Robert dachte fieberhaft darüber nach, wie er einem gerade mal neunjährigen Jungen erklären sollte, wie Politik funktionierte. „Denn da gab es diese junge französische Prinzessin, die beide Länder, England und Wales, gerne als Frau für ihren Thronfolger haben wollten, aus politischen Gründen", fing er an. „Sie kämpften um sie, bis Edward entschied, dass Wales nicht mehr länger ein eigenständiges Land sein sollte. Es gab Krieg, und mein Freund und ich zogen in die Schlacht."

Er fand noch einen flachen Stein am Ufer und rollte ihn zwischen den Fingern umher. „Und das war überhaupt kein Spiel mehr."

Creighton bewegte sich nicht, es wirkte fast so, als ob er ihn gar nicht beachtete. Doch Robert wusste, dass der Junge ihm zuhörte. Er hoffte nur, dass seine Erzählungen einen Sinn für ihn ergaben.

„Es war keine besonders große Schlacht, nicht mehr als ein paar Hundert Männer auf jeder Seite. Ich erinnere mich, dass es ein sonniger, wolkenloser Tag war. Die Felder leuchteten grün, und ich glaube, dass hinter uns ein paar Bäume standen. Beide Seiten liefen in die Mitte des Feldes, und mit einem Mal stand ein Mann vor mir. Mein einziger Gedanke war, dass ich am Leben bleiben wollte und dass ich nicht wegrennen konnte. Also zog ich mein Schwert."

Robert hörte jetzt auf, den Stein herumzudrehen, und drückte sich die schmalen Kanten tief in die Handfläche. „Er wollte mit seinem Schwert auf meinen Brustkorb einstechen, aber ich konnte den Hieb ohne große Mühe abwehren und den Mann töten. Ehe ich richtig durchatmen konnte, stand schon der nächste Krieger vor mir. Doch selbst in diesem Moment, als alle meine Sinne geschärft waren, kam mir das Ganze unwirklich vor. Wie konnte ich so einfach eine Bewegung tun, die die Männer um mich herum tot zusammenbrechen ließ?"

Nun warf Robert den Stein. Er tauchte in eine Welle hinein und war verschwunden. „Ich habe an dem Abend noch bei einem Priester gebeichtet und mich heftig betrunken. Und als ich am nächsten Morgen aufwachte, hatte ich nicht nur fürchterliche

Kopfschmerzen, sondern auch die Gewissheit, dass ich nie mehr der sein würde, der ich vor der Schlacht gewesen war."

Er atmete tief durch, denn er wusste nicht, was er sonst noch sagen sollte. Creighton hatte schon genug Schreckliches gesehen, und er wollte ihn nicht noch mehr belasten, indem er zu ausführlich beschrieb, was damals alles geschehen war.

Also stand er einfach nur da und warf noch mehr Steine ins Wasser. Das Rauschen des Baches kam ihm unnatürlich laut vor, als sie schweigend so dastanden.

„Was ist mit der Prinzessin passiert?" Creightons Stimme war höher, als Robert erwartet hatte. Doch schließlich war er auch erst neun. Nicht mehr als ein Kind, das einen schrecklichen Albtraum miterlebt hatte, an dem so mancher Erwachsener verzweifeln würde.

„Sie war auf einem Schiff von Frankreich nach Wales unterwegs. Da ließ Edward ihr Schiff entern und nahm sie gefangen."

„Ist sie gestorben?"

Robert wusste nicht, was er getan hatte und womit er es verdiente, dass Creighton mit ihm sprach, und er wollte ihn nicht wieder verschrecken.

„Nein, er hat sie freigelassen, und sie hat geheiratet und ein Kind bekommen." Er sagte ihm nicht, dass sie im Kindbett gestorben war.

„Ich habe Sünde auf mich geladen", stieß Creighton hervor.

Robert sah ihn an. Der Junge hielt den Blick starr auf die andere Uferseite gerichtet.

„Was meinst du damit?"

„Wenn ich spreche, dann bringe ich Verderben über alle um mich herum."

„Aber du sprichst mit mir."

„Ja, weil du auch gesündigt hast. Ich habe gesehen, was du mit dem Mann gemacht hast. Es ist genau das Gleiche. Auf Mama und Papa wurde auch eingehackt wie auf totes Schilfrohr, und sie sind auch einfach so umgefallen."

Robert kauerte sich auf den Boden, blickte jedoch weiterhin nach vorne, genau wie der Junge. „Es gibt aber einen Unterschied zwischen dem, was diese Männer in eurem Dorf getan haben, und was ich auf dem Schlachtfeld getan habe. Deine Familie war unschuldig und hätte nicht so leiden dürfen. Sie haben nicht im Krieg gekämpft, sondern wurden ermordet."

Nach einer Pause fuhr er fort: „Die Männer auf dem Schlachtfeld waren ausgebildete Krieger. Sie wussten, dass sie in der Schlacht sterben konnten. Sie haben sich auf alles eingelassen, was der Krieg mit sich bringt."

„Aber sie sind trotzdem tot", warf Creighton ein. „Sie sind alle tot. Wo ist der Unterschied?"

Robert hatte seit Jahren nicht mehr so viel gesprochen. Er dachte kurz nach, bevor er fortfuhr: „Manchmal muss man eine harte Entscheidung treffen. Manchmal gibt es keine andere Möglichkeit, und niemand kann einem diese Last abnehmen. Man muss ganz allein entscheiden."

„Ich wollte ihn nicht töten." Creighton atmete keuchend aus. „Ich wusste, dass er böse war, aber ich wollte nur, dass er aufhörte."

„Du hattest Angst und warst wütend, und wenn du ihn nicht geschlagen hättest, dann hätte er Flora wehgetan und danach wahrscheinlich noch dir."

Creighton nickte und blickte nach unten.

Robert legte ihm eine Hand auf die Schulter, und der Junge hob den Blick und sah ihn direkt an. Seine Stirn war in nachdenkliche Falten gezogen, doch in seinen Augen schimmerten keine Tränen. So viele Schuldgefühle lasteten auf diesen schmalen Schultern.

„Ich habe nicht die Macht, dir zu vergeben oder es erträglicher für dich zu machen", sprach Robert mit sanfter Stimme weiter. „Das musst du allein mit Gott ausmachen. Irgendwann wirst du verstehen, dass es sehr mutig war, wie du gehandelt hast, und dass deine Schwester und Alec tot wären, wenn du nicht diese harte Entscheidung getroffen hättest."

Creightons Gesicht wurde erst rot, bevor es sich schmerzvoll verzog und sich seine Augen mit Tränen füllten.

Ohne zu zögern, nahm Robert den Jungen in den Arm. Er konnte nichts weiter sagen, um ihm zu helfen. Doch er wollte ihm klarmachen, dass er sich irgendwann besser fühlen würde, dass er irgendwann wieder ein unbeschwertes Kind sein konnte.

Er wusste nicht, wie er ihm das deutlich machen sollte, also drückte er ihn einfach noch fester an sich. Creighton schluchzte immer lauter, und es dauerte lange, ehe er aufhörte.

Nach einer Weile räusperte Robert sich und löste seinen Griff. „Na dann." Seine Stimme zitterte ein wenig. „Das Wichtigste ist, einen glatten, flachen Stein zu finden, so wie diesen hier. Schaffst du das?"

Creighton wischte sich über das Gesicht und nickte. Dann sah er aufmerksam auf den Boden und entdeckte einen passenden Stein.

Als Robert und Creighton zurück zum Lager kamen, waren Gaira, Alec und Maisie ebenfalls wieder da. Maisie saß auf Gairas Schoß, und Alec und Flora führten einen verrückten Tanz auf. Alle Mädchen lachten vergnügt.

Creighton rannte zu ihnen. Flora hörte sofort auf, sich im Kreis zu drehen, und sah ihren Bruder besorgt an.

„Hör nicht meinetwegen auf, Flora", sagte Creighton.

Robert vernahm, wie Gaira laut aufatmete.

„Das sieht lustig aus, wenn du so herumwirbelst." Creighton nahm Flora bei der Hand und drehte sie immer schneller und schneller.

Robert sah, dass Flora vor Freude die Tränen herunterliefen, während sie ihren Zwillingsbruder anstrahlte. Alec hüpfte noch wilder umher als vorher und rannte um die beiden herum.

Gaira lachte und weinte zur gleichen Zeit, und Maisie klatschte begeistert in die Händchen. Ihre Gesichter strahlten vor Glück. Es war das Schönste, was Robert jemals gesehen hatte.

Er hatte noch nie eine Frau wie Gaira getroffen. Mutig, entschlossen und mit dem Herzen am richtigen Fleck. In den letzten Tagen hatte sie gekichert, als wäre sie selbst noch ein Mädchen. Doch sie konnte genauso schnell in die Rolle der strengen Mutter schlüpfen, wenn sie die Kinder aufforderte, sich zu waschen oder schlafen zu gehen.

Er hatte keine Ahnung, wie sie das schaffte. Er wusste, dass sie selbst einiges durchgemacht hatte. Ihre Schwester war tot, und ihre Brüder hatten sie hintergangen.

Es kam ihm wieder in den Sinn, was er zu Creighton gesagt hatte.

‚Manchmal muss man eine harte Entscheidung treffen.'

Letzte Nacht, bevor sie am Bach gewesen waren, hatte er beobachtet, wie sich Maisie an Flora herangekuschelt hatte. Flora hatte sie angestrahlt, als ob sie ein Geschenk bekommen hätte, und Gaira hatte liebevoll zurückgelächelt und sich dann hinuntergebeugt und Flora einen Kuss auf die Stirn gegeben.

Er wusste, dass es ein sehr inniger Moment zwischen ihnen gewesen war, aber er hatte einfach hinsehen müssen. Diese Kinder waren nicht einmal ihre eigenen, doch sie liebte sie von ganzem Herzen. Und deshalb kämpfte sie auch mit ganzem Herzen um ihre Sicherheit.

‚Manchmal gibt es keine andere Möglichkeit, und niemand kann einem diese Last abnehmen.'

War sie ein verspieltes Mädchen, eine Retterin oder eine Mutter? Er war sich sicher, noch nie eine Frau getroffen zu haben, die auch nur annähernd so war wie sie. Vielleicht war das der Grund, dass er sich so von ihr angezogen fühlte. Er wollte sie beschützen, sie zum Lachen bringen und ihren wunderbaren Körper mit Lust erfüllen, alles auf einmal.

Und es war dieses Gefühl, das ihn dazu veranlasst hatte, Flora dieses Versprechen zu geben.

‚Man muss ganz allein entscheiden.'

Gaira sah ihn über Maisies Kopf hinweg an, und sie blickten einander tief in die Augen. Er hatte das Gefühl, als würde er zerbersten vor Freude und Dankbarkeit. Aber da war auch noch etwas anderes …

Letzte Nacht hatte er Gaira gesagt, dass er sie verlassen würde. Und jetzt musste er ihr sagen, dass er blieb. Er fragte sich, was sie davon halten würde, nach dem, was zwischen ihnen passiert war.

Sie würde sich freuen, dass er sie und die Kinder auf ihrer Reise begleitete. Und außerdem hatte Creighton seine Sprache wiedergefunden. Sie konnte also schlecht weiterhin wütend oder gekränkt sein.

„Nein!" Gaira verschränkte die Arme vor der Brust. „Ihr kommt nicht mit uns mit. Jeder geht ab jetzt seinen eigenen Weg, so wie wir es gestern ausgemacht haben."

Sie war froh, dass sie die Kinder Holz suchen geschickt hatte, sodass sie das Gespräch nicht mitbekommen würden.

„Ich hatte gedacht, dass Ihr wollt, dass ich Euch helfe", erwiderte Robert überrascht.

Ja, das wollte sie auch. Sehr sogar. Doch nicht, wenn sein Leben dadurch in Gefahr geriet. Sie konnte nicht glauben, dass sie ihn jemals um seine Hilfe gebeten hatte. Aber woher hätte sie wissen sollen, dass es so weit kommen würde? „Ich habe meine Meinung eben geändert", sagte sie. Sie wollte nicht, dass er sie weiter begleitete. Nicht nach dem, was gestern passiert war. Nicht, nachdem sie erkannt hatte, dass sie ihn liebte. Die Erkenntnis war keine große Überraschung gewesen. Ihr Herz hatte für ihn geschlagen, seit er so grimmig zugestimmt hatte, ihr dabei zu helfen, die Toten zu begraben. Sie liebte seine grimmige Art. Aber nicht jetzt.

„Ich habe meine Meinung geändert", wiederholte sie. „Wir brauchen Euch nicht länger. Wir haben genug Proviant, und bald sind wir auf dem Land meines Bruders, dann haben wir seinen Schutz. Wir sind sehr gut zurechtgekommen, bevor Ihr zu uns gestoßen seid, und wir werden auch jetzt zurechtkommen."

Sie hoffte, dass er sich von ihren Argumenten überzeugen lassen würde. In Wahrheit mussten sie noch das Land des Buchanan Clans durchqueren, und sie fürchtete sich davor, was ihr ältester Bruder mit ihr tun könnte, wenn sie zurückkehrte.

„Ich lasse Euch und die Kinder nicht allein", sagte er. „Ich habe nicht erwartet, Euch und die Kinder zu treffen, doch nun ist es so, und ich kann es nicht ändern. Genauso wenig kann ich ändern, dass ich jetzt hier bin. Auch wenn Ihr vorher gut zurechtkamt, aber nun bin ich hier und werde Euch helfen."

Sie war so stur! Warum ließ er sich überhaupt auf eine Diskussion mit ihr ein? „Ich bin nicht irgendein Objekt, das von Euch beschützt werden muss."

„Das werde ich aber tun."

Sie war jetzt so zornig, dass sie vor Wut kochte.

„Mein Bruder ist ein schottischer Laird. Er wird Euch mit ziemlicher Sicherheit töten."

„Er kann es versuchen."

Auf die Liste mit all seinen schlechten Eigenschaften fügte sie jetzt auch noch Arroganz hinzu. „Wisst Ihr wirklich nicht, was man mit Euch tun wird, wenn wir dort ankommen? Wir sind in Sicherheit, wirklich. Ich kenne diese Gegend", behauptete sie.

„Gut, das heißt, dass wir nicht viel Zeit für den Rest der Reise brauchen. Ich will nämlich mit eigenen Augen sehen, dass Ihr in Sicherheit seid, wenn Ihr Eurem Bruder sagt, dass Euer Bräutigam getötet wurde und Ihr vier hungrige Mäuler ins Haus gebracht habt."

„Dass Ihr mir und den Kindern geholfen habt, wird ihn nicht erweichen."

„Das ist meine Sache." Er sah sie prüfend an. „Ihr seid doch in Sicherheit, wenn Ihr bei Eurem Bruder seid, oder? Immerhin hat er Euch verheiratet, weil er Euch loswerden wollte."

Sie wusste darauf keine Antwort. „Meine Sicherheit ist meine Sache." Sie wiederholte, was sie zuvor gesagt hatte, mit so viel Hochmut, wie sie aufbringen konnte.

Er beugte sich zu ihr vor, und ihre Entschlossenheit schwand.

„Ich hoffe, dass Ihr sicher seid. Denn ich kann Euch nicht mit in das englische Militärlager nehmen. Das wäre nicht angemessen, selbst wenn Ihr keine Schottin wäret."

„Und was ist schlimm daran, dass ich Schottin bin? Na, sag schon, du hässliche alte Sumpfkröte!"

Er zog einen Mundwinkel nach oben. „Ich finde überhaupt nichts Schlimmes daran."

Hitze stieg ihr in die Wangen. Sie war sich sicher, dass sie nun wie eine Klatschmohnblüte aussah.

Verstohlen musterte sie Robert, und es gefiel ihr gar nicht, dass sie ihn heute noch attraktiver fand als bisher. Das Sonnenlicht ließ sein Haar schimmern und es in diesem warmen Braunton leuchten, den sie so liebte. Und seine Augen wirkten noch dunkler als sonst, strahlten dennoch voller Wärme. Doch das gefiel ihr nicht im Geringsten.

Es schien ihm heute Morgen großen Spaß zu bereiten, sich ihr zu widersetzen. Etwas an ihm war anders als sonst. Er hatte sie noch nie zuvor so viel geneckt.

Sie war nicht lange weg gewesen, um etwas zu essen fürs Frühmahl zu finden. Doch als sie zurückkam, war alles anders gewesen. Creighton sprach plötzlich wieder. Und dieser starrköpfige, widerspenstige, arrogante Mann hatte dieses Wunder vollbracht.

Und jetzt wollte Robert ihnen plötzlich helfen. Sie fragte sich, warum, und versuchte gleichzeitig, keinerlei Hoffnung zu hegen, dass es etwas mit ihr zu tun hatte. Es lohnte sich nicht, zu hoffen. Nicht, wenn Robert sich in Lebensgefahr begab, wenn er sie weiterhin begleitete.

„Wir unterliegen nicht Eurer Verantwortung", sagte sie.

„Da bin ich anderer Meinung. Es war reines Glück, dass Ihr Doonhill erst nach dem Massaker erreicht habt."

„Glück! Das hatte nichts mit Glück zu tun. Es war Gottes Wille, dass ich dort hingekommen bin, und bestimmt kein Zufall. Er hat mich auserwählt, damit ich mich um die Kinder kümmere, und das werde ich tun!"

„Ja, das sollt Ihr ja auch, Gaira. Aber ich werde dafür sorgen, dass Ihr es könnt."

Sie kniff ihre Augen zusammen. „Tut Ihr das aus Eurem sogenannten Pflichtgefühl?"

Er richtete sich gerade auf. „Auch ich trage Verantwortung dafür, dass die Kinder Waisen sind."

Wut wallte in ihr auf. In erster Linie war sie wütend auf die Männer, die die Bewohner von Doonhill ermordet hatten. Zum Zweiten auf Robert, weil sein Pflichtgefühl zur falschen Zeit kam. Und zum Dritten war sie wütend auf ihr Herz, weil es immer noch die Hoffnung hatte, dass es mehr war als die Pflicht, die Robert dazu brachte, bei ihnen bleiben zu wollen. Ihr Herz wollte, dass er bei ihr blieb. Sie hatte sich ihm sogar hingegeben in der Hoffnung, dass er sich ihr ebenfalls öffnen würde. Doch alles war umsonst gewesen. Er hatte sich das verweigert, was sie ihm so bereitwillig gegeben hatte. Er hatte Abstand zu ihr gehalten. Und nun wollte sie nur, dass er endlich ging, damit ihm nichts geschah. Doch ausgerechnet jetzt sagte er, dass es seine Pflicht sei, sie zu beschützen.

„Ihr habt ihre Eltern aber nicht getötet", wandte sie ein. „Ihr wart gar nicht da."

„Aber die Männer, die das getan haben, waren englische Soldaten. So wie ich."

„Doch Ihr wart es nicht. Ihr könntet so etwas nicht tun."

„Ich habe auch getötet."

Sie machte eine abwehrende Handbewegung. „Aber keine Kinder. Keine Frauen. Niemanden, der unschuldig war."

„Wie könnt Ihr da so sicher sein? Ich bin Engländer. Macht mich das nicht grundsätzlich schlecht für euch Schotten?"

„Seid nicht albern. Gott beurteilt die Menschen nicht danach, welches Blut in ihnen fließt, sondern nach ihren Taten. Ihr seid zwar ein Dickkopf, aber kein Mörder."

Sie wurden vom lauten Lachen der spielenden Kinder unterbrochen. Gaira suchte nach Argumenten. Langsam lief ihr die Zeit davon, um ihn zu überzeugen.

„Die Diskussion ist noch nicht beendet", zischte sie ihm zu.

„Ich vermute nicht, aber es wird kein anderes Ergebnis dabei herauskommen."

„Ihr seid ein ... furchtbarer, teuflischer ... Mann!", zischte sie wütend.

Robert schwieg. Er bewegte nicht einmal die Augenbrauen. Nichts von dem, was sie sagte, konnte ihn von seinem Entschluss abbringen. Maisie kam zu ihr gerannt und umschlang ihre Beine.

„Na gut. Bringt uns zu meinem Bruder. Mir kann es schließlich egal sein, wenn er Euch den Kopf abschlägt."

„Kopf ab!", quietschte Maisie vergnügt.

„Ich bin froh, dass ihr zwei euch wenigstens einig seid", erwiderte er. „Wir müssen wahrscheinlich schneller reiten als zuvor. Aus irgendeinem Grund habe ich das Gefühl, dass uns nicht mehr viel Zeit bleibt."

22. Kapitel

Dieser verdammte Nebel. Er hüllte alles ein, sodass er kaum etwas sehen konnte. Jedes Geräusch klang lauter als sonst. Immer wieder stolperte sein Pferd über eine Unebenheit im Boden. Das Gebiet war felsiger und steiler als noch zuvor, die Bäume waren knorrigen Sträuchern gewichen, und sie kamen immer wieder an Abhängen vorbei.

Hinter jeder Wegbiegung konnte eine Gefahr lauern, und er würde sie erst bemerken, wenn es schon zu spät war. Obwohl er sich ununterbrochen umsah, hatte er das Gefühl, in eine Falle zu laufen.

„Wie weit östlich müssen wir noch?" Robert verlangsamte den Schritt seines Pferdes, damit er neben Gaira reiten konnte. Sofort beugte sich Alec, der vor ihm im Sattel saß, vor, um Gairas Pferd zu streicheln, und er zog ihn schnell zu sich heran, damit er nicht hinunterfiel.

„Zwei, vielleicht auch drei Tage", antwortete sie. „Nur so können wir es vermeiden, zu nah an Busbys Land heranzukommen."

„Aber sind wir dann nicht zu weit auf Buchanan-Land? Ihr sagtet, dass es nicht sicher sei."

„Ich glaube nicht, dass wir zu weit sind." Sie rückte Maisie auf ihrem Schoß zurecht. „Das Buchanan-Land ist groß. Ich bin nie dort gewesen, aber meine Brüder waren häufig da, um sich etwas zu borgen."

„Borgen?"

„Schafe stehlen."

„Also das ist der Grund, warum sich Eure Clans nicht verstehen." Er sah in den Himmel. „Wenn dieser verdammte Nebel sich nicht bald verzieht, dann müssen wir auf ihrem Gebiet warten, bis wir weiterreiten können. Hoffentlich haben sie Verständnis, wenn sie uns erwischen."

„Das werden sie nicht. Der Nebel ist eine gute Tarnung, und wenigstens sind die Kinder ruhig."

Ruhig, aber nicht still. Die Zwillinge ritten zusammen auf einem Pferd und hatten keinen Augenblick lang aufgehört zu plappern, seit Creighton sich dazu entschieden hatte, wieder zu sprechen. Sie sprachen zwar leise, doch sie kicherten immer wieder vergnügt herum. Alec und Maisie waren nur so ruhig, weil sie müde waren.

Inzwischen hatte er sich an die Kinder und ihr ununterbrochenes Schnattern gewöhnt. Nein, es war mehr als das. Er hatte sich nicht nur an sie gewöhnt, sondern fühlte sich nun als ihr Beschützer. Er würde sie zu Gairas Brüdern begleiten, denn er wusste nicht, wie diese reagieren würden.

Allerdings wusste er nicht, wie er sie beschützen sollte, ohne mit Gairas Brüdern zu kämpfen, sollten sie ihm feindlich begegnen. Das wäre eine Situation, die keine Kompromisse zuließ, und Gaira würde sich für eine Seite entscheiden müssen.

„Wir müssen eine Pause machen", flüsterte Gaira.

Er widersprach nicht, denn sie waren schon lange unterwegs. Leichtfüßig stieg Gaira von ihrem Pferd und hielt Maisie dabei so lange im Arm, bis sie die Kleine auf den Boden setzen konnte.

Sie trug noch immer die Männerkleidung, und durch die Bewegung beim Absteigen sah er deutlich, wie lang und geschmeidig ihre Beine waren. Nur eine anmutige Bewegung, und doch reagierte sein Körper sofort. Ihm wurde bewusst, dass sein Verlangen nach ihr wesentlich größer war, als gut für ihn war.

Sie richtete sich auf und sah ihn an. „Ihr solltet nach England zurückkehren", sagte sie leise, damit die Kinder sie nicht hören konnten.

Er wusste, dass sie das Thema nicht einfach so fallen lassen würde.

„Nein, ich gehe nicht, Gaira. Egal, wie oft Ihr mich darum bittet."

Sie wischte sich den Staub von der Kleidung. „Ich verstehe nicht, warum Ihr so stur seid."

Er sah zu, wie sie mit den Händen über ihre Beine strich. Er hatte sie bereits nackt gesehen und hatte spüren können, wie weich ihre Haut war, und sein Körper erinnerte ihn wieder einmal mit schmerzhafter Deutlichkeit daran, dass er sie noch immer berühren wollte.

„Sieh an, ich dachte, gerade Ihr würdet diesen Charakterzug verstehen."

„Tante Gaira, ich habe Hunger", greinte Alec unüberhörbar.

Schnell nahm sie seine Hand. „Pssst, wir dürfen keinen Lärm machen."

„Aber ich habe Hunger", beharrte Alec.

Auch die anderen Kinder waren wahrscheinlich hungrig. Robert atmete tief durch, um nicht ungeduldig zu werden. „Wir haben Haferkekse", flüsterte er schließlich.

„Ich will aber keine Haferkekse mehr", jammerte Alec.

„Aber es dauert zu lange, wenn wir jetzt Fallen aufstellen", warf Creighton mit lauter Stimme ein.

„Sir Robert wird uns schon nicht verhungern lassen." In Floras Tonfall schwang mehr als deutlich mit, dass sie ihn wie einen Helden verehrte, und sie sprach so laut, dass sie das Jammern von Alec sogar noch übertönte.

„Ich habe nur noch einen Beutel mit getrockneten Früchten. Davon werden sie nicht satt werden", erklärte Gaira.

„Ich werde sehen, ob ich etwas fangen kann."

Er hätte mehr Trockenfleisch kaufen sollen. Sie hatten noch etwas, doch es würde nicht reichen, wenn sie ausharren mussten, bis sich der Nebel verzog. Gaira hatte ihm völlig unbekümmert verkündet, dass sich in dieser hügeligen Region der Nebel manchmal bis zu einer Woche hielt. Mit frischem Fleisch hätten sie zwar etwas zu essen, und die Kinder wären still, doch durch das Feuer und den Geruch würden sie auch ihren Standort verraten.

In diesem unbekannten, felsigen Gelände fiel ihm das Jagen nicht so leicht wie sonst. Es dauerte über eine Stunde, bis er endlich eine Wildgans erlegt hatte. Mit dem Vogel unter dem Arm machte er sich auf den Rückweg. Als er sich dem Gehölz näherte, wo er Gaira und die Kinder auf einer kleinen Lichtung zurückgelassen hatte, hörte er das Knacken von Ästen und das Schnauben eines Pferds.

Sofort war er in Alarmbereitschaft und rannte zu Gaira und den Kindern.

Als er die Lichtung erreichte, sah er Gaira zwischen zwei Büschen am Waldrand. Mit dem Kopf deutete sie zur anderen Seite der Lichtung. Von dort waren Stimmen zu hören und das Klirren von Zaumzeug. Reiter! Er schaffte es gerade noch rechtzeitig, zu Gaira und den Kindern zu kommen, bevor der erste Reiter sichtbar wurde.

Gaira hatte die Kinder hinter die Büsche gezogen und ihnen die Gesichter mit Erde eingerieben. Robert ging hinter einem dicken Baumstamm in Deckung.

Er erblickte drei schottische Männer. Sie wirkten ruhig und entspannt, während sie sich umschauten, doch die Pferde tänzelten unruhig umher. Vorsichtig zog Robert seinen letzten Pfeil aus dem Köcher.

Plötzlich wendete einer der Männer sein Pferd, und die anderen folgten ihm. Robert wartete, bis er sie nicht mehr sehen konnte, und steckte den Pfeil zurück.

Wenn die Männer auch nur ein wenig näher gekommen wären, dann hätten sie sie erwischt.

„Das war knapp", flüsterte Gaira.

„Woher wusstet Ihr, dass Ihr Euch verstecken müsst?", fragte Robert.

„Ich musste … in die Büsche", sagte Flora.

„Du hast sie entdeckt?", erkundigte sich Robert.

Flora nickte.

„Tapferes Mädchen", lobte er sie.

Um ein Haar wären sie gefangen genommen worden!

Robert überlegte, was die Reiter wohl auf die Lichtung geführt haben mochte. „Die Männer haben zu viel Lärm gemacht. Deswegen glaube ich nicht, dass sie auf der Jagd waren", sagte er. „Vielleicht haben Eure Brüder sie über Euer Verschwinden informiert."

„Ich weiß es nicht. Aber ich kann mir nicht vorstellen, dass meine Brüder eine Allianz mit den Buchanans schließen würden, nur um mich zu finden."

Robert dachte, dass er sogar eine Allianz mit dem Teufel schließen würde, um Gaira zu finden. Was für Menschen waren ihre Brüder, wenn sie nicht merkten, dass ihre Schwester eine bemerkenswerte Frau war? „Wir können keine weiteren Risiken eingehen", sagte er. „Von jetzt an rasten wir nicht mehr auf Lichtungen. Es ist zu gefährlich."

23. Kapitel

Wie weit ist es noch?", fragte Robert.

Je näher sie ihrem Zuhause kamen, desto stiller wurde Gaira. Anscheinend machte sie sich Sorgen. Seit ihrer Nacht am Bach versuchte er, sie zu ignorieren, doch sie anzusehen war für ihn genauso lebensnotwendig geworden wie zu atmen. Es war die Art, wie sich ihr Körper bewegte, wenn sie auf dem Pferd saß. Und ihr Haar. Seit sich der Nebel verzogen hatte, schimmerte es flammend rot im Sonnenlicht. Zwar trug sie es stets zusammengebunden, doch der Wind löste es immer wieder, und dann konnte er die verschiedenen Rottöne darin erkennen.

„Es ist nicht mehr weit." Sie richtete sich im Sattel auf und deutete nach vorn. „Schaut! Da drüben ist mein Baum!"

Robert blickte in die angegebene Richtung und sah in einiger Entfernung mehrere Bäume.

„Welcher Baum, Tante Gaira?"

Alec kletterte an ihm hoch, bis er beinahe im Sattel stand. Robert drückte ihn sanft nach unten, damit er nicht vornüberkippte.

Gaira trabte mit ihrem Pferd auf eine einzelne hohe Lärche zu, die nur auf einer Seite Äste hatte. Herbst- und Winterstürme hatten den Stamm und die Äste über die Jahre so geformt.

„Euer Baum?", fragte er. „Bis auf die schlaksigen Arme und die Größe sehe ich keine besondere Ähnlichkeit."

Sie lachte. Dann stieg sie vom Pferd und half den Kindern herunter. „Seht Euch die Verwachsungen an."

Er lenkte sein Pferd näher an den Baum heran. Am Fuß des Stamms entdeckte er eine hockerförmige Erhebung.

Gaira setzte sich darauf. „Seht Ihr? Es ist ein Sitz. Dieser Baum hat die Colquhouns schon seit Ewigkeiten zu einer Rast eingeladen."

Er stieg ab und schützte sein Gesicht mit dem Arm gegen die stürmische Brise. Er konnte kaum atmen, doch nicht wegen des Windes, sondern wegen Gaira.

Eine Bö hob ihren Zopf an. Ihre Augen glänzten in der Sonne, und ihre Wangen waren leicht gerötet. Ein breites, glückliches Lächeln zog sich über ihr ganzes Gesicht. Sie hatte Flora ihr Schultertuch gegeben, und der Wind drückte ihre Tunika eng an ihren Körper. Trotz des dicken Stoffs schien sie zu frieren.

Als er ihre aufgerichteten Brustwarzen sah, begann sein Körper vor Verlangen zu glühen. „Ja, sehr einladend", gab er zu. Mit ihrem zerzausten roten Haar bot sie schon einen unwiderstehlichen Anblick, doch jetzt, mit ihren deutlich sichtbaren Brustspitzen, war sie so verführerisch, dass er sich kaum noch zusammenreißen konnte.

Ohne ihn anzusehen, nahm sie eine Handvoll Erde und reichte sie ihm. „Nehmt Ihr sie jetzt an?" Wieder bot sie ihm schottische Erde an, doch diesmal war es die Erde ihrer Heimat, ihres Clans.

Er blieb reglos stehen, bis sie ihm schließlich in die Augen sah. Zunächst gesellte sich Verwunderung zu ihrem fröhlichen Lächeln dazu, doch schließlich verstand sie, warum er sie so anstarrte.

Erst dann wagte er es, sich ihr zu nähern.

„Robert?", fragte sie zögerlich, und in ihrem Blick las er, dass auch in ihr die Begierde erwacht war. Sie blickte aufmerksam umher, aber er wusste, dass die Kinder nicht in der Nähe waren.

Er ließ den Blick weiter an ihrem Körper hinabwandern. Als er bei ihren Beinen ankam, hielt er inne, bevor er ihn wieder nach oben gleiten ließ.

Gaira verstand nur zu genau, was er wollte: Er bat sie um ihre Erlaubnis, sie wieder berühren zu dürfen.

Erneut blickte sie sich um. Die Kinder spielten vergnügt Fangen.

Sie hatte Robert nur den Colquhoun-Baum zeigen und ihm etwas Erde anbieten wollen. Doch als er jetzt vor ihr stand und sie so ansah, war sie sich nicht mehr so sicher, was sie eigentlich wollte.

Sie hielt noch immer die Hand vor sich ausgestreckt, und die Erde rieselte langsam zwischen ihren Fingern hindurch. Robert kam so nah an sie heran, dass seine Beine ihre Knie streiften.

Es war nur eine winzige Berührung, die sie bei jemand anderem nicht einmal bemerkt hätte. Doch er war nicht irgendwer, er war Robert, und ihr Körper wurde augenblicklich von einer heftigen Sehnsucht erfüllt.

Er nahm ihr die Erde aus der Hand, verschüttete jedoch das meiste. Gaira atmete tief durch, um ihren Herzschlag zu beruhigen. Er hatte sie wieder zurückgewiesen mit dieser viel zu kurzen Berührung.

„Na also, war das so schwierig?", fragte sie ihn und versuchte, sich nicht anmerken zu lassen, dass sie sich seiner Nähe nur allzu deutlich bewusst war.

„Ja", sagte er. „Das war es." Gairas Mundwinkel zuckten verräterisch, dann hoben sie sich zu einem Lächeln, doch ihre Augen, welche die Farbe von samtigem Whisky hatten, waren dunkler als noch kurz zuvor. Sie verrieten ihm, was in ihr vorging. Sie begehrte ihn. Er wollte ihr noch näher sein, zwischen ihren Schenkeln, sie dort berühren, um zu sehen, wie ihre Augen dann aussehen würden. Als sie den Höhepunkt der Lust erreicht hatte, waren ihre Augen …

Plötzlich erklang Gelächter. Die Kinder kamen zurück.

Gaira errötete und lief auf sie zu. Er hielt sie nicht auf. Er stand einfach nur da, starrte den Baum an und stellte sich vor, dass sie noch immer da war. Er stellte sich vor, mit ihr allein zu sein, ihren Körper ganz nah an seinem zu spüren … Scharf atmete er aus und konzentrierte sich ganz auf den Baum. Sie war vollkommen außer sich gewesen vor Freude, als sie hierhergekommen waren. Der Baum war knorrig und krumm, doch je länger er ihn betrachtete und versuchte, ihn mit ihren Augen zu sehen, desto schöner kam er ihm vor.

Er drehte sich um und blickte über das Land, das sie so sehr liebte. Und dann sah er sie: zwei Reiter, die sich ihnen von Norden her mit hoher Geschwindigkeit näherten. Sofort rannte er zu seinem Pferd.

„Gaira!", rief er. Er verfluchte sich selbst dafür, dass er sich so hatte ablenken lassen, als er sein Langschwert aus der Scheide zog. Es konnte sie das Leben kosten, dass er nicht schneller reagiert hatte. „Nehmt die Pferde und die Kinder und reitet nach Süden. Wartet auf der anderen Seite des Flusses auf mich!"

Sie antwortete ihm nicht.

Er drehte sich zu ihr um und sah, dass sie die Kinder hinter sich versammelt hatte. Doch sie ging nicht nach Süden. Sie ging auf ihn zu.

Er hätte wissen müssen, dass sie stur war. „Wir haben jetzt keine Zeit für irgendwelche mutigen Taten von Euch."

„Ich gehe nicht!", sagte sie.

Die Reiter hatten sie beinahe erreicht, und ihre Mienen wirkten nicht besonders freundlich. Er musste dafür sorgen, dass sie Gaira und den Kindern nicht zu nahe kamen.

„Verdammt, Gaira! Geht!"

„Zuerst will ich mir anhören, was meine Brüder mir zu sagen haben."

Ihre Brüder! Sie blickte ihnen grimmig entgegen.

„Geht weg, damit die Kinder das nicht mit ansehen müssen."

Sie verschränkte die Arme. „Es wird nichts zu sehen geben. Meine Brüder sind vernünftige Männer."

„Selbst wenn Ihr es erst nach einer Weile gemerkt habt, wer ich bin, so bezweifle ich stark, dass sie ebenfalls so lange dafür brauchen werden. Und dann wird Vernunft sicher keine Rolle mehr spielen."

„Ich bleibe." Sie streckte ihr Kinn nach vorne. „Mein Wille ist stärker als jede Vernunft."

Er hatte jetzt keine Zeit für ihre Spielchen.

Die Männer hatten sie erreicht und brachten ihre Pferde vor ihnen zum Stehen.

Einer von beiden hatte langes, dunkles Haar, doch im Sonnenlicht schimmerte es leicht rötlich. Seine graugrünen Augen blickten kalt und gnadenlos.

Der Jüngere hatte kurzes, dunkles Haar ohne jeglichen Rotschimmer, und seine dunkelgrünen Augen blitzten vor Wut. Doch keiner von ihnen zog sein Schwert. Natürlich waren sie im Vorteil, denn sie waren zu zweit, und außerdem saßen sie im Sattel.

Sie lenkten die Pferde dicht an sie heran, um sie einzuschüchtern. Robert kannte dieses Gehabe gut. Er hielt seinen Blick starr auf die Männer gerichtet und nicht auf die Pferde.

Diese Schotten waren keine ungehobelten Dummköpfe wie

Busby. Er beobachtete, wie sie die Gruppe vor ihnen aufmerksam musterten und ihre Schlüsse zogen. Sie waren zwar wütend, aber sie beherrschten sich.

„Was tut Ihr mit unserer Schwester?"

Diese Frage hatte er nicht erwartet, obwohl sie angesichts der Situation nicht verwunderlich war. Der Ältere von beiden hatte als Erster das Wort ergriffen. Robert fragte sich, ob es Bram war, der Laird, doch dann fiel ihm ein, dass Gaira gesagt hatte, er habe rote Haare wie sie. Dann war er wahrscheinlich Caird, der Zweitälteste.

„Ich bringe sie und diese vier Kinder in Eure Obhut zurück."

Er versuchte gar nicht erst, Gälisch mit ihnen zu sprechen. Gewiss hatten sie ihn bereits als Engländer identifiziert.

Caird sah weder seine Schwester noch die Kinder an. Robert wusste, dass er sich schon ein Gesamtbild von der Situation gemacht hatte, während er auf sie zuritt.

Der Jüngere kam mit seinem Pferd noch dichter an sie heran. Robert ging davon aus, dass es sich um Malcolm, den jüngsten Bruder, handelte.

„Wir sind nicht mehr für sie verantwortlich, sondern ihr Ehemann", informierte Malcolm ihn. „Und das seid nicht Ihr, Engländer."

„Nein, das bin ich nicht. Er ist tot."

Keiner der beiden wirkte darüber sehr überrascht. Sie stellten ihn auf die Probe.

„Wie ist er gestorben?", fragte Caird.

„Durch meine eigene Hand."

Malcolm zog die Zügel energisch an, und sein Pferd sprang nervös zur Seite. Schnell brachte Robert sich aus der Gefahrenzone, sonst hätte ihm ein Huf den Fuß zerquetscht.

„Es gibt nicht viele, die Busby of Ayrshire im fairen Zweikampf besiegen können", erklärte Malcolm, dessen Stimme viel herrischer klang als die seines Bruders. Er konnte seine Wut nicht so gut im Zaum halten.

„Er hat mir nicht die Möglichkeit gegeben, das herauszufinden", gab Robert zurück. „Denn er hat mich heimtückisch von hinten angegriffen."

Diese Nachricht überraschte die beiden offenbar ebenso wenig. Wahrscheinlich hatten sie überall Späher, die sie informiert hatten. Er fragte sich, was sie noch alles wussten.

„Vielleicht habt Ihr ihm einen Grund gegeben, dass er Euch von hinten angegriffen hat", sagte Malcolm.

„Nein, hat er nicht, Malcolm, und hör auf, solche Anschuldigungen auszustoßen!" Gaira ging entschlossen auf die beiden zu.

Robert war überrascht, dass sie sich so lange beherrscht hatte, ehe sie etwas gesagt hatte.

„Gaira, bleib stehen!", forderte Malcolm sie auf.

„Nein!" Sie räusperte sich. „Ihr sollt wissen, es ist allein Bram, dem ich einen Vorwurf mache, nicht euch. Aber ich fordere euch auf, dass ihr sofort aufhört, diesen Mann zu bedrohen!"

„Du verteidigst ihn auffällig stark", stellte Caird fest.

„Ja", knurrte Malcolm. „Dabei wissen wir noch nicht einmal, wer der Mann ist, für den du dich so einsetzt. Verrate uns seinen Namen."

Es hatte keinen Zweck, seine Identität zu leugnen. Robert umfasste den Griff seines Schwertes. „Robert of Dent." Er musste nicht lange auf eine Reaktion warten.

Mit lautem Brüllen sprang Caird aus dem Sattel und zog sein Schwert. Malcolm war sofort an seiner Seite.

Robert stellte sich breitbeinig auf und hielt das Schwert abwartend vor sich. Er sah Gaira aus dem Augenwinkel, sie stand in gefährlich nahem Abstand bei ihnen. Er wechselte in eine andere Position, denn er wollte auf keinen Fall, dass sie in der Reichweite seines Schwertes war.

„Der berühmte Black Robert ist also gar nicht tot", knurrte Malcolm.

„Sieht so aus, als könnten wir das schnell ändern", fügte Caird hinzu.

„Nein! Hör sofort auf, Caird!", rief Gaira. „Dieser Mann hat nichts anderes getan, außer mir bei meiner Rückkehr zu helfen."

„Da haben wir aber etwas ganz anderes gehört", wandte Malcolm ein. „Wenn dieser Schurke nicht wäre, dann hättest du gar keine Hilfe gebraucht. Geh zur Seite, damit wir ihn töten können."

„Nein! Du gemeiner, hässlicher Ochse!"

186

„Gaira, weißt du, wer dieser Mann ist und was er getan hat?",
fragte Malcolm.

„Ja, und ich gebe euch mein Wort, dass er mich und die Kinder
beschützt hat. Und diese Kinder haben schon genug Gewalt gesehen. Ich lasse nicht zu, dass es noch mehr wird."

„Was habt Ihr getan, Engländer, dass meine Schwester Euch so
verteidigt?" Caird spuckte auf den Boden.

Robert wollte nicht gegen Gairas Brüder kämpfen, doch er
würde sich verteidigen, wenn es darauf ankam. Er hatte nicht
vor, an diesem Tag zu sterben. „Ich bringe Euch Eure Schwester
zurück. Sonst nichts."

„Geh von ihm weg, Gaira." Malcolm zeigte mit dem Schwert
auf sie.

„Zum Teufel noch mal! Warum könnt ihr Männer nicht ein
Mal eure hohlen Köpfe benutzen?"

Sie hörten nicht, dass ein weiteres Pferd herangaloppiert kam.
Als der Reiter es direkt vor ihnen zum Halten brachte, schnaubte
es laut.

Doch Robert ließ sich davon nicht ablenken. Er hielt seinen
Blick fest auf Caird und Malcolm gerichtet. Aber dann warf er
aus dem Augenwinkel einen kurzen Blick auf den Reiter. Gaira
hatte gesagt, dass sie drei Brüder hatte, und es sah so aus, als ob er
heute noch das Vergnügen haben würde, alle Colquhoun-Brüder
kennenzulernen.

Doch es war kein Colquhoun, der jetzt vom Pferd stieg. „Bin
ich zu spät?", fragte Hugh und zog mit einer schwungvollen Bewegung sein Schwert.

24. Kapitel

Es dauerte einen Moment, ehe Robert begriff. „Hugh!", rief er. „Was machst …?"

Malcolm nutzte die kurze Ablenkung sofort aus, doch Robert blockte den Schwerthieb gerade noch rechtzeitig ab.

Das Geräusch von aufeinanderprallenden Klingen hallte durch die Luft, und es dauerte nicht lange, bis auch Hugh und Caird mitmachten.

Gaira nahm die Kinder und ging in Sicherheitsabstand zu den Kämpfenden. Offenbar war sie die einzige Vernünftige hier. Sie musste diesen Unsinn schleunigst beenden, vor allem wegen der Kinder.

Sie zuckte zusammen, Malcolms Schwert traf hart auf Roberts Klinge. Ihr Bruder kämpfte ähnlich kraftvoll wie Busby, doch sie sah, dass Robert sich nicht genauso entschieden wehrte wie bei Busby. Er kämpfte überhaupt nicht richtig gegen ihre Brüder, sondern verteidigte sich nur. Das schien auch Malcolm zu bemerken, denn seine Angriffe wurden immer aggressiver.

Nun blickte sie zu Hugh und Caird. Es war eindeutig, welche Absichten Hugh hatte. Er hatte nicht vor, sich bloß zu verteidigen. Er wollte töten, genau wie Caird.

Sie würde nicht zulassen, dass einer von ihnen starb. Fieberhaft sah sie sich um, und dann entdeckte sie, was sie brauchte. Sie hob ein paar große Steine vom Boden auf und schleuderte sie auf die Köpfe der Kämpfenden. Doch sie beachteten sie gar nicht und machten einfach weiter.

Sie blickte noch einmal nach unten. Es half nichts, sie musste härtere Maßnahmen ergreifen. Was kümmerte es sie, wenn sie ein blaues Auge bekamen? Sie waren schließlich selbst schuld.

Sie zielte mit mehreren kleinen Steinen auf ihre Augen, sodass sie abgelenkt wurden.

„Halt!", rief Caird und rieb sich die Augen.

Sie war erleichtert, dass Hugh sein Schwert senkte und wartete, bis Caird wieder sehen konnte. Offenbar war er ein weiterer ehrenhafter Engländer.

Malcolms Gesicht war ganz rot. Sie hatte besonders große Steine auf ihn geworfen und war zufrieden, als sie sah, dass seine Nase blutete. Es geschah ihm recht, schließlich hatte er als Erster zugeschlagen.

„Was zum Teufel tust du da?", brüllte Malcolm.

„Euch dazu bringen, aufzuhören, du Idiot!", schrie sie ihn an.

„Bram wird nicht wollen, dass dieser Kerl am Leben bleibt." Malcolm wischte sich das Gesicht ab.

„Vielleicht, aber das soll Bram selbst entscheiden. Schließlich ist er der Laird!"

Caird zögerte, und Robert ging ein Stück von ihm weg. Hugh ließ ihn nicht aus den Augen.

Zum Glück hörten sie ihr zu. Doch sie hielten immer noch die Schwerter kampfbereit in den Händen. Es half nichts, sie musste es mit Schuldgefühlen probieren. Sie wollte es zwar nicht, aber sie ließen ihr keine Wahl.

„Ihr dürft nicht gegen diesen Mann und seinen Freund kämpfen." Ihre Stimme klang rau, als sie sagte: „Robert hat mir geholfen, Irvette zu begraben."

Caird zuckte heftig zusammen, und Malcolm ließ überrascht sein Schwert sinken. Gaira wusste, dass sie ihre Brüder jetzt endlich erreicht hatte, und hoffte, dass Robert sein Schwert ruhig halten würde.

„Robert?", fragte Hugh. „Was soll ich tun?"

„Tritt zurück, Hugh. Das ist nicht dein Kampf."

„Also ist es wahr", sagte Caird, und seine Stimme klang plötzlich belegt.

Ihre Brüder taten ihr leid. Sie hatte nicht gewollt, dass sie es auf diese Weise erfuhren. Sie hatte bloß gewollt, dass sie mit dem Kämpfen aufhörten. „Ja."

In Cairds Gesicht kam langsam ein wenig Farbe zurück. „Hatte er etwas damit zu tun?"

„Nein", sagte sie.

Nun ließ auch Caird sein Schwert sinken und sah Robert und Hugh an. „Meine Schwester hat recht. Wir warten Brams Urteil ab."

Robert erwiderte nichts.

„Aber Ihr müsst mir Eure Schwerter geben", forderte Caird.

„Nein", sagte Robert. „Ich gebe Euch mein Wort, dass wir sie nicht benutzen." Er hielt inne. „So lange, bis wir das Urteil Eures Bruders gehört haben."

Malcolm flüsterte Caird etwas ins Ohr und blickte Gaira dabei fragend an. Sie nickte ihm zu.

Malcolm legte Gaira eine Hand auf die Schulter. „Komm, wir lassen den Laird mit dem Mann verhandeln."

„Und er?", fragte Caird und deutete auf Hugh.

„Ihr braucht seine Ehrenhaftigkeit nicht in Frage zu stellen. Er wird Euch nicht angreifen." Robert steckte sein Schwert ein.

Caird zögerte zunächst, doch Robert schien ihn überzeugt zu haben, denn auch er schob sein Schwert in die Scheide.

Sie brauchten nur wenige Stunden, ehe sie die Burg der Colquhouns erreichten. Hoch und gerade ragten die Türme in den Himmel und ließen die Klippen, auf denen sie errichtet waren, beinahe klein wirken.

Robert hielt an und blickte sich um. Er wusste, dass seine Neugier nicht unbedingt angebracht war angesichts der Lage, in der er sich befand. In einer Stunde würde er wahrscheinlich tot sein.

Die Leute unterbrachen ihre Arbeit und starrten sie neugierig an. Nun sah er, was Gaira gemeint hatte, als sie sagte, dass man einen Colquhoun sofort erkennen würde, denn fast jeder hier war rothaarig. Auch wenn niemand so flammend rotes, leuchtendes Haar hatte wie Gaira. Er setzte sein Pferd wieder in Bewegung.

Sie ritt zu seiner Rechten und starrte auf das Tor, das vor ihnen lag. Ihre Wangen waren so bleich, dass ihre Sommersprossen noch deutlicher hervortraten. Offensichtlich hatte sie Angst. Maisie schlief auf ihrem Schoß, und sie drückte sie fest an sich, als befürchte sie, dass man sie ihr wegreißen würde. Alec schien ihre Angst zu spüren und klammerte sich fest an ihren Rücken.

Nachdem sie das Tor passiert hatten, kam ein Mann mit rotem Haar die Steintreppe herunter, die zum Wohnturm führte. Vier weitere Männer begleiteten ihn. Der Laird von Colquhoun war gekommen, um sie zu empfangen.

Malcolm stellte sich mit seinem Pferd links von Robert auf, um ihm den Weg zu dem Tor zu versperren, das nun geschlossen wurde. Als es ganz zu war, wurden sie von zahllosen schottischen Kämpfern umzingelt. Sie saßen fest.

Er wollte ihnen sagen, dass sie sich den Aufwand sparen konnten, denn er hatte nicht vor, wegzulaufen. Nicht, bevor er wusste, dass die Kinder und Gaira in Sicherheit waren. Er würde versuchen, so lange wie möglich bei ihnen zu bleiben.

Caird stieg vom Pferd ab, ehe Bram bei ihnen war.

„Euer Ausflug war anscheinend erfolgreich." Brams Stimme hallte durch den ganzen Burghof. „Wie ich sehe, habt ihr ein paar ... Gäste mitgebracht."

Caird zeigte auf Robert. „Das ist Robert of Dent und einer seiner Männer, mein Laird."

Bram sah ihn durchdringend an. „Also lebt Black Robert noch", sagte er nachdenklich.

Robert ließ sein Schwert zu Boden fallen. Augenblicklich zückten zwanzig Soldaten ihre Waffen. Bram blieb ganz ruhig, als er langsam vom Pferd abstieg und auf ihn zuging.

Die vier Männer, die neben Bram standen, wollten auf ihn zugehen, doch Bram gebot ihnen mit einer Handbewegung Einhalt. Robert ergriff als Erster das Wort.

„Ich bringe Euch Eure Schwester und vier Kinder, die ein Blutbad überlebt haben, das meine Männer in einem Dorf angerichtet haben. Ein Dorf in der Nähe von Dumfries."

Oh Gott, was tat Robert da? Gaira konnte es nicht fassen, und ihre Sorge wuchs. Bram wusste, wer Robert war. Und das allein reichte schon aus, um ihn töten zu lassen. Und jetzt behauptete Robert, dass er für das Massaker in Doonhill verantwortlich war?

Bram zog die Brauen zusammen und sah Caird an. Bram wusste, dass Doonhill in der Nähe von Dumfries lag, doch Gaira kam es so vor, dass er nicht verstehen wollte.

Caird lehnte sich vor und flüsterte Bram etwas ins Ohr. Brams

Gesicht verzog sich schmerzhaft, und er presste die Kiefer fest aufeinander.

Bram und Irvette hatten sich sehr nahegestanden, und Gaira hatte keine Ahnung, woher er die Kraft nahm, nicht vor ihnen zusammenzubrechen.

Maisie wand sich unruhig auf ihrem Schoß hin und her. Leider hatte sie keine Haferkekse mehr, die sie ihr geben konnte, um sie ruhigzustellen.

Bram blickte wieder Robert an. „Du wirst sterben, Engländer.“

„Zuvor habe ich aber noch einige Bitten“, erwiderte Robert.

„Ihr seid nicht in der Position, irgendetwas verlangen zu dürfen.“

„Eure Brüder sind noch am Leben. Denkt Ihr wirklich, dass ich ihnen unter normalen Umständen erlaubt hätte, mich hierherzubringen?“

Caird knurrte wütend.

Bram hob den Arm und senkte ihn wieder. „Selbst wenn das so ist, was ich bezweifle, warum sollte ich Euch am Leben lassen?“

„Ich bitte nicht darum, mich am Leben zu lassen.“

Bram zeigte auf Hugh. „Das Leben Eures Begleiters ist weniger wert als Eures.“

„Es war auch nicht meine Absicht, ihn gegen mich auszutauschen.“

Jetzt zog Bram fragend die Augenbrauen hoch.

Gaira konnte es nicht länger aushalten. Maisie war wach und hörte alles mit. Genau wie Alec, Flora und Creighton. Sie hatten schon genug mit ansehen müssen.

„Hört auf!“, rief sie. „Ihr beide! Robert, ich habe keine Ahnung, was Ihr da für ein Spiel treibt.“

Sie zeigte auf Bram. „Und du. Ich weiß, dass du nicht beabsichtigst, ihn zu begnadigen.“

Brams Gesicht nahm ein wütendes Rot an. „Es freut mich, dass du am Leben bist, Gaira. Aber du hast dich deinem Laird widersetzt und solltest daher deine Worte vorsichtig wählen.“

„Sonst passiert … was? Hast du vor, mich zu verbannen?“ Sie stieg schwungvoll vom Pferd ab, nahm dann Maisie aus dem Sattel und trug sie zu Bram hinüber.

„Wenn du mich verbannst, wer soll sich dann um Irvettes Tochter und die anderen Kinder kümmern?" Sie setzte Maisie auf dem Boden ab. „Auch wenn du nicht zu schätzen weißt, dass Robert mich beschützt hat, aber er hat auch deine Nichte beschützt. Deshalb bitte ich dich, dass du ihm zuhörst."

Brams Nasenflügel zitterten vor Wut. „Also sprecht, Engländer. Aber Ihr wisst, dass ich Euch Eure Wünsche wahrscheinlich nicht erfülle. Ich freue mich bereits darauf, Euch zu töten."

„Ich werde Euren Clan nicht angreifen", sagte Robert. „Wenn Ihr Gaira und diese vier Kinder aufnehmt und sie versorgt."

Ihr Herz machte vor Freude einen Sprung, doch augenblicklich wurde es wieder schwer vor Angst.

Bram lachte. „Ihr verschwendet Eure Zeit, Engländer. Genau das hatte ich vor."

„Sagt Ihr das als Laird oder als Bruder?"

„Ich habe nicht vor, mich weiter von Euch beleidigen zu lassen. Bringt ihn in den Keller", stieß Bram zwischen zusammengebissenen Zähnen hervor.

Die Männer hinter Bram packten Robert. Caird und Malcolm schnappten sich Hugh.

Gaira versuchte, Robert nicht anzusehen. „Bram, wir müssen reden", sagte sie.

Bram sah sie hasserfüllt an. „Wie kommst du dazu, zu glauben, dass noch das gleiche Blut in uns fließt? Du hast dich mit einem Mörder verbündet!"

25. Kapitel

Gaira stürmte geradewegs in Brams Arbeitszimmer und schlug lautstark die Tür hinter sich zu.

„Du musst mir zuhören!" Sie wollte keine Zeit verlieren, denn Roberts Leben hing von ihr ab. Ihr Bruder war starrköpfig und hatte sich ihr gegenüber hinterhältig verhalten, doch sie wusste, dass er fair urteilte, wenn etwas den Clan betraf.

„Du darfst ihn nicht töten!", sagte sie flehend. „Robert ist nicht so, wie du denkst. Wenn du mich nur ..." Sie hielt inne, denn er hörte überhaupt nicht zu, sondern starrte nur aus dem Fenster.

„Erzähl mir von ihr", forderte Bram sie auf.

Sie erkannte die Stimme ihres Bruders kaum wieder, so verzerrt klang sie durch die Trauer und den Schmerz.

„Sie war schon tot, als ich kam", antwortete sie flüsternd. Sie war noch nicht bereit, über Irvette zu sprechen.

„Ich wünschte ..." Er senkte den Kopf.

„Ich wünschte auch, dass ihr da gewesen wärt. Nur ein paar Stunden früher."

„Hat sie gelitten?"

Ihre Schwester hatte mit dem Gesicht nach unten im Dreck gelegen. Man hatte ihr die Arme abgeschlagen, und um sie herum war eine riesige Blutlache gewesen. Zweifellos hatte sie gelitten. Doch das wollte sie ihm nicht sagen.

„Sie hatte zwei Schwertwunden im Bauch."

Er umklammerte die Griffe der schweren Fensterläden. „Und Aengus?"

Sie hatte Irvettes Ehemann nicht gut gekannt. Doch ihre Schwester hatte ihn über alles geliebt. „Er ist verbrannt. Und man hat ihm den Kopf abgeschlagen."

Er schnappte nach Luft und lehnte sich weit nach draußen. Sein

Oberkörper hing über dem Burghof. Wenn die Scharniere nachgaben, würde er hinunterfallen. Sie sah schnell weg.

„Ich habe Maisie unter einem abgetrennten Rumpf gefunden", fuhr sie fort. „Sie war vollkommen unverletzt. Außer ihr hatte ich keine weiteren Überlebenden gesehen, und ich hatte die Hoffnung schon aufgegeben."

Bram stieß einen Laut aus. „Geh jetzt!"

„Nein."

„Lass mich allein, Gaira. Lass mich in Ruhe trauern. Und dann überlege ich mir, in wie viele Stücke ich deinen Robert of Dent hacke."

Sie zögerte.

„Geh! Jetzt!"

Er bewegte sich nicht von der Stelle. Sie spürte seinen maßlosen Schmerz, und schließlich ging sie aus dem Zimmer und schloss leise die Tür.

Der Keller war nur schwach beleuchtet, und es roch nach Kräutern und getrocknetem Fleisch. Er war groß genug, um darin umherlaufen zu können.

„Wie hast du mich gefunden?", fragte Robert.

Hugh saß mit dem Rücken zur Wand. „Du bist einfach verschwunden. Und trotzdem hat man deine Leiche nicht gefunden. Denkst du, das bleibt unbemerkt?"

Robert hatte in all den Jahren absichtlich immer eine gewisse Distanz zu den anderen Soldaten bewahrt. Daher hatte er geglaubt, dass ihn niemand vermissen würde.

„War es der König?", fragte er schließlich.

„Ja. Er hat mich losgeschickt, um dich zu suchen. Zuerst war es ziemlich schwierig. Wenn ich dich beschrieb, sagten die Leute, dass sie dich mit einer Frau und vier Kindern gesehen hatten, und ich glaubte es nicht."

„Was hat dich dann überzeugt?"

„Die Geschichte auf dem Marktplatz."

Robert nickte. „Der Kampf mit Busby."

„Die Dorfbewohner erzählten, dass er dich von hinten angegriffen hat und dass du mit dem Claymore einen Hünen besiegt hast. Da wusste ich, dass du es gewesen sein musstest. Ihr seid nicht gerade unauffällig gewesen."

Robert musste lachen. Nein, absolut nicht. Er erinnerte sich, wie er Gaira und die Kinder zuerst nur widerwillig begleitet hatte und wie sie ihm dann ans Herz gewachsen waren.

„Wieso hast du uns nicht eher eingeholt?", fragte Robert.

„Ich hatte Ärger mit drei Männern vom Clan der Buchanans. Dadurch habe ich ziemlich viel Zeit verloren."

„Du musst dich ganz schön verbessert haben im Schwertkampf, seit ich weg bin."

„Ich war schon immer gut. Du hast es nur nie gesehen, weil ich dir immer Rückendeckung gegeben habe."

„Ich dachte stets, dass ich dir Deckung gebe."

„Wir waren ein gutes Gespann." Hugh lachte. „Das könnten wir auch wieder sein. Wir sind nicht gefesselt, und diese Tür ist kein echtes Hindernis."

„Aber es gibt zwei Wachen."

„Ich würde das Risiko eingehen."

„Es ist zu gefährlich."

Hugh zog die Augenbrauen nach oben. „Willst du nicht hier raus?"

Robert blieb stehen. „Ich habe meine Aufgabe hier noch nicht erfüllt."

„Du bist hier auf einer Mission? Was ist es? Sollst du etwas herausfinden oder jemanden töten?"

„Nein. Weder noch."

„Was dann? Der König hat mir nichts dergleichen gesagt. Es gefällt mir nicht, wenn ich nicht weiß, was zu tun ist."

„Ich habe keinen Auftrag von Edward."

Hugh kniff die Augen zusammen. „Warum bist du dann hier?"

Die Frage war durchaus berechtigt, und Robert wusste keine plausible Antwort darauf. „Ich habe die Frau und die Kinder zu ihrem Clan zurückgebracht."

„Du hilfst ihnen? Sie sind Schotten! Wir stehen mit ihnen im Krieg."

„Die Engländer führen einen Krieg gegen die Schotten", stellte Robert klar.

Hugh schnaubte verächtlich. „Was macht das für einen Unterschied?"

Robert konnte nicht sagen, warum, aber für ihn gab es einen Unterschied.

„Ich verstehe dich nicht, Robert."

Er wusste, dass er Hugh in Anbetracht ihrer misslichen Lage ein paar Erklärungen schuldig war.

„Ich bin nach Doonhill geritten, um nachzusehen, ob das Dorf wirklich zerstört wurde."

Hugh verschränkte die Arme. „Und da hast du die Schottin und die Kinder getroffen. Du hattest Mitleid mit ihnen und hast dich entschlossen, sie zu ihrem Clan zurückzubringen?" Hughs Stimme wurde lauter. „Ein Clan, der diesem sogenannten König Balliol die Treue geschworen hat?"

Robert zuckte mit den Schultern.

„Wann genau war der Moment, als du zum Verräter geworden bist?"

Das war zu viel. „Vorsichtig, Hugh. Ich verstehe deinen Ärger, aber du hast kein Recht, meine Ehre anzuzweifeln."

„Ärger ist noch das Geringste, was ich gerade fühle. Bis zu diesem Moment hätte ich jeden getötet, der deine Loyalität in Frage gestellt hätte."

„Ich warne dich, meine Geduld ist beinahe am Ende!"

Hugh lehnte sich wieder an die Wand. „Du wagst es, mich zu bedrohen? Wir werden ohnehin sterben, wenn wir hierbleiben."

Wie konnte er Hugh von etwas überzeugen, das er sich selbst kaum erklären konnte?

„König Edward würde dich verfluchen, wenn er wüsste, was du getan hast", sagte Hugh. „Er verdient es nicht, dass du ihm in den Rücken fällst."

Robert hob die Hand. „König Edward bedeutet mir sehr viel. Und das macht es noch schwieriger für mich."

„Du bist also zum Verräter geworden und hast dich verschleppen lassen. Und alles wegen einer Frau?"

Robert drehte sich um und sah ihn jetzt direkt an. „Sie heißt Gaira. Und egal, was du denkst, aber ich bin für sie und die Kinder da. Doch das ist nicht alles."

„Das will ich auch hoffen. Ich habe das Recht, es zu erfahren, schließlich bin ich auch hier in diesem Keller eingesperrt."

Die Tür wurde geräuschvoll geöffnet. Caird kam die wenigen Stufen herunter und zeigte auf Hugh. „Der Laird will Euch sehen."

Robert trat nach vorne. „Er weiß nichts. Ich bin derjenige, der Eure Schwester begleitet hat."

Caird starrte ihn an, sagte aber nichts.

„Ich gehe, Robert." Hugh sah ihn voller Zorn an.

Angst stieg in ihm auf. Hugh war zu wütend und unbesonnen, um mit einem schottischen Laird zu sprechen. Nur mit Umsicht und Diplomatie hatten sie eine Chance, sich aus dieser Lage zu befreien. Er hatte damit gerechnet, gefangen genommen zu werden. Doch Hugh hatte nichts damit zu tun. Er verdiente es nicht, wegen seiner Fehler zu sterben.

„Hugh!", rief Robert.

Hugh stieg bereits die Stufen hinauf. „Ich gehe", wiederholte er. „Vielleicht hat der Feind bessere Antworten für mich als du."

Gaira fand Malcolm und Caird im Burghof. „Wo sind die Kinder?", fragte sie und zog ihr Schultertuch fest um sich. Sie hatte keine Zeit gehabt, sich umzuziehen, trug immer noch Männerkleidung, und alle starrten sie an.

„Bei Oona", erwiderte Malcolm

„Oona ist älter als der Colquhoun-Baum! Sie kann nicht hinter Alec herrennen."

„Was schert es dich?", fragte Caird.

Sie spürte, wie sie rot anlief vor Wut. „Du hast kein Recht, zu entscheiden, um was ich mich schere!"

„Und du hast im Colquhoun Clan nichts zu bestimmen", warf Malcolm ein. „Der Laird hat dich in einen anderen Clan verheiratet."

Für Malcolm gab es nur schwarz oder weiß. Er würde seine Meinung nicht ändern.

„Aber ich bin jetzt hier", sagte sie.

„Denkst du, dass Bram dich hierbehält, nachdem er Black Robert getötet hat?", fragte Malcolm in ruhigem Ton. „Denkst du wirklich, dass er noch irgendetwas mit dir zu tun haben will, nachdem du dich mit einem Engländer verbündet hast?"

Seine Worte waren grausam, und sie wollte ihm nicht länger zuhören müssen. Ihre einzige Sorge galt den Kindern. „Wo ist Oona?", wollte sie wissen.

„In ihrer Hütte", sagte Malcolm. „Gaira ..."

„Nein!", fiel sie ihm ins Wort. Sie hatte endgültig genug. Sie hatten ihr schließlich auch nicht zugehört, als sie sie kaltherzig in die Hände von Busby gegeben hatten.

Malcolm sah so aus, als wolle er widersprechen, doch Caird legte ihm die Hand auf die Schulter und ließ sie gehen.

Es war ein langer Fußmarsch, da Oona darauf bestand, nicht in der Nähe des Dorfes zu leben. Als Gaira in die Nähe der Hütte kam, hörte sie schon die Stimmen der Kinder.

„Oona, ich bin es!", rief sie.

„Gaira! Du musst etwas für mich abschmecken, mein Kind."

Gaira lächelte. Es hatte sich nichts verändert. Oona war dabei, einen Trank zu brauen, so wie immer. Sie ging in das Cottage. Oona beugte sich gerade über einen dampfenden Kessel. Der Geruch, der daraus aufstieg, war widerwärtig.

Alec nahm Maisie einen Holzlöffel aus der Hand, und die Kleine fing sofort an, laut zu schreien.

„Wo sind Creighton und Flora?"

„Draußen, sie sammeln Kräuter." Oona, den Rücken vom Alter gekrümmt, drehte sich um.

„Hast du ihnen gesagt, wie viel sie holen sollen?" Gaira nahm einen anderen Löffel und gab ihn Alec. Sofort ließ er den von Maisie los, und sie hörte auf zu weinen.

„Oh, ich glaube, das habe ich vergessen."

Gaira lachte. „Du hast dich kein bisschen verändert."

„Du warst ja nicht einmal einen ganzen Mond lang weg. Es braucht etwas mehr Zeit, um die gute alte Oona zu verändern."

Dabei war so vieles vollkommen anders als zuvor. „Irvette ist tot", sagte Gaira ruhig.

Oona streichelte ihr mit ihren knöchrigen Fingern die Hand. „Ich weiß."

Gaira setzte sich auf einen Stuhl. „Was würde ich geben, um so sehen zu können wie du."

„Ich habe zwar trübe Augen, aber dafür kann die alte Oona auf andere Weise sehen. Ich weiß mehr als die meisten."

Gaira hielt ihre Hände umklammert. „Dabei brauche ich Irvette so sehr."

„Nein, es kommt Oona so vor, als ob da noch jemand anderes ist, den du brauchst."

„Die Kinder brauchen mich, aber Bram wird mich wohl nicht hierbehalten."

„Kinder brauchen immer jemanden. Das ist das Schöne an ihnen. Aber du weißt, dass ich von dem Fremden gesprochen habe."

„Robert?"

„Ja, dieser Mann braucht dich noch viel mehr als die Kinder."

„Nein, das Einzige, was er braucht, ist, mit heiler Haut nach England zurückzukehren. Aber ich glaube nicht, dass Bram vernünftig sein wird."

Oona wandte sich wieder dem Kessel zu und tauchte einen Löffel hinein. „Ja, weil die Vernunft in diesen Zeiten nichts zu sagen hat."

Gaira presste die Lippen fest aufeinander, denn Oona hielt ihr jetzt den Löffel mit dem Trank vor den Mund. Sie sah einige Kräuter darin herumschwimmen, die sie nicht kannte.

„Hab Vertrauen, mein Mädchen. Oder hat die alte Oona dir jemals etwas getan?"

Gaira öffnete den Mund, und Oona träufelte den Trank hinein. Gaira zwang sich zu schlucken.

Oona lachte kurz auf. „Wobei es immer ein erstes Mal gibt, oder?"

„Was ... was war das?" Gaira musste husten.

„Etwas, das alles ein wenig besser macht."

„Das solltest du Bram geben. Er ist derjenige, der alles zum Besseren wenden könnte."

„Gaira vom Clan der Colquhoun, denkst du wirklich, das jemand anders außer dir selbst die Macht über dein Leben hat?"

Nein. Doch sie lebten nicht in normalen Zeiten. Sie war vollkommen verwirrt und verstand ihre eigenen Gefühle nicht mehr.

„Diese Zeiten sind auch nicht anders als andere."

„Manchmal machst du mir Angst, Oona." Gaira lachte.

„Gut, vielleicht lasst ihr mich dann endlich alle in Ruhe auf meine alten Tage."

„Aber wer probiert dann deine Tränke?" Gaira setzte sich zu den Kindern auf den Boden.

„Die Kinder. Sie probieren alles gerne, was ich ihnen vorsetze."

„Ist es in Ordnung, dass sie hier sind? Ich glaube, die Burg ist im Moment nicht der richtige Ort für sie."

„Aber Maisie ist Irvettes Tochter. Er wird wollen, dass sie auf der Burg lebt."

„Ich will nicht, dass sie getrennt werden. Sie hatten schon genug Verluste." Sie nahm Maisies Löffel und tat so, als würde sie ihn hinter ihrem Rücken verstecken. Die Kleine quietschte empört und streckte die Ärmchen danach aus.

„Du tust, als wäre es eine Last für Oona, diese kleinen Herzchen um sich zu haben. Es tut mir gut, du wirst sehen."

Gaira lächelte. Die Kinder waren bestens bei ihr aufgehoben.

„Also, du liebst die Kinder, und du liebst den Mann", stellte Oona fest.

„Ich habe nicht gesagt, dass ich ihn liebe."

„Das musstest du auch gar nicht. Aber du verteidigst ihn genauso leidenschaftlich wie die Kinder. Du liebst ihn. Jetzt bleibt nur die Frage, was du unternehmen willst."

26. Kapitel

*F*lora und Creighton pflückten Kräuter in Oonas kleinem Garten. „Ihr seid ja schwer beschäftigt", stellte Gaira fest.

„Oona hat gesagt, dass wir Zutaten für ihre Zaubertränke sammeln sollen", erwiderte Flora.

„Oh, das bedeutet, dass sie euch vertraut. Gewiss gewährt sie euch für ein paar Tage Unterkunft."

Creighton hörte auf zu pflücken. „Bleiben wir denn nicht bei dir?"

Gaira fiel es schwer, sie anzulügen. „Ihr müsst wohl noch ein paar Tage hier bei ihr wohnen."

„Aber wir wollen bei dir bleiben!", rief Flora.

„Es ist ja nur für eine kurze Zeit. Ich muss erst eure Kammern herrichten, und ihr seid schließlich zu viert, es dauert also ..."

„Wir helfen dir", fiel ihr Creighton ins Wort.

„Er will uns nicht bei sich haben", sagte Flora nachdenklich.

„Sei nicht töricht, Flora. Natürlich will Robert uns", widersprach Creighton.

Flora schüttelte langsam den Kopf. „Nein, nicht er. Bram, der Laird. Er will uns nicht."

Gaira legte sich die Hand aufs Herz, das sich vor Schmerz zusammenkrampfte. „Nein, Bram hat nichts gegen euch. Er will bloß mich nicht."

Creighton schnaubte verächtlich. „Er hat doch keine Wahl. Du bist schließlich seine Schwester!"

„Ja, aber ..." Gaira seufzte und erzählte ihnen, warum sie nach Doonhill geflohen war.

Als sie fertig war, sprang Flora auf. „In seiner Burg will ich nicht bleiben! Er ist gemein und herzlos!"

„Ich weiß, er wirkt böse. Aber nur hier seid ihr in Sicherheit."

„Du aber nicht", sagte Creighton.

„Das stimmt. Und das ist einer der Gründe, warum ihr fürs Erste hier bei Oona bleiben müsst. Damit ich mit Bram darüber sprechen kann."

„Einer der Gründe?", fragte Flora.

Sie musste besser aufpassen, was sie zu den Kindern sagte. „Ganz genau", erwiderte sie mit fester Stimme und hoffte, dass die Diskussion damit beendet war.

„Es hat bestimmt etwas damit zu tun, dass Robert Engländer ist", sagte Creighton zu seiner Schwester.

Flora nickte und lächelte wissend.

„Ihr bleibt also hier?", fragte Gaira.

Die Zwillinge nickten und blickten sich dabei gegenseitig an.

Gaira ging zurück zur Burg. Wenn sich kein Kompromiss finden ließ, würde es Opfer geben. Alle müssten einlenken. Auch sie selbst.

Jemand nahm sie am Arm. Gaira zuckte zusammen und sah auf. Malcolm zog sie hinter eine Mauer. „Wohin gehst du?"

Sie riss sich los. „Ich muss noch einmal mit Bram sprechen und ihm erklären …"

„Das bringt nichts mehr. Er befragt bereits Hugh darüber, was Robert und König Edward vorhatten."

„Wenn er auch nur annähernd so ehrenhaft ist wie Robert, dann wird er nicht reden."

„Am Ende war es wohl … mehr als nur reden."

Sie hatte endgültig genug davon, wie sich ihre Brüder verhielten. „Was haben Hugh oder Robert unserem Clan getan?"

„Sie sind Engländer. Und sie sind Soldaten."

Sie funkelte ihn an. „Nein! Ich spreche von ihnen als Menschen. Sie haben uns gar nichts getan. Robert hat mir und den Kindern geholfen. Und Hugh ist sein Freund."

„Das tut nichts zur Sache. Es steht zu viel auf dem Spiel. Hugh wird König Balliol als Gefangener übergeben werden."

Dann war Hugh so gut wie tot. Sie kannte ihn nicht, doch er war weit geritten, um seinen Freund zu finden. Und er hatte sich ehrenhaft verhalten, als er gegen ihre Brüder kämpfte. Er verdiente es, nicht zu sterben.

„Und Robert?", fragte sie angespannt.

Malcolm verzog keine Miene. Er würde es ihr nicht sagen. Sie drehte sich um und wollte gehen.

„Gaira?" Malcolm schüttelte den Kopf. „Ich wusste, was Bram mit dir vorhatte. Aber du hast uns immer herumkommandiert und uns gesagt, was wir tun und lassen sollen."

Sie hatte keine Lust auf seine Ausreden. „Ich habe nur versucht, dem Clan nützlich zu sein. Ich habe mich um alles auf der Burg gekümmert und dafür gesorgt, dass wir immer etwas Gutes zu essen auf dem Tisch hatten, du Holzkopf! Und außerdem bin ich eure Schwester!"

„Ich weiß. Es tut mir leid, was geschehen ist."

„Tatsächlich? Dann weißt du ja, was du für mich tun kannst. Rede mit Bram. Robert verdient es, nicht zu sterben."

Malcolm sah sie kopfschüttelnd an. „Er wird zu sehr von allen gefürchtet."

„Er ist nur ein Mann, sonst nichts. Und er hat mir geholfen." Sie bohrte ihm einen Finger in die Brust. „Im Gegensatz zu dir!"

Malcolm schwieg.

„Du hast nichts getan, um zu verhindern, dass er mich diesem … Scheusal ausliefert. Nichts! Und dafür schuldest du mir einen Gefallen."

Malcolm nickte. „Ich rede mit Bram."

Gaira hatte gerade die Stufen erreicht, die zum Wohnturm führten, als Bram oben erschien.

„Wo bist du gewesen?", verlangte er zu wissen.

„Ich habe nach den Kindern gesehen. Erinnerst du dich? Irvettes Tochter?"

Bram blieb vor ihr stehen. Er sah nicht mehr so wütend aus.

„Ich muss mit dir reden", sagte er.

„Ich weiß." Sie sah ihm direkt in die Augen. Sie würde nicht nachgeben.

„Geht es jetzt gleich?" Immerhin fragte er sie.

„Gut", antwortete sie und folgte ihm in sein Arbeitszimmer. Bram schloss die Tür hinter ihnen, und sie stellte sich ans Fenster.

„Wie geht es ihnen?", erkundigte er sich.

„Sie bleiben ein paar Tage bei Oona." Sie blickte hinaus. „Dort ist es sicherer als hier für sie."

„Kannst du dich umdrehen, damit wir reden können?"

„Das geht auch so."

„Ich bin nicht derjenige, der hier im Unrecht ist!"

Sie wirbelte herum. „Zum Teufel! Natürlich bist du das! Du hast das alles angezettelt!"

„Ich habe Irvette nicht umgebracht."

Sie schnaubte wütend. „Nein, du hättest Irvette nie wehgetan! Aber dafür deiner anderen Schwester!"

„Ich habe dir nie etwas getan!"

„Das kann ich besser beurteilen als du!"

Bram nahm einen Becher vom Tisch. „Ich weiß nicht, ob ich Gott danken oder ihn dafür verfluchen soll, dass er dich nach Doonhill geschickt hat."

„Es war nicht Gott, sondern du", erinnerte sie ihn.

„Ich habe dich nach Ayrshire geschickt."

„Du hast mich zur Hölle geschickt!"

„Das war nicht meine Absicht."

„Du wolltest mich loswerden, das war deine einzige Absicht. Und weshalb? Weil ich diese Burg so gut geführt habe wie die wenigsten in diesem Land."

„Ich bin der Laird, und ich muss heiraten. Doch mit dir im Haus war das unmöglich. Die Dienerschaft hat dich und nicht mich gefragt, wie alles zu tun ist. Und diese Rolle ist für meine zukünftige Ehefrau reserviert."

Gaira lief unruhig auf und ab. „Und dir ist nicht in den Sinn gekommen, mit mir zu reden? Sondern du entscheidest einfach, mich wegzuschicken, ohne mich zu fragen? Und dann auch noch Busby! Ich würde nie einen ungehobelten Klotz wie ihn als Ehemann wollen."

Bram stellte den Becher auf den Tisch zurück. „Er war nicht dein Ehemann."

„Entschuldige, aber ich war dabei, als du unsere Hände ineinander gelegt hast."

„Und das ist auch alles."

„Was meinst du?" Gaira blieb stehen.

Er setzte sich auf eine Bank und lehnte sich zurück. „Mehr als das war nicht ausgemacht. Ihr wärt nicht verheiratet gewesen."

„Ich verstehe nicht."

„Ich hatte eine Abmachung mit Busby. Du solltest sechs Monate dort bleiben und seine Burg auf Vordermann bringen. Aber du wärst nie seine Ehefrau gewesen. Im Austausch durfte er die Schafe behalten."

Sie trat ihm heftig gegen das Schienbein. „Du hast jemanden dafür bezahlt, dass ich aus dem Weg bin?"

„Zu der Zeit schien es mir ein guter Handel zu sein. Du magst es, neue Herausforderungen zu haben, und Busby konnte dein Wissen gut gebrauchen."

„Warum Busby? Er war der Laird eines unbedeutenden Clans und hatte kaum Verbündete."

„Ein anderer als der einfältige Busby hätte sich auf diesen Handel nicht eingelassen. Es wäre dir gut gegangen bei ihm."

Busby hatte sie nicht angerührt. Doch immer wenn er sie angesehen hatte, dann hatte sie das Gefühl gehabt, als wäre sie in eine dreckige Schlammpfütze gefallen und würde darin versinken. Sie bezweifelte sehr, dass es ihr bei ihm gut gegangen wäre. Aber Busby war tot. Es war also unwichtig. „Du hast mir keine Wahl gelassen."

„Du magst doch Kinder. Ich dachte nicht, dass du etwas dagegen hättest. Sie wären zwar nicht deine eigenen gewesen, aber es klang so, als ob sie dich brauchten."

„Busby hatte Kinder? Wie viele?"

„Woher soll ich das wissen?" Er zuckte mit den Schultern. „Aber Busby sprach von einer älteren Tochter. Sie kümmert sich jetzt bestimmt um die restlichen."

Gaira setzte sich neben ihn auf die Bank. „Das hast du nie erzählt."

„Ich sah keinen Grund, da ich dachte, dass du dir vor Ort selbst ein Bild davon machen konntest, was alles getan werden musste."

„Die Jüngeren werden jemanden brauchen, der für sie sorgt."

„Du bist ja weggerannt."

„Weil du mich verkauft hast wie ein Stück Vieh! Mein Leben und meine Zukunft zerstört hast!"

„Ja, aber es wäre nicht umsonst gewesen. Wenn du nicht weggerannt wärst, dann wäre ich jetzt schon verheiratet."

„Wer hätte dich denn so schnell genommen?"

„Margaret."

Gaira schnaufte. „Dieser weinerliche Hungerhaken? Sie hätte sich hier nie durchgesetzt."

„Siehst du? Das ist der Grund, warum ich dich zu Busby geschickt habe. Du gönnst mir einfach mein Glück nicht."

„Doch, ich will, dass du glücklich bist. Aber das wirst du nicht mit Margaret. In weniger als einem Monat hättest du genug von ihr und ihrem goldenen Haar gehabt."

„Es lohnt sich nicht, darüber zu streiten, da sie ohnehin nicht mehr hierherkommt, weil du zurück bist und bleiben wirst."

Gaira nahm einen kleinen Dolch vom Tisch. „Falls ich bleibe. Ich stimme mit Robert überein in der Frage, ob man dir vertrauen kann."

„Mir vertrauen? Du bist diejenige, die den Feind in unsere Burg gebracht hat."

Sie wiegte den Dolch in ihrer Hand. „Was hast du mit ihm vor?"

„Ich werde ihn töten."

Sie stand auf und richtete die Spitze des Dolchs auf ihn. „Bram, er ist nicht so, wie du denkst. Er verdient es, am Leben zu bleiben."

Er zuckte mit den Schultern. „Er wird aber sterben."

„Nein!"

„Irvette wurde von Engländern getötet. Ich werde ihn auf keinen Fall am Leben lassen. Doch zuerst werde ich ihn noch befragen."

„So wie Hugh? Und welche Art der Folter hast du dir für ihn überlegt?"

„Keine, allerdings nur, wenn er kooperiert, sonst wird es schlimm für ihn. Er ist ein enger Vertrauter des englischen Königs. Jede Information könnte wichtig für uns sein."

„Er wird sie dir niemals geben", sagte sie.

„Irgendetwas werde ich schon aus ihm herausbekommen. Vielleicht ist er ein Spion oder ein Attentäter, der König Balliol angreifen sollte."

Sie schnaubte vor Wut. „Höchst unwahrscheinlich. Eine Frau und vier kleine Kinder zu beschützen – das klingt nicht wie die typische Beschäftigung eines Attentäters."

„Dann versteckt er sich eben oder ist selbst auf der Flucht vor den Engländern."

„Das ist Unsinn. Er ist mit uns gekommen, weil ich ihn darum gebeten habe."

„Sein Ruf ist aber ein ganz anderer."

„Ich wusste nicht, welchen Ruf er hat, als er nach Doonhill gekommen ist", sagte sie. Sie erzählte ihm, wie sie Robert getroffen hatte und wie sie gemeinsam zum Gebiet der Colquhoun geritten waren.

„Er wusste, dass du ihn umbringen würdest. Und hat mich trotzdem nicht allein gelassen", sagte sie nachdenklich.

Bram stand auf und lief ein paarmal durch den Raum. „Wenn er sich wirklich so verhalten hat, wie du sagst, dann ist er anders als sein Ruf. Aber das wird nichts an den Tatsachen ändern."

„Doch!"

„Meinst du wirklich, dass er lange am Leben bleibt, selbst wenn ich ihn begnadige? Es stehen genug andere in der Schlange, die ihm den Kopf abschlagen wollen."

„Niemand vom Clan der Colquhoun würde etwas gegen deinen Willen tun."

„Meistens, ja. Aber das hier ist kein gewöhnlicher Fall. Und mein Wort hindert andere Clans nicht daran, Rache an ihm zu nehmen."

„Dann gehe ich mit ihm gemeinsam weg", sagte sie impulsiv, obwohl sie nie über diese Möglichkeit nachgedacht hatte.

„Wie lange denkst du, dass du überleben wirst? Sobald er tot ist, werden sie sich auch dich und die Kinder vornehmen, weil du dich mit ihm verbündet hast."

Sie schluckte, denn ihr gefielen seine Einwände überhaupt nicht. „Dann lasse ich die Kinder bei dir."

„Aber du liebst sie", sagte er verwundert.

„Ja, genug, um sie beschützen zu wollen."

„Er muss trotzdem sterben."

„Warum, du sturer, verräterischer Dummkopf?" Sie war bereit, ihr eigenes Zuhause aufzugeben und ihr Herz in Stücke zu reißen, und trotzdem war ihr Bruder noch gegen sie.

„Er lässt mir als Laird keine andere Wahl. Er hätte nicht hierherkommen dürfen. Ich kann in dieser Angelegenheit nicht als Bruder entscheiden."

Sie konnte ihn nicht umstimmen. „Wann?"

„Morgen."

Wütend stürmte sie hinaus und schlug die Tür hinter sich zu.

27. Kapitel

Robert saß mit dem Rücken an der Kellerwand und versuchte zu schlafen. Doch er machte sich zu viele Sorgen, denn Hugh war noch nicht wieder da. Sie hatten ihm selbst zwar nichts getan, aber das bedeutete nicht, dass sie Hugh verschonen würden. Vor allem, wenn er sich nicht zügelte.

Er hatte gedacht, er sei gar nicht mehr in der Lage, sich um andere zu sorgen, dass alle Gefühle in ihm vor langer Zeit abgestorben waren. Doch dann war Gaira gekommen und hatte ihm mit ihrem Wesen, das so feurig war wie ihr Haar, gezeigt, wie dünn sein Schutzpanzer war. Mit ihrem Temperament und ihrem Lachen hatte sie seine Mauern zum Einstürzen gebracht.

Plötzlich flog die Kellertür mit einem lauten Knall auf. Er war so verdutzt, dass er gar nicht aufstehen konnte, denn Gaira kam die Treppe herunter. Die Tür wurde hinter ihr wieder geschlossen.

„Was tut Ihr hier?"

Sie blickte sich suchend um, denn er saß zu tief im Dunkeln, um ihn zu sehen.

„Ich habe mit meinem Bruder gesprochen." Durch die Türritzen fiel etwas Licht, und ihr Haar blitzte kupferfarben auf.

Er stand auf. „Also wisst Ihr, was er mit Hugh gemacht hat."

Sie nickte. „Ich konnte nichts für ihn tun. Ich fürchte, Euer Freund ist … verletzt."

„Wie schlimm ist es?"

„Das weiß ich nicht. Ich habe ihn nicht gesehen. Aber sie haben etwas mit ihm vor." Sie rang die Hände. „Bram hat mir gesagt, dass er mit Euch ebenfalls etwas vorhat. Aber danach habt Ihr gar nicht gefragt, oder?"

Er wusste, welche Pläne Bram mit ihm hatte. Aber im Moment sorgte er sich nur um Hugh. „Was will er mit Hugh machen?"

„Bram glaubt, dass er König Balliol nützlich sein könnte bei seinen Verhandlungen mit König Edward. Als Geisel."

Es war ihm egal, was mit ihm selbst passierte. Aber Balliol würde sicher alles andere als schonend mit Hugh umgehen. Vor allem, weil er ein Freund von Black Robert war.

„Glaubt Ihr, dass Hugh am Leben bleibt, bis er bei Balliol ist?", fragte er besorgt.

„Denkt Ihr, dass mein Bruder ein falsches Spiel treibt?"

„Ich habe nicht vergessen, was er mit Euch gemacht hat."

„Er hat mir seine Gründe dafür erklärt, und wir haben dieses Thema abgehakt." Aber verziehen hatte sie ihm noch lange nicht. „Gibt es hier einen Stuhl?"

Er ging auf sie zu, und er nahm einen feinen Lavendelgeruch wahr. Anscheinend hatte sie ein Bad genommen. Sie war ihm so nahe, aber er durfte sie niemals haben. Er verfluchte sich noch immer dafür, dass er es in jener Nacht nicht ausgekostet hatte, als sie sich ihm so bereitwillig hingeben wollte. Sie hätte ihm alles von sich geschenkt. Doch er hatte gedacht, dass er nicht das Recht dazu hatte, weil er ein Verdammter war, der ihr nicht das geben konnte, was sie verdiente. Also hatte er beschlossen, ihr Verlangen zu stillen und sein eigenes zu unterdrücken. Er hatte nicht damit gerechnet, dass er sich danach beinahe ununterbrochen vor Lust nach ihr verzehren würde. Die Art, wie sie sich ihm hingegeben hatte und wie sie geschmeckt hatte, verfolgte ihn bis in seine Träume. Sie war so empfänglich für seine Berührungen gewesen, und jetzt wusste er wirklich, was es hieß, verdammt zu sein. Seit jener Nacht war er in der Hölle.

„Warum seid Ihr hier?"

„Um Euch zu bitten, zu fliehen."

Robert war sprachlos, und Gaira atmete hörbar ein.

„Es gibt keine Wachen, es ist schon spät, und die Fackeln wurden noch nicht angezündet", erklärte sie ihm.

Er runzelte die Stirn. „Was glaubt Ihr, was er mit Euch macht, wenn Ihr mich freilasst?"

Sie hob das Kinn. „Da ich mit Euch komme, wird er mir gar nichts tun können."

Sie hörte, wie er den Atem anhielt.

„Und die Kinder?" Seine Stimme klang heiser.

„Sie sind hier in Sicherheit." Sie zog ihn am Arm und spürte, wie sich seine Muskeln unter ihren Fingern anspannten. „Lasst uns gehen, wir haben nicht viel Zeit."

„Ihr könnt die Kinder nicht verlassen. Warum wollt Ihr das tun?"

Sie versuchte, nicht an die Kinder zu denken, denn dann würde sie es sich anders überlegen. Und das durfte sie nicht, denn dann würde Robert sterben.

„Als ich mit meinem Bruder gesprochen habe, ist mir etwas klar geworden. Es gibt keinen vernünftigen Grund, warum Ihr mich und die Kinder hierhergebracht habt."

Er zog seinen Arm weg und machte ein paar Schritte nach hinten. „Ich habe Euch versprochen, dass ich Euch beschützen werde. Eure Brüder haben mich gezwungen, mit auf die Burg zu kommen. Mehr gibt es dazu nicht zu sagen."

„Lügner! Ich habe gesehen, wie Ihr gegen Malcolm gekämpft habt. Ihr habt Euch absichtlich gefangen nehmen lassen." Sie kam auf ihn zu. „Es muss also eine andere Erklärung geben, warum Ihr mit mir gekommen seid."

Sie stellte sich auf die Zehenspitzen und küsste ihn zärtlich. Sie spürte, wie er sich an sie schmiegte, und ihr wurde ganz warm ums Herz. Sie hatte recht gehabt. Er liebte sie. Doch er umarmte sie nicht, und sie löste sich wieder von ihm.

„Du Feigling!" Sie war so wütend, dass sie nicht denken konnte. Sie holte aus und schlug ihn mit aller Kraft ins Gesicht. Aber er stand einfach nur da und bewegte sich nicht.

Verzweiflung, Kummer, Liebe und Wut wechselten sich in ihrem Inneren ab, und sie holte erneut aus.

„Hört auf!" Er ergriff ihre Hand. „Warum tut Ihr das? Was wollt Ihr von mir?"

„Meine Brüder sind nicht der Grund, warum Ihr hier seid." Sie riss ihre Hand los. „Ich will, dass Ihr zugebt, dass Ihr etwas für mich empfindet. Ich will Euer Herz, Robert of Dent!"

Er sog scharf den Atem ein und trat ein paar Schritte zurück. Sie hatte sogleich das Gefühl, dass sich lauter Pfeile aus Eis in ihr Herz bohrten.

„Ich gebe gar nichts zu. Ich bin Engländer. Und Ihr seid Schottin."

„Nur weil Euer Freund hier ist, erinnert Ihr Euch plötzlich an Euer Land? Vorher habt Ihr nicht solche Unterschiede gemacht."

„Selbst wenn ich es nicht so sehe, unsere Könige sehen es so. Es ist viel Furchtbares geschehen, bevor ich nach Doonhill geritten bin, und ich fürchte, dass es jetzt noch viel schlimmer ist."

„Schottland hat nun einen König. Die Engländer haben hier nichts mehr zu sagen."

„Er ist zwar König, aber sogar viele Schotten bezweifeln seine rechtmäßige Herrschaft." Er schüttelte den Kopf. „Und Euer Bruder wusste, dass er Schottland verpflichtet ist, als er mich gefangen nahm."

„Ihr müsst aber kein Gefangener sein. Ich kann Euch befreien. Jetzt sofort. Wir können zusammen weggehen und …"

„Warum lasst Ihr mich nicht in Frieden?", knurrte er. „Ich bin ein gebrochener Mann, Gaira!" Er schlug sich mit der Faust auf die Brust. „Hier drin ist nichts! Absolut nichts! Warum stellt Ihr mir so viele Fragen und stecht immer wieder in die Wunde? Ich kann Euch nichts geben. Nichts! Ich bin nicht mehr in der Lage dazu."

Er drehte sich weg.

Er hatte sie verletzt, doch sie hatte vorher gewusst, dass sie dieses Risiko eingehen musste. Denn sie hatte wissen wollen, was er fühlte, bevor sie ihr Zuhause verließ und die Kinder. Und jetzt wusste sie es.

Es war nicht einfach, diesen Mann zu lieben. Er machte es ihr nicht leicht. Doch sie wusste, dass er sie liebte, auch wenn er es nicht zugeben konnte … noch nicht.

Sie ging wieder zu ihm und legte ihm eine Hand auf die Brust. Erleichtert stellte sie fest, dass sein Herzschlag sich beschleunigte, denn das bedeutete, dass er Gefühle für sie hatte. Sie würde sich nicht dafür entschuldigen, dass sie ihn so quälte. Es stand zu viel auf dem Spiel.

„Ich bin aber davon überzeugt, dass hier etwas ist", flüsterte sie.

Robert erstarrte. Sie kam einfach nicht zu ihm durch.

Er schob ihre Hand beiseite. „Da irrt Ihr Euch. Da, wo mein Herz einmal war, ist nur noch ein Loch."

Sie verstand nicht, was er meinte. Doch es lag eine so tiefe Traurigkeit in seinen Augen, die ihr alles sagte. Sie wusste nur nicht, ob sie wirklich wissen wollte, woher sie stammte.

Sie krampfte ihre Finger ineinander. „Habt Ihr einmal jemanden geliebt?"

„Ja, und ich werde nie wieder den gleichen Fehler machen."

Sie hatte noch nie solch einen Schmerz empfunden wie in diesem Moment. Ihr Herz krampfte sich zusammen, und sie konnte sich kaum auf den Beinen halten.

Seit sie ihn kannte, hatte sie Höllenqualen durchlebt. Sie wusste, dass sie den Weg hierher nur geschafft hatte, weil er bei ihr gewesen war. Widerwillig, herrisch und stur, aber er war da gewesen. Doch jetzt wusste sie, dass sie sich geirrt hatte. Er war niemals richtig bei ihr gewesen. Er konnte nicht. Sein Herz gehörte einer anderen.

Noch nie hatte sie sich so gedemütigt gefühlt. Ihre Familie hatte sie verstoßen, und der Mann, den sie liebte, hatte sie ebenfalls abgewiesen. Sie hatte ihm nichts mehr zu sagen. Sie drehte sich um und wollte gehen.

„Sie ist tot", sagte er. „Schon seit vielen Jahren."

Sie nahm den Fuß wieder von der ersten Stufe herunter.

„Sie war Waliserin, die Tochter eines unbedeutenden Fürsten in Nordwales. Ich habe sie zum ersten Mal gesehen, als sie noch ein Kind war. Ich habe für König Edward im Krieg gegen Wales gekämpft."

Gaira wollte es nicht wissen, doch sie konnte sich einfach nicht weiterbewegen.

„Wir hatten gerade Brynmor erobert. Ich und die anderen stürmten in die Burg, um nachzusehen, ob sich dort jemand versteckte. Als ich die Treppe hinaufsah, standen dort zwei Mädchen. Sie waren blond und hatten blaue Augen und sahen sich so ähnlich, dass ich sofort wusste, dass sie Schwestern waren. Die Ältere hielt die Hand der Jüngeren fest umklammert. Das Gesicht der Kleinen war geschwollen und voller roter und blauer Flecke doch ihre Augen blickten mich freundlich an. Das war Alinore."

Robert sprach jetzt ganz leise. Sie drehte sich um und sah, dass er den Kopf gesenkt hielt. Sein Rücken war gebeugt, als ob eine große Last auf seinen Schultern lag.

„Als der Krieg vorbei war, ließ ich mich in Brynmor nieder. Es stand unter englischer Herrschaft. König Edward wollte es mir als Lehen geben, doch nach meiner Ankunft dort wusste ich innerhalb weniger Tage, dass das nicht ging."

Gaira versuchte, ihre verkrampften Finger zu lösen, aber sie gehorchten ihr genauso wenig wie ihre Beine.

„Die ältere der beiden Schwestern wollte nichts mit mir zu tun haben, und so war es Alinore, die mich herumführte und mir alles zeigte. Sie war zu dem Zeitpunkt schon etwas älter als bei unserer ersten Begegnung, aber noch immer ein Kind. Urien, ihr Vater, schlug sie. Ich versuchte, ihn davon abzuhalten, doch ich konnte nicht ununterbrochen bei ihr sein …" Seine Stimme war hasserfüllt. „Er war öfter betrunken als nüchtern, daher konnte ich nicht einmal richtig gegen ihn kämpfen. Und Alinore liebte ihn trotz allem. Ich verstand es nicht … diese Bereitschaft zu lieben und zu verzeihen."

Gaira wollte, dass er aufhörte. Seine Worte schmerzten sie zu sehr.

„Anstatt mich als Lord auf der Burg einzurichten und ihren Vater als Verräter töten zu lassen, gab ich mich mit der Position als Gouverneur zufrieden. Alinore wusste es zu schätzen, dass ich ihren Vater verschont und ihm ein letztes bisschen Würde gelassen hatte. Ich blieb viele Jahre dort, und als Alinore erwachsen war, verliebte ich mich in sie. Es fühlte sich so leicht und so süß an, wie sich in der milden Frühlingsluft zu sonnen." Plötzlich hielt er inne.

„Was ist passiert?" Sie wusste nicht, woher das Bedürfnis kam, ihn zu fragen, und er atmete laut ein. „Brynmor brannte bis auf die Grundmauern nieder." Er sprach nicht weiter, doch sie spürte, wie aufgewühlt er war. „Sie ist gestorben."

Als er sie anblickte, sah sie im schwachen Licht, das durch die Türritzen fiel, dass seine Augen schwarz vor Kummer waren.

„Du hattest recht, Gaira. Du wusstest nicht, warum, aber du hattest recht. Es ist Trauer, die mich antreibt. Sonst nichts."

Sie wollte keine weiteren Geheimnisse von ihm wissen, nicht noch tiefer enttäuscht werden. Seine Geschichte war mehr, als sie verkraften konnte. Er liebte Alinore! Und nicht sie.

Es war spät geworden. Die Fackeln brannten sicher bereits. Die Gelegenheit zur Flucht war vorbei. Doch es machte keinen Unterschied. Alle ihre Hoffnungen waren zerstört.

„Du Feigling! Du bist gar kein Krieger! Du hast nicht einmal genug Mut, um mir richtig das Herz zu brechen!"

Sie rannte die Stufen hinauf und schlug die Kellertür heftig hinter sich zu.

28. Kapitel

Hugh sprang erschrocken von der Pritsche. Zwei Kinder kamen in die Kammer. Es waren die beiden größeren, mit denen Robert unterwegs gewesen war.

„Ich brauche nichts", sagte er. Sie behandelten ihn viel zu gut für einen Gefangenen.

„Deswegen sind wir nicht hier. Wir wollen Euch befreien", antwortete Creighton.

„Was ist mit Eurem Gesicht passiert?", fragte Flora.

Hugh starrte auf die Tür. „Wie seid ihr hier reingekommen?"

„Es gibt nur einen Wächter, und wir haben ihn abge…"

„Nur einen?", unterbrach Hugh. „Unverschämtheit."

„Aber wir glauben nicht, dass er noch lange weg sein wird. Deshalb sollten wir schnell gehen. Euer Arm ist verbunden. Ist er gebrochen?" Flora wandte sich Creighton zu. „Wenn er verletzt ist, geht es nicht."

„Ich habe bloß Schmerzen." Hugh schwenkte den Arm umher. „Wie habt ihr ihn abgelenkt?"

„Ich hätte nicht gedacht, dass es funktioniert", sagte Flora.

„Wir haben uns versteckt, und Alec hat ihn abgelenkt. Er hat das schon oft gemacht", erklärte Creighton.

„Aber nur zum Spaß", warf Flora ein.

Hugh schüttelte den Kopf. „Wer ist Alec?"

„Unser Cousin. Er stiehlt immer Sachen. Er hat den Dolch von dem Wachmann gestohlen, und der ist hinter ihm hergejagt."

„Und wir sind hier, um Euch zu bitten, dass Ihr Sir Robert helft", sagte Flora.

„Wir schaffen es nicht allein, und Ihr seid schließlich sein Freund", ergänzte Creighton.

„Ihr wollt Robert of Dent befreien? Aber ihr seid Schotten!", wunderte sich Hugh.

Die Kinder sahen sich an.

„Wisst ihr, wer Sir Robert ist?", fragte er sie.

„Ja, Sir. Er ist angeblich ein sehr böser Engländer. Aber das stimmt nicht. Also jedenfalls nicht ganz. Mein Bruder und ich haben gesehen, was böse Männer machen. Sir Robert würde so etwas nie tun."

Hugh lächelte. „Erklärt mir doch mal genau, warum ihr hier seid."

Hugh hörte, wie jemand die Treppe hinaufeilte, sodass es ihn nicht überraschte, als Caird die Tür aufriss.

Er musste beinahe lachen, als er sah, wie Cairds Wut sich in Unglauben verwandelte.

„Wie Ihr seht, bin ich noch hier."

Caird stützte sich atemlos an der Wand ab. In der anderen Hand hielt er sein Schwert. „Weshalb?"

„Es scheint, dass es bei den Mitgliedern und Besuchern des Colquhoun Clans keine verfeindeten Länder gibt."

Caird richtete sich auf. „Ich verstehe nicht."

„Das hätte ich auch nicht, bis zwei schottische Kinder versucht haben, mich und Robert zu befreien. Doch ich habe beschlossen, dass ein Gespräch vielleicht ebenso viel bringt." Er zeigte auf das andere Ende der Pritsche. „Warum setzt Ihr Euch nicht, und wir besprechen alles in Ruhe. Es geht um Eure Schwester und einen gewissen Engländer …"

Gaira machte sich früh auf den Weg. Sie vermisste die Kinder. Und wenn sie ehrlich war, dann brauchte sie auch Oonas Rat. Ja, nur sie selbst hatte die Macht über ihr Leben. Aber galt das auch, wenn ihr das Herz gebrochen wurde?

Der Wind wehte kühl, als sie auf Oonas Hütte zulief. Sie zog ihr Tuch enger um sich, doch es half nicht, denn sie trug ein Kleid. Sie vermisste die Hosen und die Tunika.

„Oona, ich bin es!"

Die Tür wurde geöffnet. Die alte Frau hielt in einer Hand einen Löffel, an der anderen Maisie. Gaira sah sich den Löffel genauer an, doch sie konnte keine seltsamen Kräuter darauf erkennen.

218

„Es geht ihr gut, Mädchen. Hast du Sorgen? Oder Ärger?"

„Woher weißt du das?"

„Weil du Oona besuchen kommst, deshalb." Sie setzte Maisie auf den Boden. Das Mädchen krabbelte zu ihr, und Gaira nahm es auf den Arm.

„Es könnte auch sein, dass ich wegen der Kinder komme. Wo sind sie überhaupt?" Sie sah sich um.

„Sie rennen irgendwo herum, wie Kinder das eben machen."

Besorgt fragte sie: „Niemand ist gekommen und hat sie mitgenommen?"

„Wolltest du, dass sie jemand holt? Dein Engländer vielleicht?", vermutete Oona.

Gaira versteckte ihr Gesicht hinter Maisie, damit die alte Frau ihren Blick nicht sah.

„Ah, Oona sieht, woher der Ärger kommt."

Gaira setzte Maisie ab.

„Mehr als nur Ärger. Er ist ein dummer Feigling! Jawohl! Wusstest du, dass er bereits eine Frau geliebt hat?"

Oona nickte lächelnd, sagte aber nichts.

Gaira lief unruhig umher. „Und er liebt sie noch immer!"

„Ja. Und wo ist das Problem?"

„Das ist das Problem!", rief Gaira aufgebracht.

„Gut, er hatte bereits ein Leben, bevor er dich traf. Und? Er ist ein starker, ehrenhafter, gut aussehender Mann. Denkst du wirklich, dass die Frauen dass nicht bemerken?"

„Es klang nicht so, als ob die Frau ihn bemerkt hätte!"

Oona lachte laut auf. „Du hast dein Herz wirklich voll und ganz an diesen Mann verloren, mein Kind. Mal sehen, ob dieser Trank dir hilft."

„Aber nicht wieder dieses grüne Gebräu!"

„Nein, ich habe etwas anderes …"

Gaira blickte in Oonas Kessel. „Ist das nicht nur Haferbrei?"

„Ja." Die alte Frau füllte eine Schale und reichte sie ihr. „Sogar Oona muss manchmal etwas essen."

„Wie soll mir das helfen?"

„Hast du keinen Hunger?"

„Doch, aber …"

„Es hilft bei leerem Magen. Das ist alles."

Gaira ließ den heißen Brei vom Löffel in die Schale tropfen.

„Und bei allem anderen brauchst du keine Hilfe", versicherte Oona ihr.

„Aber mein Herz ist in tausend Stücke zerbrochen, es kann nicht mehr heilen."

„Du irrst dich, Mädchen. Er hat nicht gesagt, dass er dich nicht liebt."

„Aber seine Stimme klang so, als würde er *sie* noch lieben."

Oona nahm sich ebenfalls eine Schüssel und einen Löffel. „Wenn ein Mann lieben kann, dann hat er ein gutes Herz. Und er hat bereits jemanden geliebt. Das heißt aber nicht, dass er dich nicht liebt." Sie pustete auf den heißen Haferbrei. „Du liebst ihn und die Kinder, richtig?"

Gaira aß einen Löffel vom mit Honig gesüßten Brei und nickte.

„Dann liebst du mehrere Menschen gleichzeitig. Ein gutes Herz hat keine Grenzen. Und Robert of Dent hat ein gutes Herz."

Gaira aß einen weiteren Löffel.

„Hast du ihn gefragt, ob er dich liebt?"

Gaira legte den Löffel in die Schüssel zurück.

Sie hatte ihn nicht richtig gefragt, ob er sie liebte, weil sie von Alinore gesprochen hatten. Weil er schon einmal jemanden geliebt hatte, verleugnete er seine Gefühle für sie. Er war ein widersprüchlicher Mann. Nichts an ihm war einfach. Er war stur und widersprüchlich und zeigte nie seine Gefühle. Doch ab und zu konnte man ein Stück seiner Seele erblicken.

Er hatte mit ihr zusammen die Dorfbewohner begraben und Creighton zum Sprechen gebracht. Er hatte Flora getröstet und mit Alec gespielt. Er hatte sogar Bram gebeten, ihr Schutz zu gewähren. Das tat niemand, der kein Herz hatte. Er liebte sie. Und es war vollkommen unwichtig, ob er schon einmal geliebt hatte.

Doch ihm war es nicht gleichgültig. Er empfand noch immer zu viel Schmerz.

Sein widersprüchliches, abweisendes Verhalten ergab jetzt einen Sinn. Er hatte die ganze Zeit über versucht, seine Gefühle für sie zu bekämpfen. Nicht, weil er Black Robert war, sondern wegen Alinore.

Großer Gott! Sie hatte von ihm verlangt, die Toten zu begraben, und hatte ihn beschuldigt, keine Gefühle zu haben. Dabei war es in Wirklichkeit mit zu vielen schmerzlichen Gefühlen für ihn verbunden gewesen.

Er war zu Black Robert geworden, nachdem Alinore gestorben war, um sich und sein trauerndes Herz zu schützen. Sie wusste, was es hieß, allein zu sein, und sie wusste, was Trauer war. Aber sie hatte sich nicht dahinter versteckt, denn sie wusste, dass es ein Gefühl gab, das viel stärker war als Schmerz. Robert hingegen konnte das nicht wissen, denn er hatte es als Kind nicht anders gelernt.

Es würde nicht einfach werden. Aber sie würde Robert of Dent zeigen, wie man liebte.

29. Kapitel

*J*ch bin froh, dass Ihr Euch nicht widersetzt", sagte Bram. Robert folgte Bram durch den leeren Saal im Wohnturm. Es lag nicht an Brams falscher Einschätzung, dass er allein, ohne Wachen, mit ihm sprach, sondern daran, dass er seinem Feind seine Überlegenheit demonstrieren wollte.

„Solange Gaira und die Kinder in Sicherheit sind, habe ich keinen Grund, mich zu widersetzen", antwortete Robert.

„Und was ist mit Eurem Freund?", fragte Bram.

Robert ließ sich nicht ködern. „Hugh kann allein auf sich aufpassen." Und wenn Hugh zu Balliol geschickt wurde, dann hatte er die Chance zu fliehen, wenn auch nur eine kleine. Jetzt galt es, Ruhe zu bewahren. Zu viele Menschen waren von ihm abhängig.

Bram ging eine Treppe hinauf. „Viele meiner Leute verstehen nicht, warum ich Euch Essen und ein Dach über dem Kopf gebe. Sie glauben, Ihr seid so grausam, wie es die Legenden über Euch besagen. Mein Berater hat vorgeschlagen, Euch in Ketten legen und verhungern zu lassen."

Sie kamen in einen engen Gang, der keine Fenster hatte.

„Warum tut Ihr es nicht?"

„Weil ich nichts auf Legenden gebe." Bram öffnete eine Tür am Ende des Ganges und ging in einen Raum. „Ich glaube, dass ein Mann, der ein so hervorragender Soldat ist wie Ihr, vernünftig ist."

Robert verlangsamte seinen Schritt und betrat dann das Arbeitszimmer des Lairds. Caird und Malcolm standen in der Nähe der Tür.

„Ein Mann, der den Ernst der Lage vielleicht noch nicht erkannt hat", sagte Bram.

Robert ignorierte Caird und Malcolm. „Vielleicht habe ich es schon viel zu gut verstanden."

„Ah, dann seid Ihr deshalb so ruhig und kooperativ."

Er wollte ihn offensichtlich herausfordern.

„Wie ich bereits sagte, teile ich die Meinung meines Beraters nicht. Ich sehe keinen Grund, unnötig grausam zu sein."

„Eine gerechte Entscheidung", gab Robert zurück. Von diesem Gespräch hing viel ab. Er erwartete nicht, dass er an seiner eigenen Lage noch etwas ändern konnte. Aber vielleicht konnte er etwas für Gaira und die Kinder tun.

„Täuscht Euch nicht. Ich bin bloß höflich." Bram sah Robert aufmerksam an. „Meine Schwester ist jedoch der Meinung, dass ich Euch gerecht behandeln soll, und zu meiner großen Überraschung sagen meine Brüder das Gleiche. Ich verstehe noch immer nicht, weshalb."

Robert schwieg. Er konnte sich das Wohlwollen von Gairas Brüdern ebenso wenig erklären.

„Habt Ihr irgendetwas mit dem zu tun, was in Doonhill passiert ist?", wollte Bram wissen.

Robert hatte mit dieser Frage gerechnet. „Es waren König Edwards Soldaten, die das getan haben."

Bram zog die Augenbrauen zusammen. „Unter Eurem Kommando?"

Robert schüttelte den Kopf.

„Aber Ihr wolltet, dass ich das glaube." Bram verschränkte die Arme. „Entweder seid Ihr verrückt, oder Ihr haltet mich für dumm."

Robert sagte nichts.

„Ihr beleidigt mich damit, indem Ihr so offenkundig versucht, den König zu schützen, und Euch selbst als den Schuldigen ausgebt. Wahrscheinlich habt Ihr gedacht, dass ich Euch töten würde und keine Rache an Euren englischen Kameraden nehmen würde."

Robert antwortete ihm nicht. Er wusste, dass es besser war, sich zunächst anzuhören, was Bram zu sagen hatte.

„Dann beleidigt Ihr mich noch weiter, indem Ihr denkt, dass ich einen Mann zu Unrecht zum Tode verurteilen würde. Ihr denkt wirklich, dass ich Euch töten würde, nur weil Ihr Engländer seid? Zugegeben, es ist verlockend. Vor allem in Anbetracht dessen, was mit meiner jüngsten Schwester passiert ist. Aber als Laird darf ich mich nicht von meinen Gefühlen leiten lassen. Ich weiß, dass jeder für seine eigenen Sünden büßen muss, egal, welches Blut durch seine Adern fließt. Wenn Ihr die Wahrheit gesagt hättet, dann hätte ich ein gerechtes Urteil getroffen."

Robert ergriff das Wort. „Ich habe bisher noch keinen Beweis für Euren Gerechtigkeitssinn gesehen." Er hörte, wie Malcolm und Caird erschrocken den Atem ausstießen, doch Bram blieb ganz ruhig.

„Ihr sprecht von meiner Schwester Gaira." Bram schenkte sich ein wenig Ale ein. „Meine Schwester scheint nicht zu wissen, was für ein Ungeheuer Ihr seid. Doch ich weiß es. Und wahrscheinlich haltet Ihr Eurem König noch immer die Treue."

„König Edward ist ein mächtiger Herrscher. Unterschätzt ihn nicht."

„Solange es noch einen einzigen Schotten gibt, wird es Schottland geben", sagte Bram.

Robert zuckte die Achseln.

„Wie habt Ihr es vor ihr verheimlicht?" Bram trank einen Schluck. Robert wunderte es nicht, dass er ihm nichts anbot. Schließlich stattete er dem Laird keinen Höflichkeitsbesuch ab.

„Was?"

„Dass Ihr Hunderte unserer Landsmänner abgeschlachtet habt."

„Sie hat nie danach gefragt."

„Ich dachte, sie wäre weniger naiv als Irvette. Aber anscheinend habe sie ich zu sehr beschützt."

„Ihr habt sie ganz sicher nicht beschützt."

„Und noch eine Beleidigung. Obwohl Ihr vor mir und meinen Brüdern steht, hütet Ihr nicht Eure Zunge. Was wisst Ihr schon darüber, wie ich meine Schwester behandelt habe?"

„Ihr habt sie einem Verrückten überlassen."

„Busby war zwar nicht sehr klug, aber auch nicht verrückt."

„Dann kennt Ihr einen anderen Busby of Ayrshire als ich. Der Mann hat mich von hinten angegriffen."

„Ihr habt ihn provoziert, weil Ihr mit seiner Braut unterwegs wart."

„Sie war nicht seine Braut. Und sie hatte Angst vor ihm."

„Meine Schwester hat vor niemandem Angst. Immerhin war sie mit Euch unterwegs."

„Sie ist vor Busby geflohen." Robert versuchte, sich zu beruhigen. Sein Herz pochte schneller vor Wut. Er wusste, dass er seine Gefühle für Gaira besser nicht zeigen sollte. Aber er konnte einfach nicht sachlich bleiben, wenn es um sie ging. „Sie fürchtete um ihr Leben. Habt Ihr das vergessen?"

Bram knallte den leeren Krug auf den Tisch. „Ich habe nichts vergessen, du vorlauter englischer Bastard!"

„Dann seid wütend auf Euch selbst, nicht auf mich."

„Ich werde dich töten!"

„Versucht es doch."

Plötzlich blitzten Brams Augen auf, und seine Mundwinkel verzogen sich nach oben. Robert verstand nicht, was ihn auf einmal so amüsierte. Er selbst fand das Ganze gar nicht zum Lachen.

Aber Gaira lachte auch oft völlig aus dem Nichts auf. Vielleicht war dies eine Familieneigenschaft. Er verstand dieses Verhalten nicht, aber er hätte auch gerne die Fähigkeit, so zu lachen.

„Es gefällt mir überhaupt nicht, dass Ihr hier seid. Warum seid Ihr hergekommen?"

„Eure Schwester hat mich darum gebeten."

„Und das soll ich glauben?"

„Da Ihr ohnehin vorhabt, mich zu töten, ist es doch nicht wichtig."

„Warum hat sie ausgerechnet Euch darum gebeten?"

Darauf wusste er keine Antwort. Er war selbst immer noch verwundert darüber, wie sich alles entwickelt hatte. „Es hatte sich angeboten, denn es war sonst niemand da."

„Wenn Ihr nichts mit Doonhill zu tun hattet, warum wart Ihr dann dort?"

Robert wollte zwar nicht über seine Gründe sprechen, würde sie jedoch auch nicht verheimlichen. „Meine Landsleute hätten keine unschuldigen Menschen töten dürfen."

„Reue?" Bram hob den Kopf. „Black Robert fühlt also Reue. Und hat meine Schwester durch das Land der Buchanans begleitet."

Bram trat einen Schritt auf ihn zu. Robert blieb unbeweglich stehen.

„Doch das ändert gar nichts. Ich muss Euch trotzdem töten."

„Das sagtet Ihr bereits."

„Wenn ich Euch begnadigen würde, weil Ihr meiner Familie geholfen habt, würde ich mit jedem Clan in Schottland im Krieg stehen."

„Ihr könntet mich einfach laufen lassen und sagen, dass ich geflohen bin." Doch Robert wusste, dass Bram sich nicht darauf einlassen würde.

„Das würde meinen Ruf in Schottland sicher stärken", sagte Bram in ironischem Ton. Dann sah er zu Caird und Malcolm. „Meine Schwester hat mich angefleht, Euch am Leben zu lassen, und wie ich hörte, wollte sie sogar mit Euch fliehen."

Es überraschte Robert, dass Bram davon wusste. Anscheinend gab es in der Burg Spitzel.

„Eure Schwester weiß nichts über mein Leben und meine Taten, genau wie Ihr sagtet."

„Ich denke, dass sie es weiß. Wenn ich mich nicht irre, habt Ihr ihr alle Eure dunklen Geheimnisse erzählt, als sie mit Euch fliehen wollte. Warum?"

Es ärgerte Robert, dass Bram über seine Gefühle Bescheid wusste. „Eure Schwester ist eine ungewöhnliche und liebenswerte Frau. Sie verdient die Wahrheit."

„Liebenswert? Gaira ist eine Xanthippe!"

Bram stand dicht genug vor ihm, um ihn angreifen zu können, noch bevor seine Brüder ihm helfen konnten. Doch er durfte nicht nur an sich denken.

„Und wieder gehen unsere Meinungen auseinander", gab er zurück.

„Ihr wolltet sie vergraulen, damit sie Euch verlässt. In was für einer Beziehung steht Ihr zu ihr?", wollte Bram wissen.

„Auf jeden Fall denke ich, dass sie es nicht verdient hat, einfach abgeschoben und gegen ihren Willen verheiratet zu werden."

„Also sind wir wieder an diesem Punkt angelangt. Ich werde Euch meine Gründe dafür nicht sagen. Ich muss mich Euch gegenüber nicht rechtfertigen."

„Dennoch war es falsch, was Ihr getan habt", beharrte Robert.

„Ihr haltet Euch wohl nie mit Eurer Meinung zurück, oder?"

„Ich sehe keine Notwendigkeit dazu."

„Wenn Ihr so stolz auf Eure Ehrlichkeit seid, dann verratet mir doch, welche Pläne König Edward hat."

„Das kann ich nicht." Er musste vorsichtig sein. „Ich habe zwar für ihn gekämpft, doch ich kenne seine politischen Pläne nicht."

„Ihr standet ihm doch nahe."

„Aber ich war nie sein Vertrauter."

„Ihr habt immer Distanz gewahrt, richtig?"

Robert zuckte mit den Schultern.

„Verdammt, ich glaube Euch. Ihr gebt mir keinen Grund, Euch am Leben zu lassen."

„Wir müssen alle irgendwann sterben."

„Richtig. Aber Eure Zeit läuft schon bald ab." Bram sah seine Brüder an. „Morgen früh kämpfen wir."

„Starrköpfiger, hinterhältiger Dreckskerl!", fluchte Gaira leise vor sich hin und ballte die Fäuste. Malcolm hatte ihr erzählt, dass Bram mit Robert gesprochen hatte. Und er hatte ihr auch berichtet, was Robert gesagt hatte.

Sie konnte Bram nicht umstimmen. Er hatte seine Entscheidung als Laird getroffen. Aber vielleicht konnte sie diesen ganzen Wahnsinn noch irgendwie aufhalten.

Sie lief durch die Küchenräume und rannte in Richtung des Kellers. Der Mann, der dort Wache hielt, öffnete ihr sofort die Tür. Das hatte sie nicht erwartet. Sie war froh, dass er die Tür hinter ihr schloss, denn so konnte er nicht mithören.

Robert saß diesmal nicht im Dunkeln, und so konnte sie erkennen, dass seine Miene verschlossen war.

Sogar zwischen den gelagerten Gewürzen konnte sie seinen ganz eigenen Duft erkennen. Sofort schoss ihr die Erinnerung in den Kopf, wie er sie berührt hatte und wie sich seine Lippen angefühlt hatten, als er sie mit ihnen verwöhnt hatte und ihr das Verlangen den Atem geraubt hatte. Und sie begehrte ihn noch genauso wie in jener Nacht. Egal, was in ihm vorging, sie würde nicht gehen, ehe sie eine Antwort von ihm bekam.

„Ich glaube, dass Euch noch ein anderes Gefühl antreibt, Robert of Dent", sagte sie. Ihre Stimme klang unnatürlich laut in der Stille des Kellers.

„Was tut Ihr hier, Gaira?"

Sein Blick war besorgt, doch sie bemerkte, wie es um seinen Mund verdächtig zuckte. Wieder fiel ihr auf, wie gut er aussah. Er war zwar verschlossen, doch ihr hatte er sich geöffnet, wenn auch widerwillig. Sie würde die Gelegenheit nicht vorüberziehen lassen. Sie war nie zögerlich gewesen und würde bestimmt nicht jetzt damit anfangen.

„Liebe! Ihr werdet auch von Liebe angetrieben", erklärte sie. „Ihr liebt mich."

Er stand auf und trat einen Schritt zurück, doch es war zu spät. Sie hatte den Ausdruck in seinen Augen bereits gesehen, und sie wusste, dass sie recht hatte.

„Was tut Ihr hier?", wiederholte er mit rauer Stimme.

„Ich bin hier, um mit Euch zu fliehen."

„Nein! Ich habe schon gesagt, dass ich nicht einfach weglaufen kann."

„Ich glaube auch nicht, dass Ihr weglaufen würdet. Und das müsst Ihr ja gar nicht, denn Ihr seid schon längst davongelaufen." Sie krallte ihre Finger in ihren Rock. „Ihr könnt nicht mehr davonlaufen und Euch hinter dem Mythos Black Robert verstecken, zu dem Ihr Euch selbst gemacht habt."

„Aber das ist, wer ich bin."

„Nein. Black Robert hätte mir und den Kindern niemals geholfen." Sie machte einen Schritt auf ihn zu. „Hinter dieser Maske steckt so viel mehr. Und nicht bloß Trauer."

„Nein", flüsterte er. „Ich bestehe aus nichts anderem als Trauer. Ihr macht Euch etwas vor, wenn Ihr etwas anderes denkt."

Seine Worte schmerzten. Doch sie würde noch viel mehr leiden, wenn sie ihm nicht half. Sie atmete ein und sog den Geruch und die Wärme seiner Haut in sich auf. Es gab ihr die nötige Kraft, die sie brauchte, um gegen seine Mauern anzukämpfen.

„Lasst Eure Trauer endlich los! Ihr könnt sie weiterhin lieben, auch ohne dass Ihr Euch quält."

Er atmete hörbar aus. „Ihr wollt, dass ich sie weiterhin liebe?"

So viel Schmerz steckte in diesem Mann. Es tat ihr weh, ihn so leiden zu sehen. Doch sie wusste, wie sie ihn davon befreien konnte. „Ja, das will ich."

„Aber das verstehe ich nicht."

„Ihr habt sie geliebt. Und ich weiß, dass sie ein besonderer Mensch gewesen sein muss, wenn Ihr ihr Euer Herz geschenkt habt."

Er entfernte sich schnell ein paar Schritte von ihr. „Sie ist tot. Und seitdem fühle ich nichts als Schmerz."

„Ja. Weil Ihr noch Liebe für sie empfindet." Sie kam auf ihn zu und legte ihm eine Hand auf das Herz. „Ihr müsst den Schmerz loslassen."

Sie spürte, dass sein Herz heftig gegen seinen Brustkorb hämmerte.

„Aber wie soll ich das schaffen? Wie kann ich diese Trauer loswerden?"

Tränen liefen ihr die Wangen hinab, doch sie schämte sich nicht dafür, denn es waren heilsame Tränen.

„Indem Ihr das Leben wieder umarmt", sagte sie. „Indem Ihr die Liebe wieder umarmt." Sie legte ihm ihre andere Hand ebenfalls auf die Brust. „Indem Ihr mich umarmt."

Robert erstarrte und wurde blass. Schmerzerfüllt sah er sie an. Sie wusste, dass nicht mehr viel fehlte, bis seine Mauern zerbrachen. Er stand direkt vor ihr, sie fühlte seinen Körper unter ihren Händen. Doch mit den Gedanken war er nicht bei ihr. Was konnte sie ihm sagen, um ihn zu überzeugen? Sie fühlte Enttäuschung aufwallen und wollte sich schon von ihm losmachen.

„Du alter Dummkopf." Sie nahm ihre Hände von seiner Brust und legte sie auf ihre Hüften. „Merkst du denn nicht, dass du mich liebst?"

30. Kapitel

ch kann nicht." Er schüttelte den Kopf.

„Doch, du kannst. Und es ist höchste Zeit, dass du es zugibst."

„Du irrst dich. Ich habe schon einmal jemanden geliebt, und ich werde es nicht wieder tun. Siehst du denn nicht, dass auf meiner Liebe ein Fluch liegt? Alinore ist tot! Ich sollte sie beschützen, und ich habe versagt!"

Er rieb sich mit der Hand über den Nacken. Mittlerweile wusste sie, dass er das immer tat, wenn ihm etwas unangenehm war. „Das hält dich also davon ab, mich zu lieben? Angst? Ausreden?"

„Ich habe keine Angst …"

„Ha!" Sie zeigte mit dem Finger auf ihn. „Doch! Du hast Angst vor deinen Gefühlen für mich. Dabei hast du schon so viel getan, um diese Angst zu überwinden. Alles, worum ich dich bitte, ist, dass du dich noch ein klein wenig mehr bemühst."

Der Schmerz in seinen Augen war kaum auszuhalten und schnitt ihr ins Herz. „Du bist mir so nahe, Robert. Kannst du es nicht fühlen?"

Benommen schüttelte er den Kopf. Aber sie hatte nicht das Gefühl, dass es ihrer Frage galt. Es kam ihr vielmehr so vor, als ob er einen inneren Konflikt mit sich austrug.

Doch so schnell gab sie nicht auf. „Du hättest mir die Hilfe verweigern können. Und du hättest auf unserem Weg hierher jederzeit verschwinden können. Du hast es nicht getan, und du weißt genau, warum. Dein Herz wusste bereits, dass du mich liebst, noch bevor du selbst es wusstest."

„Ich kann nicht …" Er riss die Augen auf. „Oh Gott. Es stimmt."

Ihr wurde vor Glück ganz warm ums Herz. Doch sein Kampf war noch nicht vorüber. „Gut. Dann lass den Unsinn, morgen gegen meinen Bruder zu kämpfen. Wir können uns weit weg von hier ein neues Leben aufbauen, nur du und ich."

Sein Körper erbebte, als ob der Dämon, der seine Seele gefangen hielt, sich mit einem Mal befreit hätte und in ihm herumwütete. Sie hatte gedacht, dass er nichts als reine Freude empfinden würde, wenn er erst einmal erkannt hatte, dass er sie liebte. Doch er war völlig am Boden zerstört und sah alles andere als glücklich aus. Sie bekam Angst.

Er atmete geräuschvoll ein. „Das kann ich nicht."

Er warf ihr einen Blick zu, der ihr jeglichen Mut nahm. Zwar lag Liebe darin, aber auch Bedauern, als hätte er die Wahrheit zu spät erkannt. Doch sie war so weit gekommen. Sie würde jetzt nicht einfach aufgeben.

„Warum nicht?", fragte sie. „Hast du noch eine neue Ausrede gefunden, um unsere Liebe zu verleugnen?"

Er streichelte ihr über die Wange. „Du wolltest mir einmal etwas von deinem Land geben. Und jetzt will ich versuchen, es zu behalten."

Sie schlug seinen Arm fort. „Jetzt willst du es plötzlich? Aber weder dieses Land noch mein Clan wollen dich!"

„Darum muss ich gegen deinen Bruder kämpfen."

Die Angst überdeckte plötzlich ihre Wut. Sie wollte, dass er am Leben blieb. Warum war er nur so stur?

„Warum willst du das unbedingt? Ich verstehe es nicht!"

„Um alle Zweifel zu beseitigen."

„Aber es gibt keine Zweifel. Wir müssen gehen, es ist unsere einzige Chance!"

„Du hast mir selbst gezeigt, dass noch viel mehr möglich ist." Er fiel vor ihr auf die Knie und nahm ihre Hände. Selbst wenn er kniete, strotzte er vor Männlichkeit und Kraft. Wenn sie ein Felsbrocken in einem Fluss wäre, dann könnte sie jetzt seine ganze Stärke spüren.

„Ich liebe dich, Gaira of Colquhoun. Seit dem Moment, als du mir den Kessel über den Kopf gezogen hast. Kannst du mir verzeihen, dass ich es nicht eher erkannt habe?"

Sie erzitterte bei seinen Worten und wollte ihre Hände wegziehen, doch er hielt sie fest.

„Du bist einzigartig. Die Liebe, die ich für Alinore empfunden habe, war so zart wie Frühlingsblumen. Meine Gefühle für dich sind hingegen wie tiefrote Rosen voller Dornen." Er küsste ihre Hände. Sofort wallte flammende Hitze in ihr auf. „Ich möchte diese Rosen mit meinen bloßen Händen festhalten, bis sie bluten, wenn das bedeutet, dass ich mit dir zusammen sein kann."

Er stand auf. Selbst im Dämmerlicht konnte sie sein verführerisches Lächeln erkennen. „Aber ich habe eine Idee, was meine Hände jetzt mit dir tun könnten."

Ohne Vorwarnung zog er sie fest zu sich heran. Dann küsste er sie voller Leidenschaft. Sie konnte jeden einzelnen seiner harten Muskeln spüren, und sie erschauerte wohlig. Vor Verlangen wurde sie ganz schwach und krallte die Finger in seine starken Schultern.

Seine Hände wanderten zu den Verschnürungen an den Seiten ihres Kleides. Zögerte er etwa? Gaira stöhnte laut auf, damit er weitermachte. Sie hörte, wie er leise lachte.

„Keine Sorge, ich höre nicht auf", flüsterte er. „Das würde ich gar nicht schaffen." Mit einem Ruck zog er die seitliche Verschnürung auf, streifte ihr das Kleid ab und anschließend das dünne Hemd, das sie darunter trug.

Sie schämte sich überhaupt nicht, nackt vor ihm zu stehen. Es überraschte sie selbst, wie schnell sich ihr Kummer in Luft aufgelöst hatte, denn jetzt spürte sie nichts als loderndes Verlangen.

Doch Robert ließ ihr keine Zeit, weiter über ihre Gefühle nachzudenken, denn nun nahm er ihre Brüste in seine rauen Hände, und sie hatte das Gefühl, in Flammen zu stehen. Voller Begehren streichelte und drückte er sie, und sie vergaß vollkommen, dass sie kurz zuvor noch solche Angst gehabt hatte.

Heftig stieß er den Atem aus und ließ sie los. „Ich wusste, dass ich es nicht schaffen würde, sanft zu dir zu sein."

Sie bedeckte eine seiner Hände mit ihrer eigenen und ergriff anschließend seine andere Hand. Dann führte sie seine Hände zurück an ihre Brüste, damit er sie liebkoste und ihr Verlangen steigerte. Sein Atem ging noch immer heftiger, doch er blieb ruhig vor ihr stehen. „Dabei bist du diejenige, die sanft mit mir sein sollte!"

„Ich will dich so sehr." Sie drückte sich fordernd gegen seine Hände, damit er sie auch an anderen Stellen berührte. „Ich würde keinen Unterschied bemerken."

„Aber ich. Und ich weiß, dass du etwas Besseres verdienst."

„Ich will dich!" Sie zog ihre Hände weg und war froh, dass er seine dort ließ, wo sie waren. „Und wenn es so sein muss …"

„Es muss nicht sein … nein, ich würde lügen. Es muss sein. Ich begehre dich so sehr, dass ich es kaum noch aushalte. Ich fürchte, dass ich nicht sanft mit dir sein kann."

Trotz seiner Worte spürte sie, dass seine Berührungen nun zärtlicher wurden. Er ließ seine Finger um die Spitzen ihrer Brüste kreisen, sie wurden hart und streckten sich ihm entgegen.

Sie zerrte an seiner Tunika, denn sie wollte, dass auch er sich auszog.

„Weißt du, wie oft ich davon geträumt habe, dich so zu sehen? Als wir unter deinem Baum gesessen haben und es so windig war, konnte ich sehen, wie sich deine Brustwarzen unter der Tunika aufgerichtet hatten. Ich dachte, ich müsste verrückt werden vor Verlangen, wenn ich dich nicht sofort berühre."

Sie erinnerte sich, wie er vor ihr gestanden hatte.

„Dann frag mich nächstes Mal einfach", flüsterte sie heiser und wünschte sich erneut, dass er sie auch an anderen Stellen berührte – an Stellen, wo er die Flammen ihrer Lust höher lodern lassen würde.

Er zog sich mit einer schnellen Bewegung die Tunika über den Kopf. „Nächstes Mal … aber nicht jetzt."

Mit beiden Händen zog er sie fest zu sich heran. „Jetzt bestimmt nicht."

Er küsste sie heftig, und sie öffnete die Lippen, um seinen Kuss erwidern zu können. Sie spürte, dass ihm dies offenbar gefiel, denn er ließ sogleich seine Zunge in ihren Mund gleiten. Dann zog er sich zurück, um sie erneut herauszufordern, und sie ließ sich ganz auf dieses aufregende Spiel ein. Sie rieb sich an ihm, denn sie wollte noch mehr.

Doch er warf stattdessen den Kopf zurück, näherte sich dann wieder ihrem Gesicht und bedeckte ihre Wange mit zärtlichen Küssen. Dann knabberte er liebevoll an ihrem Hals und fuhr anschließend mit der Zunge darüber. Dabei ließ er seine Hände begierig über ihre Taille wandern, und sie spürte die heiße Spur, die seine Finger dort hinterließen.

Ihr ganzer Körper stand jetzt unter Spannung, und ihr wurde schwindlig. Als er mit seinen Lippen über ihre Brüste strich, entfuhr ihr ein lautes Stöhnen. Sie begehrte ihn so sehr! Zuerst küsste er ihre Brustspitzen nur flüchtig, doch dann nahm er sie ganz in den Mund, und sie konnte sich vor Verlangen kaum noch unter Kontrolle halten. Sie bog den Rücken, damit er sie noch besser berühren konnte. Er blickte sie an, und sie sah, wie das Begehren in seinen Augen brannte. All die Wut und die Beherrschung waren verschwunden. Es kam ihr vor, als wäre er ein anderer Mann.

Was mochte in ihm vorgehen? Was hatte ihn so verwandelt? Doch genau betrachtet wusste sie nicht einmal, was mit ihr selbst geschah. Nur eines wusste sie ganz bestimmt: Er hatte ihr zwar alle Kleider ausgezogen, doch einen gewissen Teil von ihr hatte er nicht angerührt.

„Mein Haare", sagte sie. „Öffne mein Haare."

Mit einer Hand streichelte er weiter ihre Taille, aber er richtete sich auf und blickte auf ihren Zopf. „Deine Haare", flüsterte er heiser und strich liebevoll darüber. „Dein Haar ist wie Feuer."

Robert zog das Lederband von der Spitze ihres Zopfes und ließ es zu Boden fallen. „Seit ich es das erste Mal gesehen habe, ist die Sonne für mich kalt."

Er legte ihr die Hände um den Nacken und ließ dann seine Finger durch die seidigen Locken gleiten. „Es war wie Folter für mich, dir dabei zuzusehen, wie du es gekämmt und geflochten hast." Andächtig liebkoste er Strähne um Strähne. „Du hast es angefasst, ohne darüber nachzudenken, während ich dir zusah und beinahe den Verstand verloren habe, weil ich es so gerne berührt hätte."

Er wiederholte die Bewegung, bis die Haare ihr in langen Wellen über die Schultern fielen. Dann ordnete er jede einzelne Strähne, und Gaira fühlte, wie seine Finger dabei über ihre Brüste strichen.

Plötzlich ließ er sie los, trat zurück und zog sich die Stiefel aus. Danach entledigte er sich seiner restlichen Kleidung. Dabei blickte er sie ununterbrochen an. Auch diesmal warnte er sie nicht vor. Sie sah seine aufgerichtete Männlichkeit und spürte die heftige Reaktion ihres Körpers. Dann legte er ihr die Arme um die Hüften und zog sie nach unten auf den Boden.

Er stützte sich neben ihr auf, und sie betrachtete bewundernd seinen kraftvollen Körper. Er ließ eine Hand an ihrer Hüfte entlang und an ihrem Bein hinabwandern und dann wieder hinauf. Es war keine Geste der Zärtlichkeit, sondern er nahm jede Linie ihres Körpers begierig in sich auf, schließlich hatte er sich bis jetzt nicht erlaubt, sie überall zu berühren. Jetzt holte er das so ausgiebig nach, dass sie ganz von heißem Verlangen erfüllt wurde.

Anschließend folgte er der Spur, die seine Hände gezogen hatten, mit den Lippen, und Gaira wand sich neben ihm vor Lust. Sie spürte seine heißen Atemstöße, als er sie küsste.

Immer wieder ließ er seine Zunge über ihre Schultern, ihre Brüste und über ihren Bauch fahren und wechselte hier und da in ein zärtliches Knabbern über. Plötzlich hielt er inne und richtete sich auf.

Sie ließ ihm keine Gelegenheit, sie um Erlaubnis zu fragen, sondern spreizte auffordernd die Beine.

Aufmerksam betrachtete sie seinen Gesichtsausdruck und sah, wie das Verlangen ganz von ihm Besitz ergriff. Doch dann hielt er inne.

„Berühr mich", flüsterte er heiser.

Dabei war es doch ihr eigener Körper, der nach mehr verlangte. Wie sollte sie ihn berühren, wenn er sie so voller Begierde ansah? Sie hatte das Gefühl, in einem reißenden Strom zu schwimmen, ängstlich und glücklich zugleich.

Sie folgte seiner Aufforderung und ließ ihre Handflächen über die Stellen seines Körpers gleiten, die sie erreichen konnte: seine breiten Schultern, seine sehnigen Unterarme, seinen flachen Bauch. Bei jeder Berührung bebte sein ganzer Körper, doch sie machte einfach weiter. Als sie seine Oberschenkel erreichte, packte er ihr Handgelenk.

„Noch nicht. Ich muss noch näher an dir dran sein, an deiner Flamme", entfuhr es ihm heiser. „Ich muss erst in dir sein."

Er ließ ihr Handgelenk los, legte sich zwischen ihre Beine und wanderte mit seiner Hand zwischen ihre Schenkel, um sie dort zu erkunden. Doch sie wollte mehr!

Sie nahm seine Hand und verschränkte ihre Finger mit seinen, da sie nicht wusste, wie sie sich sonst mit ihm verbinden sollte. Sie spürte, wie sein Puls raste, und ihr war klar, welche Anstrengung es ihn kosten musste, sich zu beherrschen. Der Gedanke erregte sie.

Er kniff die Augen zusammen. „Bist du bereit?", fragte er. „Willst du mich?"

„Ja, Robert. Ich bin bereit. Ich will dich!"

Er legte sich auf sie, ließ seine Hände unter ihre Schenkel gleiten und hob ihre Hüften nach oben, sodass der Druck auf die Stelle, an der ihre Lust pulsierte, noch verstärkt wurde. Doch es war immer noch nicht genug. Da er sie nicht mehr streichelte, begann sie sich an ihm zu reiben und ihn näher an sich heranzuziehen. Sie merkte, dass er seine Lust kaum noch zügeln konnte.

„Oh Gott!" Er machte eine Bewegung, und dann spürte sie, wie er kraftvoll in sie eindrang. Sie empfand einen brennenden Schmerz, sodass sie ihm die Finger in die Schultern krallte. Doch er hörte nicht auf.

Anscheinend ging er vollkommen in dem Gefühl auf, das von ihnen beiden Besitz ergriffen hatte: pure Lust. Und auch sie wollte sich diesen Empfindungen ganz hingeben ... und ihm.

„Näher", sagte er und ließ ihre Beine los. „Ich will deine Hitze ganz spüren." Die Bewegungen seiner Hüften wurden immer heftiger, und sie drückte sich verlangend an ihn. Sie spürte keinen Schmerz mehr, empfand nur noch Leidenschaft.

Er hatte gesagt, sie solle noch näher kommen, und sie bäumte sich ihm entgegen. Jetzt konnte sie ihn ganz spüren. Doch sie wollte noch mehr! Sie schlang ihre Beine fest um seine Hüften und drückte sich fest an ihn.

„Robert!", rief sie, als die Wogen der Lust sie erfassten und sie auf den Gipfel der Ekstase trugen.

Mit einem Mal waren ihre Glieder ganz schwach, und sie konnte seinem schnellen Rhythmus nicht mehr standhalten. Als sie schon dachte, dass er nicht mehr tiefer in sie eindringen konnte, spannte sich sein Körper plötzlich an, und sie fühlte, wie er sich warm in ihr verströmte. Einen Moment blieb er auf ihr liegen, dann rollte er sich atemlos auf die Seite.

Sie spürte ihn zwar nicht mehr auf sich, doch das Gefühl der Hitze blieb. Er strich über ihre Hüfte, und die zarte Liebkosung entsprach ganz dem Gefühl, das sie in diesem Moment empfand: pures Glück.

Gaira drehte sich um und blickte ihn an. Selbst in dem schwachen Licht konnte sie sehen, dass es ihm nicht wie ihr ging. Seine Stirn lag in Falten, und er hatte tiefe Furchen um den Mund. Sie drehte sich zu ihm und fuhr mit dem Finger darüber, doch er nahm ihre Hand und schob sie zurück.

Gerade wollte sie etwas sagen, da legte er ihr einen Finger auf die Lippen. „Ich brauche jetzt ein wenig Ruhe, Gaira."

Doch sie wollte keine Ruhe. Sie wollte mit ihm reden, damit die Furchen in seinem Gesicht verschwanden. „Bereust du es schon?", fragte sie in schärferem Ton als beabsichtigt.

„Ich bereue vieles, aber nicht das hier."

Sie legte eine Hand auf seine Brust und fühlte, wie heftig sein Herz noch immer schlug.

Seine Mundwinkel gingen nach oben. „Ich koste das Gefühl aus, wie sich dein Körper an meinem anfühlt. Es ist lange her gewesen, zu lange. Ich konnte nicht sanft zu dir sein. Aber ich versuche es von jetzt an."

Er schloss die Augen. Sie betrachtete ihn und verstand wieder einmal, warum sie ausgerechnet ihm ihr Herz geschenkt hatte: Er war ein schöner Mann. Er war ein guter Mann.

Sie zeichnete die weißen Narben nach, die sich von seinen Wangen bis auf seinen Brustkorb hinabzogen. An den Armen und an der Brust waren sie größer, doch sie sahen nicht wie Schwertwunden aus. Sie waren flach, und er hatte zu viele. Sie wusste, was das für Narben waren.

„Die Narben stammen von dem Feuer, richtig?"

Sie fühlte, wie er sich anspannte. „Ja", erwiderte er.

Mit der flachen Hand streichelte sie ihm über die Brust, bis er sich wieder entspannte. Dann ging sie zu seinen Armen über. Auf den Innenseiten seiner Arme waren die Narben beinahe symmetrisch. Ihre Hände begannen zu zittern.

„Du hast sie aus dem Feuer getragen, oder?"

Er sah sie nicht an. „Das Feuer brach in der Kammer neben ihrer aus. Da dieser Teil der Burg noch aus Holz errichtet war, breiteten sich die Flammen schnell aus ", erklärte er mit tonloser Stimme. „Sie lag im Bett, als ich sie fand, völlig reglos. Ihr Kleid brannte. Ihre Haare …" Er atmete schwer ein. „Ihr goldenes Haar war schon versengt. Als ich mit ihr über eine Hintertreppe in den Hof gelangte, liefen die Menschen verzweifelt umher. Ich rannte mit Alinor durch das Burgtor und bettete sie ins Gras. Doch sie hatte schon zu viel Rauch eingeatmet und wachte nicht mehr auf."

Gaira konnte die Tränen nicht zurückhalten. Sie fielen auf ihre Hand, die sie auf Roberts Arm gelegt hatte. Sie stellte sich vor, wie verzweifelt er gekämpft hatte, um Alinore zu retten, und wie schrecklich er gelitten haben musste, weil er es nicht geschafft hatte. Schließlich wusste sie selbst, welch zerstörerische Kraft Feuer hatte.

Sie beugte sich hinab und küsste ihn zärtlich an den Stellen, wo ihre Tränen gelandet waren. Er zog sie fest zu sich heran, und sie schmiegte sich eng an ihn.

Jetzt wusste sie, dass ihre Körper sich vereinigen konnten. Doch in diesem Augenblick fühlte sie sich ihm noch näher als während ihres Liebesspiels. Nun war es so, als wären sie eins, als ob sich ihre Seelen umarmten und nicht ihre Körper.

Er umfasste ihr Gesicht und küsste sie erneut. Sie versuchte, alle dunklen Gedanken beiseitezuschieben, um ihm mit ihrer Liebe die Trauer zu nehmen. Sein Kuss wurde immer leidenschaftlicher, bis sie an nichts anderes mehr dachte als daran, wie sehr sie ihn begehrte.

Sie mussten eingeschlafen sein, denn Morgenlicht drang durch die Ritzen der Kellertür, sodass Robert ausgiebig Gairas lange Beine betrachten konnte, die mit seinen verschlungen waren. Ihren Kopf hatte sie in seine Armbeuge gelegt, und ihre Brüste schmiegten sich an seine Seite. Obwohl sie schlief, überkam ihn ein unbändiges Verlangen nach ihr, als er sie so daliegen sah.

Er hatte noch nicht genug von ihr gehabt. Verlangend betrachtete er ihre Lippen, die dunkelrot von ihren hungrigen Küssen schimmerten. Es war unglaublich, wie ihr Körper auf ihn reagierte. Vielleicht würde er es diesmal schaffen, zärtlich und sanft zu ihr zu sein. Er richtete sich auf. Ihr Haar streifte seine Hand, und er spürte die Erregung in sich aufsteigen.

Nein, er würde es nicht schaffen. Er würde sein Verlagen auch diesmal nicht zügeln können und nur an seine Befriedigung denken. Er wollte sie im Licht ansehen, während er sie nahm, wollte ihr zusehen, wie ... verdammt, es war bereits Morgen.

Ihre gemeinsame Zeit war vorbei. Doch wenn sein Plan funktionierte, dann könnte er sie für immer in den Armen halten.

Es kostete ihn viel Kraft, seinen erregten Körper wieder unter Kontrolle zu bringen. Aber noch viel schwieriger war es, sich dazu zu zwingen, sie nicht länger im Arm zu halten. Sie mussten sich schleunigst trennen. Er strich ihr über das Haar, und sie öffnete langsam die Augen. Sie strahlten hell vor Glück, als sie ihn ansah.

„Die Sonne geht auf, meine Liebste", flüsterte er.

Sie zog die Stirn in Falten, und ihre Augen bekamen einen traurigen Ausdruck.

„Du fliehst also nicht", sagte sie mit gepresster Stimme.

Er schüttelte den Kopf. „Du musst jetzt gehen. Wenn man uns erwischt, dann gibt mir dein Bruder kein Schwert für den Kampf heute."

Sie stand auf und hob ihr Hemd vom Boden auf. „Warum tust du das? Meinst du, dass ich dich noch liebe, wenn du meinen Bruder tötest?"

„Ja."

Sie funkelte ihn wütend an, nahm dann ihr Kleid und zog es über den Kopf.

„Wenn man jemanden von Herzen liebst, dann liebt man ihn für immer. So wie ich dich liebe."

Verdammt, warum sagte er gerade jetzt solche Sachen?

Er stand lächelnd auf, und sie bewunderte noch einmal seine nackte Schönheit. Seine starke, breite Brust, den flachen Bauch, die schmalen Hüften, die kräftigen Oberschenkel. Er war ein Bild von einem Mann, und sie wollte, dass keine weitere Narbe auf seinem Körper dazukam.

Er hatte recht. Wenn er Bram tötete, würde sie ihn immer noch lieben. Wenn Bram mit ihm kämpfte, dann würde ihr Herz vor Schreck stillstehen. Aber nicht wegen ihres Bruders, sondern wegen Robert. Sie fühlte sich wütend und hilflos zugleich. Und sie hasste es, sich hilflos zu fühlen.

„Fahrt doch alle zur Hölle!", rief sie zornig.

31. Kapitel

Die Sonne hatte die Luft aufgeheizt, und es war dunstig vom leichten Sprühregen. Seine Kleidung hing feucht und schwer an seinem Körper herab, und er zog die Tunika aus.

Robert hatte bereits die Menge bemerkt, die sich gebildet hatte, aber er konnte Gaira nicht entdecken. Doch ihm war es recht, dass sie nicht da war. Die Zuschauer konnte er während des Kampfes vergessen, Gaira nicht.

Sogar jetzt noch spürte er das Gefühl, das ihr Körper in ihm hinterlassen hatte. Er war vollkommen von ihr erfüllt. Wenn er atmete, roch er ihren Duft. Er spürte sogar noch, wie sich ihre Brust hob und senkte, während Gaira sich an ihn geschmiegt hatte. Er nahm sein Schwert. Es fühlte sich nicht wie kalter Stahl an, sondern wie ihr warmer, geschmeidiger Körper.

Er wusste, dass er nicht mehr wie sonst kämpfen konnte: mit leerem Kopf, ohne einen einzigen Gedanken, nur getrieben davon, den Feind zu besiegen. Denn jetzt war Gaira bei ihm. Er würde nicht nur für sie kämpfen, sondern mit ihr. Sie war nun ein Teil von ihm. Sein Inneres war nicht mehr leer, er trug sie in seinem Herzen.

Wenn sie sich doch bloß nicht am Ende der Nacht gestritten hätten. Doch auch das Streiten gehörte zu ihrer Liebe dazu. Und jetzt musste er für diese Liebe kämpfen und ihren Bruder besiegen.

Er tat das nicht nur, weil er ihr versprochen hatte, sie zu beschützen. Nein, ihr Bruder sollte wissen, dass seine Gefühle für Gaira aufrichtig waren. Er musste allen seine Liebe für Gaira beweisen. Und wenn er dafür sterben musste, dann war das eben der Preis. Er wusste nicht, was er sonst tun sollte, und ihm blieb keine Zeit mehr.

Bram trat in den Ring, sein Schwert blitzte in den Sonnenstrahlen, die durch die Wolkendecke gebrochen waren. Malcolm

240

und Caird folgten ihm. Sie sprachen leise miteinander, doch man konnte hören, wie das Gespräch hitziger wurde. Dann hob Bram die Hand, und seine Brüder gingen davon.

Er hob die Stimme, um zu den Leuten zu sprechen, die sich versammelt hatten. Robert vermutete, dass er ihnen all seine Verbrechen gegen Schottland aufzählen würde. Doch er hörte nicht hin, denn er wusste, was er getan hatte.

Gaira stand wie angewurzelt auf der Treppe, die zum Wohnturm führte. Sie war gezwungen, sich jedes von Brams Worten anzuhören, denn sie konnte nicht weggehen. Ihre Füße gehorchten ihr nicht.

Sie stieß eine lange Reihe von Flüchen aus. „Sie werden mir das Herz brechen! Das weiß ich so sicher, wie kalter Haferbrei klebt!"

Als sie das Klirren von Klingen, die aufeinandertrafen, hörte, erwachte sie aus ihrer Erstarrung. Nein, sie würde nicht mehr länger dastehen und sich Sorgen machen. Sie würde etwas unternehmen. Sie brauchte eine Weile, bis sie Caird und Malcolm in der Menge gefunden hatte. Sie sah zwar nicht, was auf dem Kampfplatz vor sich ging, doch sie hörte, wie die Schwerter geräuschvoll aufeinanderprallten, und ihr war, als ob sie sich direkt in ihr Herz bohrten.

Sie drängte sich durch die Gaffer. Endlich bei Malcolm angekommen, stieß sie ihn in die Rippen. Zu ihrer Freude jaulte er auf.

„Ihr seid zwei riesige Dummköpfe!" Sie zwängte sich zwischen ihre Brüder. Sie standen in der ersten Reihe, sodass sie jetzt sah, wie Robert und Bram lauernd umeinander herliefen.

Malcolm zuckte mit den Schultern.

„Er ist der Laird", sagte Caird.

„Aber nicht mehr, wenn er stirbt!"

„Bram hat noch nie verloren", rief Malcolm aus.

„Aber Robert hat euch beide geschlagen."

Malcolm wirbelte herum. „Es war unentschieden!"

Mit einem lauten Klirren prallten die Schwerter über Brams und Roberts Köpfen zusammen. Gaira sah die Schweißperlen auf Roberts Stirn, und seine Arme zitterten. Er sah verzweifelt aus, doch sie hatte keine Zeit, um darüber nachzudenken, weshalb.

„Ich dachte, dass ihr mit Bram sprechen wolltet."

„Das haben wir auch", sagte Caird.

Sie sah Malcolm fragend an.

„Das stimmt. Anscheinend haben die Kinder mit Hugh gesprochen, und der hat mit Caird geredet. Wir fanden, dass wir Bram sagen müssen, dass … du weißt schon."

„Was?" Gaira zog hilflos die Schultern nach oben. „Ich verstehe nicht, was ihr meint. Ich sehe bloß, dass sie trotzdem kämpfen."

„Ja. Er ist Engländer und muss bestraft werden. Schließlich stehen wir mit England im Krieg."

„Genau. Er ist Engländer, aber er ist nicht Black Robert", fügte Caird hinzu.

Gaira sah Caird verblüfft an. Was meinte er damit?

Malcolm blickte ihn ebenfalls fragend an. Doch dann leuchteten seine Augen auf. „Dieser kluge Bastard!"

Gaira fühlte sich alles andere als klug. Plötzlich ging ein Raunen durch die Menge, und sie sah schnell zu Robert. Er hatte eine Wunde am rechten Arm, und das Blut lief ihm über die Haut.

„Wenn ihr mir nicht sofort sagt, was es damit auf sich hat, dann marschiere ich auf den Kampfplatz. Egal, was das für Folgen hat."

Caird blickte Malcolm an, und der begann zu grinsen. Gaira ballte die Hände.

„Bram hat den Leuten nicht gesagt, dass er gegen Black Robert kämpft", erklärte Malcolm.

Robert war verletzt. Sie hatte keine Zeit für Unsinn. „Ich war dabei, als Bram seine Ansprache gehalten hat."

„Wahrscheinlich warst du zu sehr damit beschäftigt, wie du den Kampf verhindern kannst, und hast nicht richtig zugehört."

Er hatte recht.

„Bram hat gesagt, dass Robert Engländer ist und bestraft werden muss, genau wie Black Robert."

„Das verstehe ich nicht." Sie hatte nur einen Gedanken: Robert blutete. Sein Leben stand auf dem Spiel, ihr gemeinsames Leben!

„Der Clan weiß nicht, dass er Black Robert ist", fuhr Malcolm fort. „Bram hat ihnen nur gesagt, dass Robert ein englischer Soldat ist."

„Was macht das für einen Unterschied? Sie schlagen mit Schwertern aufeinander ein! Sie werden sterben oder schwer verletzt sein."

„Wenn Bram gewinnt, dann kann er Roberts wahre Identität enthüllen und ihn König Balliol übergeben. Wenn Bram verliert, dann wird der Clan nicht verlangen, dass man Robert den Kopf abschlägt. Hätte Bram ihn als Black Robert bestrafen wollen, dann hätte er bereits den König informiert. Doch er bietet ihm einen fairen Kampf an, damit er seine Ehre wahren kann. Und damit der Clan ihn akzeptieren kann."

Gaira wurde bei all diesen Enthüllungen schwindlig. Aber dann verstand sie: Der Clan hatte keine Ahnung, dass Black Robert vor ihren Augen kämpfte, der am meisten gehasste aller Engländer.

Sie versuchte, sich Brams Worte in Erinnerung zu rufen, schaffte es jedoch nicht. Konnte es wirklich sein, dass ihr Bruder Robert die Möglichkeit gab, am Leben zu bleiben?

Der Zweikampf dauerte gewiss bereits mehr als eine Stunde. Seine Muskeln schmerzten bei jeder Bewegung, er war vollkommen erschöpft. Doch Bram stand noch immer kraftvoll vor ihm. Sein Plan ging nicht auf.

Als sie begonnen hatten, war er davon ausgegangen, dass Bram ähnlich wie seine Brüder kämpfte. Er hatte gedacht, dass er nach nicht allzu langer Zeit müde werden und den Kampf für beendet erklären würde, ohne dass einer von ihnen ernsthaft verletzt war. Und er hätte wenigstens ein Versprechen in seinem traurigen, einsamen Leben gehalten: bei Gaira zu bleiben.

Doch Bram wurde nicht müde, und Robert taumelte und fiel zu Boden. Seine Finger waren schon ganz taub, weil er das Schwert so fest umklammert hielt.

Bram hob sein Schwert in die Luft. Robert hatte zu wenig Abstand zu Bram, um ihn richtig abzuwehren. Aber er hatte nicht vor zu sterben. Er sprang auf und stürzte sich gegen Bram, um ihn umzuwerfen. Er prallte hart gegen Brams Brust, und sie ließen beide die Schwerter sinken, um sich mit vollem Gewicht gegen den anderen zu wuchten.

Robert wusste, wie man einen Mann mit nur einer Bewegung zu Fall bringen konnte. Doch er hatte einfach nicht mehr genug Kraft in den Beinen. Verdammt! Es musste aussehen, als ob sie sich umarmten.

Er wollte, dass dieser Albtraum endlich ein Ende hatte! Er spürte, wie die Wut ihn packte und sein Herz schneller zu schlagen begann. Das gab ihm die nötige Kraft, um zu sprechen.

„Du verdammter Schotte, du nichtsnutziger Dummkopf!", provozierte er ihn. „Warum fällst du nicht endlich um?"

Brams Körper wurde mit einem Mal steif, und Robert hätte ihn mit Leichtigkeit umwerfen können. Doch Bram stieß Laute aus, die ihn davon abhielten.

Bram lachte!

Robert war noch immer fassungslos, als Bram sich aufrichtete und seinen Brüdern zuwinkte, die sofort zu ihnen gelaufen kamen. Sie wirkten ebenso verwirrt wie er selbst.

Was zum Teufel war los?

Malcolm flüsterte Bram etwas ins Ohr, doch Robert hörte nicht mehr als ein paar Wortfetzen. Dann schüttelte Bram den Kopf. Er wandte sich von ihnen ab und stellte sich vor die Menge.

„Der Kampf ist vorbei!", rief er mit donnernder Stimme.

Dann hob er gebieterisch die Hand, wie es sich für einen Laird gehörte, und drehte sich zu seinen Brüdern um.

„Sorgt dafür, dass seine Wunde versorgt wird und er etwas zu essen bekommt. Dann bringt ihn in eine der freien Kammern, damit er schlafen kann." Mit leiser Stimme fügte er hinzu: „Ich werde mich ebenfalls ausruhen. Und dann muss ich mit unserer Schwester sprechen."

Robert wusste nicht, was mit ihm geschah, doch er war zu erschöpft, um zu widersprechen. Er war noch am Leben und Bram ebenfalls. Er suchte die Zuschauerreihen nach Gaira ab, aber er fand sie nicht.

Stunden später wurde Gaira zu Bram gerufen. Das Herz schlug ihr vor Aufregung bis zum Hals. Dennoch fühlte sie sich auf dem Weg zu seinem Arbeitszimmer erleichtert und glücklich.

Bram saß auf der Bank. Er hatte dunkle Ringe unter den Augen vor Erschöpfung nach dem langen Zweikampf, doch er war am Leben.

Sie fiel ihm in die Arme und drückte ihn an sich.

Bram lachte angespannt. „Und? Hast du mich noch gern?"

Gaira machte sich von ihm los. „Wie konntest du je daran zweifeln?"

„Ich habe versucht, den Mann zu töten, den du liebst."

Sie setzte sich neben ihn und legte den Kopf an seine Schulter. „Ich hätte dich auch noch gern, wenn du ihn getötet hättest."

Sie hörte, dass er schluckte, und hatte plötzlich auch einen Kloß im Hals.

„Gaira", sagte er zögernd. „Bist du dir darüber bewusst, was es bedeutet, ihn zu lieben?"

Sie nickte.

„Er hat viele Menschen getötet. Schotten."

„Das weiß ich."

„Wie kannst du zärtliche Gefühle für ihn haben?"

„Ich weiß, wie er wirklich ist. Ich kenne seinen Zorn, aber auch seine Güte. Es war Schicksal, dass ich ihn getroffen habe. Wir sind füreinander bestimmt."

Bram seufzte. „Ich verstehe dich nicht."

„Es ist meine Sache, und es reicht, wenn ich es verstehe."

Bram schwieg, und auch Gaira sprach nicht weiter, sondern genoss es einfach, von ihrem Bruder im Arm gehalten und getröstet zu werden.

„Du hast mich nicht gefragt, warum ich ihn nicht getötet habe", sagte er schließlich. „Du bist doch sonst so neugierig."

„Ich bin zu glücklich, um das Ergebnis zu hinterfragen."

Bram lachte wieder leise auf. „Er hat geflucht und mich beschimpft, weil ich nicht umgefallen bin."

„Und das hat dich zum Aufgeben gebracht?", fragte sie verwundert.

„Nein. Es war die Art, wie er geflucht hat. Nur du nennst uns nutzlose Dummköpfe oder Trottel, wenn du mit uns schimpfst."

Sie lachte. „Du dachtest also, dass es ein Zeichen der Zuneigung ist, und hast deswegen …"

„Nein, mir wurde klar, dass er das Wort von dir hat und dass du ihn liebst."

„Aber das hatte ich dir bereits gesagt."

Er antwortete nicht, und sie machte sich von ihm los. „Du hast mir nicht geglaubt! Hast du gedacht, dass ich dich anlüge?"

„Nein, aber du hast so viel Zeit mit diesem Mann verbracht, ich hingegen kannte ihn nicht. Es hätte sein können, dass du ihn aus Dankbarkeit oder aus Angst schützen willst. Ich habe mir Sorgen um dich gemacht."

Er war also um ihre Sicherheit besorgt gewesen. Doch dieser Grund allein reichte ihr noch nicht. „Du hast jetzt zum zweiten Mal versucht, über mein Leben zu bestimmen. Das lasse ich nicht mehr zu. Ich suche mir meinen Ehemann selbst aus!" Sie schnaubte vor Wut. „Und du entscheidest dich ausgerechnet für Busby!"

Mit Genugtuung sah sie, dass er wenigstens errötete. Also tat es ihm leid.

„Musst du mich daran erinnern?"

„Für den Rest deines Lebens!"

Sie mussten beide lachen, und endlich fielen die Angst und die Anspannung auch von ihr ab. Beinahe hätte sie ihren Bruder und Robert verloren. Ihr Lachen wurde lauter und lauter, bis es schließlich in heftiges Schluchzen überging.

Bram streichelte ihr über den Rücken, bis sie wieder sprechen konnte.

„Ich dachte, dass du ihn töten würdest."

„Das hatte ich auch vor. Doch ich bezweifle, dass er mich gelassen hätte." Er lächelte sie reumütig an. „Ich habe die Vermutung, dass er gar nicht versucht hat, mich zu töten."

Gaira wischte sich die Tränen von den Wangen. „Wann hast du es gemerkt?"

„Es hat nicht lange gedauert. Ich war nicht sehr glücklich darüber, wie der Kampf begonnen hatte, und in meiner Wut habe ich sein Schwert zu weit oben getroffen. Er hätte mir mit einer Drehung die Waffe aus der Hand schlagen können. Wir wussten es beide. Doch stattdessen machte er einen Schritt zurück, damit wir die Schwerter voneinander lösen konnten, als ob wir im Training wären."

„Er ist ein ehrenhafter Mann. Ich habe ihn bereits kämpfen sehen und bezweifle nicht, dass er dich geschlagen hätte."

Bram schenkte ihr einen herrischen Blick. „Eine Colquhoun, die an ihrem Laird und Bruder zweifelt?"

„Du magst zwar mein Laird und Bruder sein, aber er ist Black Robert."

Brams Lächeln verschwand, und sie bereute sofort, dass sie ihn daran erinnert hatte.

„Was hast du jetzt mit ihm vor?"

„Ich weiß es nicht." Bram zuckte mit den Schultern. „Wenn er mich in Ruhe lässt, lasse ich ihn auch in Ruhe."

„Aber du wirst keine Ruhe mehr haben, weil du Busbys Kinder zu dir nehmen und aufziehen musst." Den fassungslosen Blick, den er ihr jetzt zuwarf, würde sie niemals vergessen. Sie lachte, doch sie meinte es ernst. „Ja, Busbys Kinder sind jetzt deine Kinder. Du trägst die Verantwortung für sie. Wenn du mich nicht gezwungen hättest, ihn zu heiraten, wären sie jetzt keine Waisen."

„Das kommt nicht in Frage", platzte er heraus.

„Wie bitte?" Sie stand auf, und Bram tat es ihr nach, um sie mit seiner Größe einzuschüchtern. Doch es klappte nicht.

„Wenn du nicht so ein Feigling wärst, dann wüsstest du, was du zu tun hast!"

„Aber was soll ich mit den Kindern? Ich bin nicht einmal verheiratet!"

„Darüber hättest du vorher nachdenken sollen."

Er ging hastig zum Fenster und schaute in den Hof. Eine ganze Weile sprach er kein Wort, und sie ließ ihn in Ruhe.

Schließlich drehte er sich um. „Gut. Ich nehme sie. Du hast recht. Es ist meine Schuld, dass die Kinder unter meinen Plänen zu leiden haben. Ich trage die Verantwortung für sie." Er machte eine Pause und sah sie an. „Aber auch du hast Fehler gemacht, für die du die Verantwortung übernehmen musst." Seine Mundwinkel zuckten. Er ging zur Tür, öffnete sie und erteilte einem Diener einen Befehl. Nach einer Weile kamen Caird und Robert herein.

Vor Freude wurden ihr schwindelig. Sie sah Robert an, er war bis auf die eine Wunde unverletzt, und sie wurde von tiefer Liebe durchflutet.

Sein Haar war noch nass vom Bad. Bram hatte ihm seine persönlichen Dinge wiedergegeben, und er war wie gewöhnlich in eine schwarze Tunika gekleidet. Doch diese hier war im Gegensatz zu denen, die er sonst trug, reich bestickt und mit Seidenbändern verziert. Am Gürtel entdeckte sie den juwelenbesetzten Dolch, den sie schon einmal in der Hand gehabt hatte. Er sah aus, als würde er zu einem königlichen Bankett gehen.

Bram hatte gesagt, dass Robert einer der wichtigsten Heerführer von König Edward gewesen war. Sie war ihm zwar in einem kleinen schottischen Dorf begegnet, aber so, wie er jetzt gekleidet war, wurde ihr wieder bewusst, dass er aus England kam, dem Zentrum der Macht und des Reichtums.

Sie hatte sich, naiv, wie sie war, bereits ein Leben mit ihm und den Kindern ausgemalt. Doch sie wusste nicht, ob Robert das ebenfalls wollte. Vielleicht war er gar nicht bereit, sich an sie zu binden?

Bram nickte Caird zu, doch sie nahm es kaum wahr. Aber dann packte Caird sie energisch am Arm, und sie versuchte wie wild, sich loszureißen. Sie blitzte ihn wütend an, ihre Wut galt allerdings Bram.

„Darf ich fragen, was du vorhast?", forderte sie zu wissen.

„Wie ich bereits sagte, du hast deine Pflicht noch nicht erfüllt", sagte Bram.

„Ist das wirklich nötig?", wandte Robert mit düsterer Stimme ein.

„Ich werde keine weitere Verzögerung dulden. Und erst recht keine Unentschlossenheit! Ich sehe ja, wie verwirrt sie schaut. Mein Entschluss steht fest."

„Ich mag es nicht, wenn du über mich redest, als wäre ich gar nicht im Raum."

Robert warf Caird einen Blick zu, und Gaira fühlte, wie sich sein Griff lockerte. Doch er ließ sie nicht los.

Bram hob die Hand. „Ich werde mein Wort als Laird und als Bruder halten. Aber dafür müsst ihr mitspielen."

Gaira wusste nicht, wovon er sprach, und sie wurde es langsam leid.

Sie wandte sich Bram zu. „Ich dachte, du würdest mir nichts mehr vorschreiben!"

Er lächelte spöttisch. „Natürlich werde ich einer Frau zeigen, wo ihr Platz ist."

Gaira hielt die wüsten Beschimpfungen zurück, die ihr durch den Kopf schossen. „Und was hast du jetzt mit mir vor?"

„Das, was du dir am meisten wünschst", antwortete er und winkte Caird zu. „Sie soll vorbereitet werden."

„Bram, nein! Hilfe!"

„Es ist alles gut, Gaira. Vertrau mir", sagte Robert in ruhigem Ton.

Die Zärtlichkeit in seiner Stimme beruhigte sie mehr als jegliche Erklärung. Sie wollte nicht, dass man sie erneut ungerecht behandelte oder über ihren Kopf hinweg Entscheidungen über sie traf. Es würde wohl einige Zeit dauern, bis sie ihrem Bruder wieder vertraute. Doch sie wusste, dass Robert aufrichtig mit ihr war.

Deshalb nickte sie ihm kurz zu und sah dann voller Zorn Bram an. Caird lockerte sofort seinen Griff. Mit stolz erhobenem Kopf ging sie hinaus.

„Wenn sie zu mir gehört, dann behandelt Ihr sie nie wieder so!", stieß Robert aus, als sie die Tür hinter Gaira geschlossen hatten.

„Wieso glaubt Ihr, dass ich sie Euch gebe?"

Robert zog am Ärmel seiner Tunika. „Ihr habt gesagt, dass Ihr sie vorbereiten lassen wollt. Und mich habt Ihr aufgefordert, mich festlich zu kleiden."

„Denkt Ihr, dass mich Eure Kleidung interessiert?"

„Ihr habt mich am Leben gelassen. Es wäre klug, uns miteinander zu verheiraten, um Euch meine Loyalität zu sichern. Warum habt Ihr es ihr nicht einfach gesagt?"

„Weil sie zu eigensinnig ist. Ich traue ihr nicht. Möglicherweise würde sie sich weigern."

„Eure Schwester ist klug und stark. Sie braucht Euch nicht, damit Ihr für sie entscheidet. Und ich übrigens auch nicht."

„Ich bin der Laird, daher ist es mein Recht. Und Ihr habt sie zu heiraten."

Robert lachte auf. „Ich freue mich schon darauf, wenn Ihr die Frau kennenlernt, die Ihr liebt. Und ich hoffe, dass sie Euch wegen Eurer Arroganz und Eurer herrischen Art verschmäht."

Bram sah ihn entgeistert an, dann lachte er leise und goss ihnen etwas zu trinken ein. „Ihr verteidigt meine Schwester sehr."

„Ja, weil sie es verdient."

„Ihr liebt sie."

„Ja. Aber das ändert nichts daran, wer ich bin."

Jegliche Belustigung war jetzt aus Brams Gesicht gewichen. „Doch. Denn ich glaube, dass Ihr gar nicht wisst, wer Ihr seid."

„Ich bin Black Robert. Ich habe Hunderte Schotten getötet. Ich bin die rechte Hand von König Edward."

„Nein."

Robert zog die Augenbrauen hoch.

„Das seid Ihr alles nicht mehr. Von heute an seid Ihr nicht mehr Black Robert. Mein Bruder hat ihn vor einigen Tagen getötet. Ihr seid ein Überlebender von Doonhill."

Robert stellte den Becher geräuschvoll auf den Tisch. „Schön und gut. Aber was, wenn mich jemand erkennt?"

„Das wird nicht passieren." Bram stellte seinen Becher ebenfalls ab und beugte sich vor. „Habt Ihr verstanden? Ich werde es nicht noch einmal wiederholen."

Robert schwieg, denn Bram erwartete keine Antwort.

„Ich will Euch mitteilen, was mir meine Boten übermittelt haben. Das, was in Doonhill geschehen ist, hat sich auch an anderen Orten wiederholt. Ich werde nicht ruhen, bis ich meine Schwester gerächt habe. Ganz Schottland wird nicht ruhen, bis alle Toten gerächt sind. Ich bin zwar noch hier, aber mein Clan zieht bereits in den Kampf. Es darf Euch also niemand erkennen."

Robert hatte nie etwas anderes getan, als zu kämpfen. Er konnte nichts anderes. Doch jetzt hatte er ein Zuhause und eine Familie. Wenn man ihn erkannte, dann war nicht nur sein eigenes, sondern ihrer aller Leben in Gefahr. Also würde er mitspielen.

„Ich werde meine Hand nicht zum Kampf erheben. Es sei denn, Gaira oder jemand, den sie liebt, ist in Gefahr."

Bram nickte. „Ich wiederhole: Niemand darf wissen, wer Ihr seid!"

„Aber Hugh weiß es. Was habt Ihr mit ihm vor?"

„Wir lassen ihn frei. Ich habe meinem Clan verboten, ihn anzugreifen. Dafür hat er mir sein Schweigen zugesichert."

Bram nahm seinen Becher und lehnte sich zurück. „Da Ihr nicht aussteht, wie es in den Geschichten über Euch gesagt wird, glaube ich nicht, dass Euch irgendjemand erkennen wird."

„Ich habe meinen Bart und mein Haar abgeschnitten, um …"

„… meine Schwester zu schützen, ich weiß." Bram machte eine Pause. „Und Ihr könnt sie für den Rest Eures Lebens beschützen, denn ich werde Euch noch heute Abend verheiraten. Oder wollt Ihr sie etwa nicht?"

Natürlich wollte er sie. Doch zu seinen eigenen Bedingungen und nur, wenn sie es auch wollte. Nicht aus taktischen Gründen.

„Ich will sie. Das wisst Ihr ganz genau. Aber ich will es nicht, wenn Ihr sie dazu zwingt."

Bram blickte ihn mit einem arroganten Grinsen an. „Ich werde Eure Loyalität schneller bekommen, als Ihr glaubt."

Robert betrat Gairas Gemach. Sie lag auf dem Bett, doch sie hatte den Rücken zur Tür gewandt. Sie bewegte sich nicht, als er eintrat, denn sie weinte so laut, dass sie ihn nicht hörte.

„Ich hoffe, dass das Freudentränen sind", sagte er und legte ihr eine Hand auf die Schulter.

Sie schluchzte auf und schlang ihre Arme um ihn. Sofort wurde er von ihrer Wärme und von ihrem Duft durchdrungen, und es fühlte sich so gut und so richtig an. Doch ihr Schluchzen wurde immer heftiger.

Robert streichelte ihren Rücken und zog sie noch fester zu sich heran. Gaira klammerte sich an ihn.

„Ich wollte das nicht!", schluchzte sie. „Ich habe nicht an die Konsequenzen gedacht, sondern nur an mich selbst. Und jetzt ist alles ein furchtbarer Schlamassel …"

„Nein, überhaupt nicht. Beruhige dich", unterbrach er sie. „Wir sind am Leben, und wir können endlich zusammen sein. Mit dem Segen deines Bruders. Ich kann Teil deiner Familie werden."

Gaira zog die Nase hoch. Sie wollte nicht, dass er sie heiratete, weil man ihn dazu zwang.

Robert hob ihr Kinn ein wenig an und küsste sie erst auf die Augenlider, dann auf die Wangen und auf den Mund. „Mach die Augen auf, meine Liebste. Oder sehe ich so schlimm aus?"

„Nein, ich will nicht, dass du mich ansiehst", flüsterte sie und kniff die Augen fest zu, denn nur so würde sie es schaffen, nicht von seinen zärtlichen, federleichten Küssen umgestimmt zu werden.

Er lachte, und sie öffnete die Augen. Die Art, wie er sie anblickte, ließ ihr Herz vor Liebe erstrahlen.

„Ich will, dass du mich heiratest, Gaira vom Clan der Colquhoun", sagte er. „Sogar wenn du geschwollene Augen und gerötete Wangen hast und unter deinen Sommersprossen ganz blass bist. Ich will dich heiraten. Nicht, weil deine Brüder es von mir verlangen, sondern weil ich durch dich zurück ins Leben gefunden habe. Ohne dich gäbe es kein Leben mehr für mich. Ich nehme deine Dornen mit in unsere Ehe, genau wie deine Liebe. Ich will dich heiraten, wenn du mich auch liebst."

„Aber wie könnte ich dich heiraten? Du musst so viel aufgeben, wenn du mich zur Frau nimmst."

„Ich gebe nichts auf. Mein Zuhause ist hier bei dir. Ich bin nur Robert of Dent. Der Mann, der dich von ganzem Herzen liebt."

Sie wollte so sehr, dass er hierblieb, bei ihr und den Kindern. Und beinahe glaubte sie ihm, dass er es ebenfalls wollte.

Sie machte sich ein wenig von ihm los und fuhr sich über die tränennassen Augen. „Ich glaube, ‚nur‘ ist das falsche Wort, um dich zu beschreiben", neckte sie ihn.

„Wie würdest du mich denn beschreiben?"

Sie legte ihm eine Hand auf die Wange, und es schien, als würde ihr Herz zunächst in tausend kleine Stücke zerbersten, um dann noch größer, noch reicher an Liebe wieder zusammenzuwachsen. „Ich würde dich beschreiben als den Mann, den ich liebe."

Als er sie schließlich küsste, spürte sie bereits wieder die Wogen der Lust in sich aufsteigen.

32. Kapitel

D u weißt, dass du auch mit mir mitkommen könntest."
Hugh zog den Sattelgurt fest.

Nachdem der Laird Robert und Gaira verheiratet
hatte, hatte er verkündet, dass Hugh frei war und nach England
zurückkehren konnte. Und Hugh wollte keine Zeit verlieren, obwohl die Sonne bereits unterging.

Robert hatte seit Tagen nicht mit Hugh gesprochen. Alles war
anders, seit sie im Keller eingesperrt gewesen waren. Nein, schon
vorher. Alles war anders, seit Gaira ihm den Kessel auf den Kopf
geschlagen hatte.

Nicht Alinores Tod hatte ihn unfähig gemacht, Gefühle zu haben. Es war seine eigene Schuld gewesen. Er würde Alinore nie
vergessen, doch er würde nicht mehr um sie trauern. Seine Gefühle
für Gaira waren etwas vollkommen anderes. Alinore war gestorben, doch er hatte weitergelebt. Wenn Gaira starb, dann würde
auch er sterben, das wusste er.

„Ich gehe nicht zurück", sagte Robert.

„Also stimmt es, was die Kinder gesagt haben. Ich kann es kaum
glauben. Du hast wirklich eine Schottin geheiratet. Am Ende hat
doch jemand deine Mauern zum Einsturz gebracht." Er zeigte auf
die Brust seines Freundes.

„Ja." Robert zog etwas aus seinem Beutel. Es war der goldene
Ring mit dem Rubin, den König Edward ihm einmal gegeben
hatte. „Gib ihm den. Sag ihm, dass ich tot bin. Dieser Ring wird
der Beweis dafür sein."

„Aber du bist nicht tot, Robert. Ich kann den König nicht be-
lügen."

„Der Robert, den er kennt, ist tot. Ich weiß, dass ich dich um
einen großen Gefallen bitte. Doch alles, was mit Black Robert in
Verbindung gebracht werden kann, muss weg, wenn ich mir hier

ein Leben aufbauen will. Ich darf sie nicht in Gefahr bringen. Black Robert muss sterben."

„Aber ich weiß, dass es eine Lüge ist."

Er musste dieses Risiko in Kauf nehmen. Der König würde seinen Tod sicher nicht einfach so hinnehmen. Alles hing davon ab, ob er Hugh glaubte oder nicht.

„Ja, du kennst die Wahrheit. Ich kann damit leben. Kannst du es auch?"

Hugh lächelte ihn schief an. „Du weißt, dass du mir immer vertrauen kannst."

Robert nickte in Richtung der Wachen und ihrer Pferde. „Sie warten auf dich."

Hugh blickte die Wachen hasserfüllt an. Robert verstand ihn. Der Konflikt zwischen England und Schottland hatte sich immer mehr zugespitzt. Alle waren misstrauisch, und Hugh war nur zu gern auf Brams Vorschlag, nach England zurückzukehren, eingegangen.

„Sie begleiten dich nur bis zur Grenze des Buchanan-Gebietes. Es geschieht zu deiner Sicherheit. Tu einfach so, als gehörten sie zur Landschaft."

„Ich denke lieber gar nicht an sie." Hugh schwang sich auf sein Pferd.

„Ich kann dir gar nicht genug danken. Deinetwegen kann ich weiterleben."

Hugh richtete sich auf. „Mir geht es genauso. Ohne dich könnte ich nicht nach England zurückkehren."

„Ich wünsche dir ein langes Leben, mein Freund."

„Das wünsche ich dir auch." Hugh zog am Zügel und lenkte das Pferd aus dem Burghof hinaus. Robert sah ihm hinterher, bis er ihn nicht mehr erkennen konnte.

Hugh war die letzte Verbindung zu seinem alten Leben, und nun war er fort. Er bereute es nicht, diese Entscheidung getroffen zu haben. Doch er wusste, dass er nie wieder einen Freund wie Hugh finden würde. Das Vertrauen zwischen ihnen war etwas Besonderes. Sein Leben hing davon ab, ob Hugh sein Geheimnis weitergab oder nicht.

Doch er schob diesen Gedanken rasch beiseite. Schließlich stand ihm eine glückliche Zukunft mit einer feurigen rothaarigen Schönheit bevor.

Sie waren alle zusammen im Garten. Gaira drehte sich mit Flora und Maisie im Kreis. Alec rannte von einem zum anderen und versuchte mitzumachen. In einiger Entfernung übte Creighton seine Kampfkünste mit einem Knappen.

Bis vor Kurzem hatten Gaira und die Kinder für ihn nicht einmal existiert. Und jetzt konnte er sich ein Leben ohne sie nicht mehr vorstellen. Robert legte Gaira einen Arm um die Taille, und sie hörte auf, sich zu drehen. Maisie und Flora fielen lachend zu Boden.

Er beugte sich vor und küsste ihren Nacken. Gairas Duft ergab mit dem der Wildrosen eine verführerische Mischung. Er küsste die Stelle auf ihrem Hals, direkt unter dem Ohr.

„Dir ist doch klar, dass ich noch mehr davon haben möchte?", flüsterte er.

Die Hitze stieg ihr in die Wangen, denn sie wusste, was er meinte. Er wollte Kinder mit ihr. „Das hoffe ich."

Alec gab ein lautes Brüllen von sich und sprang auf Flora und Maisie zu. Die Mädchen quietschten und wehrten sich lachend. Die Kinder waren ganz mit ihrem Spiel beschäftigt und achteten nicht auf sie. Die Gelegenheit war günstig.

„Sollen wir gleich anfangen?", fragte er lächelnd.

– Ende –

HISTORICAL

Freuen Sie sich auf den nächsten
Band, der am **5. September 2017**
bei Ihrem Zeitschriftenhändler
erhältlich ist!

Terri Brisbin

Dem Highlander ausgeliefert

Eva MacKays Herz zerbricht, als sie mit leeren Armen
erwacht: Ihre neugeborene Tochter wurde ihr genommen. Zudem verlangt der Laird von ihr, dass sie Rob
Mackintosh heiratet. Niemals! Bei Nacht und Nebel
flieht Eva in die Highlands, entschlossen, der Ehe zu
entkommen und ihr Kind zu finden. Aber sie gerät in
Lebensgefahr, aus der sie ein Unbekannter rettet. Wer
ist dieser Fremde im Kilt, der sie in dieser dunklen
Stunde leidenschaftlich an sich zieht?

Deutsche Erstveröffentlichung

Mehr historische Romane unter: **www.historical.de**

Service ist unsere *Leidenschaft.*

HarperCollins Germany GmbH, CORA Verlag, Valentinskamp 24, 20354 Hamburg   64000J /15_s_/w

**Sie haben Fragen?
Alles zu den Themen:**

- Abonnements und Preisvorteile
- Einzelbestellungen
- E-Books
- www.cora.de

Wir sind für Sie da – der CORA Leserservice:

Servicehotline: **040 / 636 64 20-0** oder per Mail: **kundenservice@cora.de**
Servicezeiten: 8.00 bis 18.00 Uhr (montags bis freitags)
CORA Leserservice, Postfach 810580, 70522 Stuttgart

WWW.CORA.DE   MEIN MOMENT.   **CORA** Verlag

Ihr VORTEILSCOUPON ✂

Kostenlose Zustellung | Keine Verpflichtung | Preisvorteil

(*Bei Auslandbestellungen erlauben wir uns die Berechnung der Portokosten.)

21003V2.17_s/w

Ja, bitte liefern Sie mir die angekreuzte Romanreihe bequem und ohne Zustellkosten* direkt ins Haus. Ich erhalte jeweils die aktuelle Ausgabe **zum Vorteilspreis. Ich kann die Lieferung jederzeit wieder abbestellen.** Als Dankeschön erhalte ich ein Überraschungs-Rezeptband von Dr. Oetker, den ich in jedem Fall behalten darf. Bei Teilnahme am Bankeinzugsverfahren erhalte ich eine Gutschrift über € 5,–.

- HISTORICAL (9 × / Jahr € 4,05, statt € 4,49)
- HISTORICAL Gold (13 × / Jahr € 5,40, statt € 5,99)

- Mini Kombi, **18 % sparen**
  (9 × / Jahr HISTORICAL und 9 × / Jahr Gold Extra à € 4,71 je Band)
- Maxi Kombi, **18 % sparen**
  (9 × / Jahr HISTORICAL, 9 × / Jahr HISTORICAL Gold Extra, 13 × / Jahr HISTORICAL Gold à € 4,79 je Band)

01KOMF16

Vorname / Nachname

Straße / Nr.

PLZ / Ort

Telefonnummer   E-Mail-Adresse

- Ja, ich bin immer an neuen Verlagsangeboten interessiert. Ich bin damit einverstanden, dass der CORA Verlag mir weitere Angebote per Telefon / E-Mail unterbreitet. Garantie: Es erfolgt keine Weitergabe Ihrer Daten an Dritte. (Freiwillige Angabe, das Einverständnis kann ich jederzeit widerrufen.)

- Den Vorteilspreis zahle ich bequem per SEPA-Bankeinzug und erhalte eine Gutschrift über € 5,–
  ☐ monatlich   ☐ 1/4-jährlich   ☐ 1/2-jährlich   ☐ jährlich

Gläubiger-Identifikationsnummer: DE46ZZZ00000748563

Ich ermächtige HarperCollins Germany GmbH CORA Verlag, Hamburg, Zahlungen von meinem Konto mittels SEPA-Lastschrift einzuziehen. Zugleich weise ich mein Kreditinstitut an, die auf mein Konto gezogenen Lastschriften einzulösen. Hinweis: Ich kann innerhalb von acht Wochen, beginnend mit dem Belastungsdatum, die Erstattung des belasteten Betrages verlangen. Es gelten dabei die mit meinem Kreditinstitut vereinbarten Bedingungen.

- oder per Rechnung: ☐ 1/2-jährlich   ☐ jährlich

IBAN

Kreditinstitut   BIC

Datum/Unterschrift   Bitte senden an: **CORA Leserservice, Postfach 810580, 70522 Stuttgart**
                       Servicehotline: 040 / 636 64 20-0 (Mo.–Fr. von 8–18 Uhr)

HarperCollins Germany GmbH | CORA Verlag | Valentinskamp 24 | 20354 Hamburg

Widerrufsrecht: Die Bestellung kann ich innerhalb der folgenden zwei Wochen ohne Begründung beim CORA Leserservice, Postfach 810580, 70522 Stuttgart, in Textform (z. B. Brief oder E-Mail) widerrufen. Zur Fristwahrung genügt die rechtzeitige Absendung. Alle Preise inkl. MwSt. Ich bin damit einverstanden, dass die von mir angegebenen Daten für Beratung, Werbung und Zwecke der Marktforschung durch den CORA Verlag gespeichert und genutzt werden. Ich kann der Nutzung meiner Daten zu Werbezwecken jederzeit beim Verlag widersprechen.